Michel LE BEL
professeur au C.E.G.E.P.
de Lévis-Lauzon

LE QUÉBEC

par ses textes littéraires

(1534-1976)

FRANCE-QUÉBEC / FERNAND NATHAN

LES ÉDITIONS FRANCE-QUÉBEC INC.
3550 est, rue Rachel
Montréal H1W 1A7

Dessins de l'intérieur: Paul-José Migglacio
Photographies de l'intérieur: Jacques Lessard
Photographie de la couverture: Georges Jacob

Avertissement

Cet ouvrage a été conçu de façon à pouvoir répondre à de multiples usages : on peut s'en servir pour enseigner la grammaire et la stylistique aussi bien que pour faire une première connaissance de l'histoire d'une collectivité et des divers cours de la pensée qui ont présidé à son évolution. Plus précisément, ce choix de textes peut être utile aussi bien dans les dernières années du secondaire que pendant tout le cours du collégial. Il peut servir d'introduction à la littérature québécoise dans l'enseignement universitaire, comme il peut aussi guider le public lecteur qui voudrait s'initier au Québec par la voie de sa littérature. Aussi, sa présentation est-elle le plus sobre possible, répondant à un cheminement strictement chronologique réparti en cinq chapitres ; ces chapitres correspondent aux divers régimes historiques et politiques qui ont marqué l'histoire du Québec.

Chaque texte est précédé d'une courte notice bio-bibliographique sur l'auteur et accompagné, lorsqu'il y a lieu, de notes explicatives de nature historique ou linguistique.

Chaque chapitre est suivi d'une bibliographie sommaire. On trouvera également, parsemés à travers chaque chapitre, des « documents » dûs notamment à des historiens ou des sociologues et qui sont susceptibles d'éclairer tel ou tel aspect de la période historique dont il est question dans le chapitre.

Il est évident qu'une entreprise comme celle-ci ne pouvait ni ne devait embrasser la totalité de l'histoire des textes du Québec. Tous les auteurs n'y figurent pas nécessairement ; pas même, souvent, les plus représentatifs d'une pensée, d'un art ou d'une école. Il arrive même qu'un texte d'un auteur figurant ici ne soit pas non plus le plus représentatif de l'ensemble de son œuvre. C'est qu'un axe principal ordonnait de lui-même le choix des textes : l'émergence et l'évolution d'une communauté historique et culturelle à travers certains événements qui la forment et une certaine permanence qui la fonde.

Michel LE BEL
Jean-Marcel PAQUETTE

Chapitre 1

La Nouvelle-France
1534-1763

INTRODUCTION

En 1534, d'immenses territoires d'Amérique, habités par un grand nombre de nations amérindiennes, deviennent possessions de la France; elles le resteront jusqu'au Traité de Paris de 1763, alors que la France, au terme d'une longue guerre dont elle sort vaincue, cède la Nouvelle-France à l'Angleterre. Entre ces deux dates, dix mille Français, venus de toutes les Provinces de France, particulièrement de l'Ouest (Poitou, Aunis, Saintonge), de l'Île-de-France (Paris) et de Normandie, ont traversé l'Atlantique pour peupler un pays nouveau.

On trouvera dans ce premier chapitre l'histoire de leur établissement dans le Nouveau-Monde et de la formation d'une société nouvelle. Les pionniers ont eu d'abord à reconnaître les aspects physiques du pays (texte 1) et à faire connaissance avec une faune nouvelle (texte 2). Les explorateurs, cependant, ne désespéraient pas de réaliser leur projet d'origine qui était de trouver une voie navigable pouvant mener en Asie (texte 3). Les nouveaux venus n'en restèrent pas moins sur les terres fortuitement découvertes, au milieu de populations amérindiennes avec lesquelles ils ont eu à se familiariser (texte 4). Ils ont eu surtout à s'adapter à une saison qui saisit leur nouveau pays cinq mois par année: l'hiver (texte 5).

Nous assistons peu à peu à la formation d'une petite civilisation, par l'arrivée en Nouvelle-France de contingents de plus en plus importants de colons (texte 6), cependant que certains Amérindiens, notamment les Iroquois, leur mènent une âpre guerre (texte 7). La propagande pour le peuplement de la jeune colonie ne s'en poursuit pas moins dans les Provinces de France (texte 8).

Pendant tout ce temps, l'ennemi principal demeure l'Anglais, qui tente à plusieurs reprises d'arracher à la France ses possessions d'Amérique; il y échoue (texte 10). Dans la première moitié du 18ᵉ siècle, une petite civilisation française en miniature s'est formée sur les rives du Saint-Laurent, avec l'amorce, déjà, d'une critique des mœurs sociales (texte 11), avec sa vie mondaine (texte 13); son adaptation de plus en plus évidente au nouveau pays, fait qu'elle commence à se distinguer sur certains points de celle de France (texte 14).

Mais en 1759, c'est le désastre: tout s'écroule par le sort funeste des armes (texte 15). La Nouvelle-France devient possession anglaise. Les Français y sont au nombre de soixante mille — c'est peu... Ils ont néanmoins décidé de durer malgré le nouvel occupant.

Les textes qui font foi de ce cheminement traversent trois grandes périodes de l'histoire littéraire: la Renaissance (16ᵉ siècle), le Classicisme (17ᵉ siècle) et le Siècle des Lumières (18ᵉ siècle).

1. DÉCOUVERTE DU PAYS

Jacques Cartier (1491-1557), navigateur né à Saint-Malo (Bretagne). Fit, pour le compte du roi de France, François 1er, trois voyages d'exploration: c'est au cours du premier, en 1534, qu'il prit officiellement possession du Canada au nom du roi de France. Il laissa un *Brief Récit* de ses trois voyages.

1. Fleuve: *fleuve Saint-Laurent.*
2. Hochelaga: *nom amérindien de l'île de Montréal.*
3. Outre: *au-delà, plus loin.*
4. Peuples: *peuplades amérindiennes.*
5. Désertée: *déboisée.*
6. Bièvres: *castors.*
7. Connins: *lapins à fourrure bleue.*
8. Sauvagines: *bêtes sauvages.*
9. S'accoutrent: *s'habillent.*
10. Ouï: *entendu parler.*
11. Adhothuys: *mot amérindien pour désigner le bélouga.*
12. Item: *de même.*
13. Renouveau: *printemps.*

Toute la terre des deux côtés du fleuve[1] jusqu'à Hochelaga[2] et outre[3], est aussi belle et unie que jamais homme regarda. Il y a plusieurs montagnes, assez loin dudit fleuve, que l'on voit par dessus lesdites terres, desquelles il descend plusieurs rivières qui entrent dedans le dit fleuve. Toute cette dite terre est couverte et pleine de bois de plusieurs sortes, et force vignes, excepté à l'entour des peuples[4], laquelle ils ont désertée[5] pour faire leur demeurance et labour. Il y a grand nombre de grands cerfs, daims, ours et autres bêtes. Nous y avons vu les pas d'une bête qui n'a que deux pieds, laquelle nous avons suivie longuement par-dessus le sable et vase, laquelle a les pieds en cette façon, grands d'une paume et plus. Il y a force bièvres[6], martres, renards, chats sauvages, lièvres, connins[7], écureuils, rats, lesquels sont gros à merveille, et autres sauvagines[8]. Ils s'accoutrent[9] des peaux de ces bêtes, pour ce qu'ils n'ont nul autre accoutrement. Il y a aussi grand nombre d'oiseaux, savoir: grues, outardes, cygnes, oies sauvages, blanches et grises, cannes, canards, merles, mauvis, tourtres, ramiers, chardonnerets, tarins, serins, linottes, rossignols, passes solitaires, et autres oiseaux comme en France. Aussi, ledit fleuve est le plus abondant de toutes sortes de poissons qu'il soit mémoire d'homme avoir jamais vu ni ouï[10]; car depuis le commencement jusqu'à la fin, y trouverez, selon les saisons, la plupart des sortes et espèces de poissons de la mer et eau douce. Vous trouverez force baleines, marsouins, chevaux de mer, *adhothuys*[11], qui est une sorte de poisson, duquel jamais n'avions vu ni ouï parler. Ils sont blancs comme neige et grands comme marsouins et ont le corps et la tête comme lévriers; lesquels se tiennent entre la mer et l'eau douce, qui commence entre la rivière du Saguenay et Canada. Item[12], y trouverez en juin, juillet et août, force maquereaux, mulets, bars, sardres, grosses anguilles et autres poissons. Ayant leur saison passée, y trouverez l'éperlan, aussi bon qu'en la rivière de Seine. Puis, au renouveau[13], y a force lamproies, brochets, truites, carpes, et autres poissons d'eau douce. Et de toutes ces sortes de poissons, fait ledit peuple, de chacun selon leur saison, grosse pêcherie pour leur substance et victuaille.

Avons conservé, allé et venu avec les peuples les plus prochains de nos navires en douceur et amitié. Et avons entendu d'eux que la rivière nommée

Saguenay va jusqu'au dit Saguenay qui est loin du commencement de plus d'une lune de chemin. Et nous ont fait entendre que au dit lieu les gens sont vêtus et habillés de draps[14] comme nous, et qu'ils ont grande quantité d'or et de cuivre rouge. Outre, nous ont donné à entendre qu'il y a outre[15] une rivière jusqu'à une terre où il n'y a jamais de glace ni neige; mais que en ces dites terres y a guerres continuelles, les uns contre les autres, et que en cette terre y a oranges, amendes, noix, prunes et autres sortes de fruits, et en grande abondance. Et nous ont dit les hommes et habitants de cette terre être vêtus et accoutrés de peaux, comme eux. Après leur avoir demandé s'il y avait de l'or et du cuivre, nous ont dit que non. J'estime, à leur dire, ledit lieu être vers la Floride, à ce qu'ils montrent par leurs signes.

14. Draps: *vêtements tissés.*
15. Outre: *plus loin vers le Sud (sans doute le fleuve Mississipi).*

JACQUES CARTIER, *Brief Récit,* 1534.

Jacques Cartier

DOCUMENT 1

LES GRANDES ÉPOQUES DE LA NOUVELLE-FRANCE

1534-1604 : Découverte suivie d'une longue absence.

1604-1627 : Le pays est confié à des grandes compagnies chargées d'établir le commerce des fourrures et de peupler la colonie. Fondation de Québec.

1627-1663 : Richelieu accorde le monopole d'exploitation de la Nouvelle-France à la Compagnie des Cent Associés qu'il a lui-même fondée. Fondation des Trois-Rivières et de Montréal.

1663-1713 : Louis XIV prend lui-même en main la colonisation de la Nouvelle-France, qui devient colonie royale. Première époque importante pour le peuplement.

1713-1754 : Réorganisation et stabilisation des institutions de la Nouvelle-France. Principale époque de peuplement.

1754-1763 : Guerre de Sept Ans contre les troupes anglaises d'Amérique. Après une longue suite de victoires françaises, la Nouvelle-France subit la défaite à Québec en 1759, à Montréal en 1760. Par le Traité de Paris de 1763 entre les rois de France et d'Angleterre, la Nouvelle-France devient possession britannique. Les habitants du pays sont au nombre de 60 000.

2. L'ORIGNAL

Marc Lescarbot (1570-1642), avocat, musicien et dessinateur, né à Vervins (Picardie), vint en Nouvelle-France en 1606. Durant son séjour d'un an, il écrit le *Théâtre de Neptune*, première pièce de théâtre jouée en Nouvelle-France, et fit la première notation des chants indiens.

Œuvres: *La défaite des Sauvages Armouchiquois* (1607). *Histoire de la Nouvelle-France* et *Les Muses de la Nouvelle-France* (1609). *La Conversion des Sauvages* (1610). *Relation dernière* (1612).

C'est un animal le plus haut qui soit après le dromadaire et le chameau, car il est plus haut que le cheval. Il a le poil ordinairement grison et quelquefois fauve, long quasi comme les doigts de la main. Sa tête est fort longue et a un fort long ordre de dents qui paraissent doubles pour récompenser le défaut de la mâchoire supérieure, qui n'en a point. Il porte son bois double comme le cerf, mais large comme une planche et long de trois pieds, garni de cornichons[1] d'un côté et au-dessus. Le pied en est fourchu comme celui du cerf mais beaucoup plus plantureux. La chair en est courte et fort délicate. Il paît aux prairies et vit aussi des tendres pointes des arbres. Ç'est la plus abondante chasse qu'aient nos Sauvages après le poisson.

Disons donc que le meilleur temps et plus commode pour lesdits Sauvages à toute chasse terrestre est la plus vieille saison, lorsque les forêts sont chenues et les neiges hautes, et principalement si sur ces neiges vient une forte gelée qui les endurcisse. Lors, bien revêtus d'un manteau fourré de castors et de manches aux bras, attachés ensemble avec une courroie, item[2] de bas-de-chausse[3] de cuir d'élan[4] semblable au buffle (qu'ils attachent à la ceinture) et des souliers aux pieds du même cuir, faits bien proprement, ils s'en vont l'arc au poing et le carquois sur le dos vers la part que leur *aoutmoin*[5] leur aura indiquée... ou ailleurs où ils penseront ne devoir perdre temps.

Ils ont des chiens, presque semblables à des renards en forme et grandeur et de tous poils, qui les suivent et, nonobstant qu'ils ne jappent point, toutefois ils savent fort bien découvrir le gîte de la bête qu'ils cherchent, laquelle trouvée, ils la poursuivent courageusement et ne l'abandonnent jamais qu'ils ne l'aient terrassée. Et pour plus commodément la poursuivre, ils attachent au-dessous des pieds des raquettes trois fois aussi grandes que les nôtres, moyennant quoi ils courent légèrement sur cette neige dure sans enfoncer. Que si elle n'est assez ferme ils ne laissent de chasser et poursuivre trois jours

1. Cornichons: *petites cornes.*
2. Item: *de même.*
3. Bas-de-chausse: *partie du vêtement. masculin qui couvrait le corps de la ceinture aux pieds.*
4. Élan: *d'après l'auteur, les Basques nommaient l'élan «orignac», d'où vient le mot «orignal».*
5. Aoutmoin: *chaman ou prêtre qui invoque les esprits.*

11

durant si besoin est. Enfin l'ayant navrée[6] à mort ils la font tant harceler par leurs chiens, qu'il faut qu'elle tombe. Lors ils lui ouvrent le ventre, baillent[7] la curée auxdits chiens et en prennent leur part. Ne faut penser qu'ils mangent la chair crue comme quelques-uns s'imaginent, même Jacques Cartier l'a écrit ; car ils portent toujours allant par les bois un fusil au-devant d'eux pour faire du feu quand la chasse est faite ou la nuit les contraint de s'arrêter.

Nous allâmes une fois à la dépouille d'un élan demeuré mort sur le bord d'un grand ruisseau, environ deux lieues et demie dans les terres, là où nous passâmes la nuit, ayant ôté les neiges pour nous cabaner. Nous y fîmes la tabagie[8] fort voluptueuse avec cette venaison si tendre qu'il ne se peut rien dire de plus ; et après le rôti nous eûmes du bouilli et du potage abondamment apprêtés en un instant par un Sauvage, qui façonna avec sa hache un bac, ou auge, d'un tronc d'arbre, dans quoi il fit bouillir sa chair. Chose que j'ai admirée et, l'ayant proposée à plusieurs qui pensent avoir bon esprit, n'en ont su trouver l'invention, laquelle toutefois est sommaire, qui est de mettre des pierres rougies au feu dans ledit bac et les renouveler jusques à ce que la viande soit cuite.

Or, pour revenir à nos gens, le chasseur étant retourné aux cabanes, il dit aux femmes ce qu'il a exploité et qu'en tel endroit qu'il leur nomme, elles trouveront la venaison. C'est leur devoir d'aller dépouiller l'élan, caribou, cerf, ours ou autre chasse, et de l'apporter à la maison. Lors ils font tabagie tant que la provision dure et celui qui a chassé est celui qui en a le moins. Car c'est leur coutume qu'il faut qu'il serve les autres et ne mange point de sa chasse. Tant que l'hiver dure, ils n'en manquent point et y a tel Sauvage qui par une forte saison en a tué cinquante à sa part, à ce que j'ai quelquefois entendu.

MARC LESCARBOT, *Histoire de la Nouvelle-France*, 1609.

3. LES AVANTAGES DE LA NOUVELLE-FRANCE

Samuel de Champlain (1570?-1635), navigateur et géographe né à Brouage (Saintonge), fonde en 1604 le premier établissement d'Acadie et, en 1608, la première habitation de Québec. Il publie de son vivant trois séries de *Voyages* qui constituent son œuvre principale. L'extrait qui suit est tiré d'une lettre-mémoire adressée à Louis XIII en 1618.

Le roi se rendra maître et seigneur d'une terre de près de dix-huit cents lieues[1] de long, arrosée des plus beaux fleuves du monde et des plus grands lacs en plus grande quantité, et les plus fertiles et abondants en toute sorte de poissons qui se peuvent trouver, comme aussi des plus grandes prairies, campagnes, forêts remplies la plupart de noyers, et coteaux très agréables où il se trouve grande quantité de vignes sauvages, lesquelles apportent le grain autant ou plus gros que les nôtres, toutes cultivées qu'elles sont.

Le sieur de Champlain[2] prétend trouver aussi le passage de la mer du sud[3] pour aller à la Chine et aux Indes orientales[4] par le moyen du fleuve Saint-Laurent qui traverse les terres de la Nouvelle-France, et sort icelui[5] fleuve d'un lac[6] contenant environ trois cents lieues, duquel lac sort un fleuve[7], lequel entre dans la dite mer du sud, suivant la relation faite au sieur de Champlain par quantité de peuples, ses amis audit pays; lesquels il a visités et reconnus, ayant remonté ledit lac, auquel voyage il a trouvé des villes fermées en quantité, enceintes, et closes de bois, à la mode qu'elles sont pour le jourd'hui dans Moscovie[8]; desquelles villes peut sortir une troupe de deux mille hommes armés à leur mode.

Que sa Majesté retirerait un grand et notable profit des impôts et denrées qu'elle pourrait mettre sur les marchandises sortant du dit pays, comme aussi de la douane des marchandises qui viendraient de la Chine et des Indes, laquelle surpasserait en prix dix fois au moins toutes celles qui se lèvent en France, d'autant qu'au passage prétendu par le sieur de Champlain passeraient tous les marchands de la chrétienté, s'il plaît au roi de leur octroyer ledit passage pour ôter un raccourcissement dudit passage de plus d'un an et demi de temps[9], sans le danger des corsaires et de la fortune de la mer, par le grand tour qu'il convient de prendre maintenant et rapporte mille sortes d'incommodités aux marchands et voyageurs.

C'est ce que ledit sieur de Champlain entend de faire sous le bon vouloir de sa Majesté, si elle a pour agréable de commencer et poursuivre ladite entreprise et de faire à Québec, lieu de l'habitation du sieur de Champlain, assise

1. Lieues: *une lieue équivaut à environ quatre kilomètres.*
2. Champlain: *Champlain parle de lui-même à la troisième personne comme il convient dans une adresse au roi.*
3. Mer du sud: *Golfe du Mexique.*
4. *Ce projet, qui avait été celui de Cartier au 16ᵉ siècle, n'avait pas encore été abandonné.*
5. Icelui: *ce.*
6. Lac: *Lac Huron (aussi appelé Mer Douce), l'un des cinq Grands Lacs*
7. Fleuve: *le Mississipi.*
8. Moscovie: *Russie.*
9. *Il fallait pour rejoindre la Chine et les Indes passer par le détroit de Magellan, à l'extrémité de l'Amérique du Sud.*

10. Saint-Denis: *petite ville près de Paris.*

11. Ludovica: *forme latine du nom de Louis, en l'honneur du roi à qui la lettre est adressée.*

sur la rivière Laurent, une ville de la grandeur presque de celle de Saint-Denis [10], laquelle ville s'appellera, s'il plaît à Dieu et au roi, *Ludovica*. [11]

SAMUEL DE CHAMPLAIN, *Lettre au roi*, 1618.

4. PORTRAIT DU HURON

Gabriel Sagard (1590?-1636?), frère convers de l'Ordre des Récollets (franciscains), fut l'un des premiers missionnaires en Huronie. Arrivé au Québec en 1623, il n'y séjourna qu'une année.

Œuvres: *Le Grand Voyage au pays des Hurons*, suivi d'un *Dictionnaire de la langue huronne* (1632). *Histoire du Canada* (1636).

Tous les Sauvages en général ont l'esprit et l'entendement assez bon, et ne sont point si grossiers et si lourdauds que nous nous imaginons en France. Ils sont d'une humeur assez joyeuse et contente; toutefois ils sont un peu saturniens[1], ils parlent fort posément, comme se voulant bien faire entendre, et s'arrêtent aussitôt en songeant un grand espace de temps, puis reprennent leur parole; et cette modestie est cause qu'ils appellent nos Français femmes, lors que, trop précipités et bouillants en leurs actions, ils parlent tous à la fois et s'interrompent l'un l'autre. Ils craignent le déshonneur et le reproche, et sont excités à bien faire par honneur; d'autant qu'entre eux, celui est toujours honoré et s'acquiert du renom, qui a fait quelque bel exploit.

Pour la libéralité, nos Sauvages sont louables en l'exercice de cette vertu, selon leur pauvreté; car quand ils se visitent les uns les autres, ils se font des présents mutuels; et pour montrer leur galantise[2], ils ne marchandent point volontiers et se contentent de ce qu'on leur baille honnêtement et raisonnablement, méprisant et blâmant les façons de faire de nos marchands qui barguignent[3] une heure pour marchander une peau de castor; ils ont aussi la mansuétude et clémence en la victoire envers les femmes et petits enfants de leurs ennemis, auxquels ils sauvent la vie, bien qu'ils demeurent leurs prisonniers pour servir.

Ce n'est pas à dire pourtant qu'ils n'aient de l'imperfection: car tout homme y est sujet, et à plus forte raison celui qui est privé de la connaissance d'un Dieu et de la lumière de la foi, comme sont nos Sauvages; car si on vient à parler de l'honnêteté et de la civilité, il n'y a de quoi les louer, puisqu'ils n'en pratiquent aucun trait que ce que la simple nature leur dicte et enseigne. Ils n'usent d'aucun compliment parmi eux et sont fort mal propres et mal nets en l'apprêt de leurs viandes. S'ils ont les mains sales, ils les essuient à leurs cheveux ou aux poils de leurs chiens, et ne les lavent jamais, si elles ne sont extrêmement sales; et ce qui est encore plus impertinent, ils ne font aucune

1. Saturnien: *pondéré, modéré.*

2. Galantise: *galanterie.*

3. Barguignent: *hésitent.*

4. Parmi : *durant*.

5. Se donner de garde : *se garder*.

6. Pétuneux : *nation voisine des Hurons, qui cultivait le tabac*.

7. Aux : *chez les*.

difficulté de pousser dehors les mauvais vents de l'estomac parmi[4] les repas et en présence de tous. Ils sont aussi grandement adonnés à la vengeance et au mensonge, ils promettent aussi assez, mais ils tiennent peu ; car pour avoir quelque chose de vous, ils savent bien flatter et promettre ; et dérobent encore mieux si ce sont Hurons ou autres peuples sédentaires, envers les étrangers ; c'est pourquoi il s'en faut donner de garde[5] et ne s'y fier qu'à bonnes enseignes, si on n'y veut être trompé.

Ils sont aussi naturellement fort paresseux et négligents, et ne s'adonnent à aucun travail du corps que forcé de la nécessité, particulièrement les Canadiens et Montagnais plus que toutes les autres nations ; c'est pourquoi ils en ressentent souvent les incommodités et la faim qu'ils ont quelquefois extrême.

D'être fins larrons, nos Hurons et les Pétuneux[6] y sont passés maîtres, non les uns envers les autres, car cela arrive fort rarement, mais seulement envers les étrangers, desquels toutes choses leur sont de bonne prise, pourvu qu'ils n'y soient point attrapés, comme ils sont quelquefois à la traite, où les Français se donnent principalement garde des mains et des pieds des Hurons.

J'ai vu aux[7] Hurons jusques aux clefs des coffres de nos matelots, des petits morceaux de fer, des peignes, quelques pièces de verre et autres petits fatras pendus au col des jeunes enfants, que leurs parents avaient dérobés aux Français. On estime avec raison la subtilité et la patience du petit garçon de Sparte, lequel aima mieux se laisser ouvrir et déchirer les entrailles par ce méchant animal que de découvrir son larcin. L'invention d'un Huron n'est guère moins admirable, lequel, ayant dérobé une cuillère d'argent aux Français, la cacha subtilement dans la partie la plus secrète de son corps, aimant mieux en souffrir la douleur que la honte d'être estimé lourdaud.

GABRIEL SAGARD, *Le Grand Voyage au pays des Hurons*, 1632.

DOCUMENT 2

LES FAMILLES AMÉRINDIENNES EN NOUVELLE-FRANCE

A) *Famille algonquienne :*

1. les Souriquois (ou Micmacs) en Acadie et en Gaspésie ;
2. les Etchemins (ou Abénakis) en Acadie et dans le Maine ;
3. les Montagnais, divisés en deux nations : les Montagnais proprement dits et les Naskapis dans la région de Tadoussac ;
4. les Algonquins dans l'Outaouais ;
5. les Népissingnes au lac Népissingne ;
6. les Cheveux-relevés (ou Outaouais) dans la région des Grands Lacs ;
7. les Ojibwés autour des Grands Lacs ;
8. les Cris autour du lac Supérieur ;
9. les Pieds-Noirs dans les prairies de l'Ouest.

B) *Famille huronne-iroquoise autour du lac Ontario :*

1. les Hurons et les Pétuns (au nord) ;
2. les Neutres (à l'ouest) ;
3. les Iroquois, répartis en cinq nations (au sud) :
   a) les Agniers,
   b) les Onneyouts,
   c) les Onontagués,
   d) les Goyogouins,
   e) les Tsonnontouans ;
4. les Ériés (au sud-ouest).

C) *Autres groupes :*

1. les Béothuk sur l'île de Terre-Neuve ;
2. les Inuit (ou Esquimaux) dans le Grand Nord.

5. L'HIVER

Paul Le Jeune (1591-1664). Missionnaire jésuite né à Vitry-le-François (Champagne). Nommé supérieur de la mission du Canada, il vient en Nouvelle-France en 1632 et ne cessera que par intermittence d'y résider jusqu'en 1649. Il écrit chaque année à son supérieur de France une longue lettre, appelée *relation*, qui fait état de ce qui se passe en Nouvelle-France. Ses successeurs ayant fait de même, c'est là l'origine des célèbres *Relations des Jésuites* et qui, s'échelonnant de 1634 à 1673, constituent le document capitale des écrits de la Nouvelle-France au 17ᵉ siècle.

Le 27 du mois de novembre, l'hiver, qui avait déjà paru comme de loin, de temps en temps, nous assiégea tout à fait. Car ce jour et les autres suivants, il tomba tant de neige qu'elle nous déroba la vue de la terre pour cinq mois.

Voilà les qualités de l'hiver: il a été beau et bon et bien long. Il a été beau, car il a été blanc comme neige, sans crottes[1] et sans pluie. Je ne sais s'il a plu trois fois en quatre ou cinq mois, mais il a souvent neigé. Il a été bon, car le froid y a été rigoureux; on le tient pour l'un des plus fâcheux qui ait été depuis longtemps. Il y avait partout quatre ou cinq pieds de neige, en quelques endroits plus de dix, devant notre maison, une montagne; les vents la rassemblant, et nous d'un autre côté, la relevant pour faire un petit chemin devant notre porte, elle faisait comme une muraille toute blanche, plus haute d'un pied ou deux que le toit de la maison. Le froid était parfois si violent que nous entendions les arbres se fendre dans le bois, et en se fendant, faire un bruit comme des armes à feu. Il m'est arrivé qu'en écrivant tout près d'un grand feu, mon encre se gelait, et par nécessité, il fallait mettre un réchaud plein de charbons ardents; autrement j'eusse trouvé de la glace noire au lieu de l'encre.

Cette rigueur démesurée n'a duré que dix jours ou environ, non pas continuels, mais à diverses reprises; le reste du temps, quoique le froid surpasse de beaucoup les gelées de France, il n'y a rien d'intolérable, et je puis dire qu'on peut ici plus aisément travailler dans les bois qu'on ne fait en France, où les froids de l'hiver sont importuns. Mais il se faut armer de bonnes mitaines si on ne veut avoir les mains gelées. Nos Sauvages néanmoins s'en venaient quelquefois chez nous à demi nus sans se plaindre du froid. Ce qui m'apprend que si la nature s'habitue à cela, la nature et la grâce pourront bien nous donner assez de cœur et de force pour le supporter joyeusement; s'il y a du froid, il y a du bois.

1. Crottes: *boues, saletés.*

J'ai dit que l'hiver a été long; depuis le 27 novembre jusqu'à la fin d'avril, la terre a toujours été blanche de neige; et depuis le 29 du même mois de novembre jusqu'au 23 avril, notre petite rivière[2] a toujours été glacée, mais en telle sorte que cent carosses auraient passé dessus sans l'ébranler. Tout cela ne doit épouvanter personne. Chacun dit ici qu'il a plus enduré de froid en France qu'en Canada. Le scorpion porte son contrepoison; dans les pays plus sujets aux maladies, il y a plus de remèdes. Si le mal est présent, la médecine n'est pas loin.

2. Rivière: *rivière Saint-Charles à Québec.*

PAUL LE JEUNE, *Relation de 1636.*

6. UNE ARRIVÉE EN NOUVELLE-FRANCE

Marie de l'Incarnation (Marie Guyart) (1599-1672). Née à Tours, cette religieuse des Ursulines vint en Nouvelle-France en 1639 et y fonda une école (qui existe toujours) pour l'éducation des jeunes Amérindiennes et des filles des colons français. Elle laissa une œuvre très abondante, en particulier des *Lettres spirituelles ou historiques* dont est tiré l'extrait suivant.

1. Madame de la Peltrie: *bienfaitrice des Ursulines. Elle vint avec ces dernières en Nouvelle-France.*
2. Compagnie de Jésus: *Jésuites.*

3. Te Deum: *chant religieux dans les cérémonies où l'on rend plus particulièrement grâce à Dieu pour un bienfait.*
4. Réfection: *ce qui est nécessaire pour reprendre des forces. Ici: repas pris en commun.*
5. Le Jeune: *auteur du texte 5.*

Après tant d'accidents et de tempêtes, nous arrivâmes à Québec le premier jour d'août, où le petit navire de Madame de la Peltrie[1] qui avait pris le devant parce qu'il était plus léger, y étant arrivé le premier, avait porté la nouvelle de notre embarquement, ce qui avait donné une joie toute particulière au pays, car il y avait quatre Pères de la Compagnie de Jésus[2], avec un frère et onze personnes de notre compagnie sans y comprendre nos domestiques. Ainsi nous arrivâmes bonne compagnie à Québec où Monsieur de Montmagny, gouverneur de la Nouvelle-France, qui auparavant avait envoyé au devant de nous sa chaloupe bien munie de rafraîchissements, nous reçut aussi bien que tous les Révérends Pères avec des démonstrations d'une très grande charité. Et tous les habitants étaient si consolés de nous voir que pour nous témoigner leur joie, ils firent ce jour-là cesser tout ouvrage et tout travail. La première chose que nous fîmes à notre sortie du vaisseau fut de baiser cette terre en laquelle nous étions venues pour y conformer nos vies au service de Dieu et des Sauvages L'on nous conduisit à l'église où le *Te Deum*[3] fut solennellement chanté, ensuite de quoi Monsieur le Gouverneur nous mena tous dans le fort pour y prendre notre réfection[4]. Et après des témoignages réciproques de joie et de bienveillance, tous les Révérends Pères et lui nous firent l'honneur de nous conduire aux lieux destinés pour notre demeure. Le lendemain, le Révérend Père Le Jeune[5] et les autres Pères de la mission nous menèrent au village des Sauvages nos très chers frères, où nous reçûmes des consolations très grandes, les entendant chanter les louanges de Dieu en leur langue. Ô combien nous étions ravies de nous voir parmi eux, qui de leur côté n'étaient pas moins ravis de nous voir ! Le premier jour, un chrétien nous donna sa fille, et en peu de jours l'on nous en donna plusieurs autres avec toutes les filles françaises qui étaient capables d'instruction. L'on nous donna une petite maison pour notre demeure, en attendant que l'on nous eût choisi un lieu propre pour bâtir notre monastère; il n'y avait que deux petites chambres, dans lesquelles nous nous estimions mieux logées, y ayant avec nous les trésors que nous étions venues chercher (à savoir nos chères néophytes[6]), que si nous eussions été dans un Louvre[7] ou dans un palais. Cette petite maison fut bientôt changée en un hôpital par la maladie de la petite vérole qui se prit[8] aux filles sauvages, dont il en mourut trois ou quatre. Comme nous n'avions point encore de meubles, tous les lits étaient sur le plancher en si grand nombre qu'il nous fallait passer par dessus les lits des malades.

Afin de satisfaire avec plus d'avantage au dessein qui nous avait fait venir en ce pays, il nous fallut mettre à l'étude de la langue des Sauvages: le grand désir que j'avais de les instruire m'y fit appliquer d'abord. Mais comme il y avait plus de vingt ans que je n'avais pu raisonner sur aucune matière qui tint de la science et de la spéculation, cette étude d'une langue si différente de la nôtre me causa bien de la douleur à la tête; et il me semblait qu'apprenant des mots et des verbes par cœur, c'était autant de pierres qui me roulaient dans la tête. Cette douleur jointe aux réflexions que je faisais sur la rudesse et sur les difficultés d'une langue barbare[9], me faisait croire qu'humainement je n'y pourrais jamais réussir. En peu de temps je l'entendais et la parlais avec une très grande facilité, en sorte que mon occupation intérieure n'en était ni empêchée, ni interrompue. Mon étude m'était une oraison qui me rendait cette langue si douce qu'elle ne m'était plus barbare, et en peu de temps j'en sus assez pour enseigner à nos chères néophytes tout ce qui était nécessaire à leur salut. Lorsque le nombre en diminua par les guerres et par la férocité des Iroquois, ce nous fut une douleur très sensible de nous voir privées de la chose qui nous était la plus précieuse que nous eussions au monde.

MARIE DE L'INCARNATION, *Lettre de 1639.*

6. Néophytes: *qui ont récemment reçu le baptême.*
7. Louvre: *résidence du roi à Paris.*
8. Se prit: *se répandit.*

9. Barbare: *étrangère. Le mot n'est pas péjoratif à l'époque.*

Vue du Québec

A: le fort
B: les Récollets
C: le quai
D: le collège des Jésuites
E: la Cathédrale
F: le Séminaire
G: l'Hôtel Dieu
H: la maison Bichop

7. LA GUERRE AUX IROQUOIS

Louis de Buade, comte de Frontenac (1620?-1698), né à Saint-Germain-en-Laye (près de Paris), occupa le poste de gouverneur général de la Nouvelle-France pendant près de vingt ans. Il y arriva en 1672 et mourut à Québec. Il nous a laissé une correspondance générale et des discours.

Québec, le 25 octobre 1696

1. Sire: *Louis XIV.*

Sire[1],

Les bénédictions que le Ciel a accoutumé de répandre sur les armes de Votre Majesté se sont étendues jusque dans ce Nouveau Monde, et nous en avons eu des preuves visibles dans l'expédition que je viens de faire aux Onontagués, la première et la principale nation des Iroquois. Il y avait longtemps que je la projetais, mais la grande distance qu'il y a de Montréal chez eux, qui est de près de cent cinquante lieues, la difficulté de faire porter et conserver tous les vivres et munitions nécessaires pour une si longue marche, celle de naviguer dans les lacs qui ne sont guère différents de la mer et dans des rivières pleines de sauts et de rapides continuels, enfin l'impossibilité de cacher aux ennemis les mouvements que je ferais, ce qui leur donnerait moyen de mettre promptement ensemble toutes leurs nations et d'appeler même les Anglais à leur secours, me faisaient toujours regarder cette entreprise comme une chose beaucoup plus téméraire que prudente, et je ne m'y serais jamais déterminé si je n'eusse, l'an-

2. Entrepôt: *abri.*

née dernière, rétabli une retraite et un entrepôt[2] qui m'en facilitait la communication et si je n'avais connu sans en pouvoir douter qu'il ne me resterait que ce seul et unique moyen à tenter pour empêcher la conclusion de la paix de nos alliés avec l'Iroquois, pour laquelle ils devaient incessamment se donner des otages et ensuite introduire l'Anglais dans leur pays, ce qui entraînerait immanquablement la ruine entière de la colonie, qui ne peut subsister que par le commerce qu'elle fait avec les nations sauvages d'en haut. Cependant, par un bonheur auquel on ne devait pas s'attendre, les Onontagués, qui passaient pour les maîtres des autres nations iroquoises et la terreur de tous les sauvages de ce pays, sont tombés dans une espèce d'esprit de vertige qui n'a pu leur venir que d'En Haut et ont été si épouvantés de me voir marcher à eux en personne et couvrir leurs lacs et leurs rivières de près de quatre cents voiles que, sans songer à profiter de la facilité qu'ils avaient de nous disputer des passages où cent hommes auraient pu aisément en arrêter longtemps quatre mille, ils n'ont osé me dresser aucune embuscade et se sont contentés d'attendre que je fusse à cinq lieues de leur fort pour y mettre le feu, aussi bien qu'à toutes leurs cabanes, et de s'enfuir à vingt lieues dans la profondeur des bois avec toutes leurs familles, et si précipitamment qu'à peine voulurent-ils se charger pour deux jours de vivres, de sorte qu'en arrivant à leur village, je ne trouvai qu'un amas de cendres et de poussière.

Les Onneyouts, qui sont leurs voisins de quinze lieues et qui n'étaient pas moins épouvantés, m'envoyèrent le lendemain demander la paix, que je leur accordai, à condition qu'ils abandonneraient leur village et viendraient s'établir avec les sauvages que nous avons ici dans nos habitations françaises, et, afin de ne pas leur donner le temps de se reconnaître, je détachai le sieur de Vaudreuil[3] avec une bonne partie de ses troupes, en lui donnant ordre de brûler leur fort, de m'amener avec lui les principaux jusqu'à ce que le reste les pût suivre et de ravager tous leurs grains, comme je le faisais faire dans le même temps aux Onontagués, ce qu'il a exécuté avec une diligence incroyable, n'ayant été que trois jours dans cette expédition. Il aurait été à souhaiter, pour rendre la chose plus éclatante, qu'ils eussent voulu tenir ferme dans le fort, parce que nous étions en état de les y forcer et d'en tuer une grande partie, mais ils n'en éviteront pas moins leur destruction, puisque la misère où ils sont présentement réduits par le manque de vivres en fera plus mourir de faim que nous n'en aurions fait périr par le sabre et par le fusil.

Ce que je puis dire, Sire, à Votre Majesté est que jamais troupes n'ont témoigné plus de zèle qu'en ce rencontre[4], tant officiers, soldats, habitants que sauvages, malgré les peines et les fatigues presque inexplicables qu'ils ont eues à essuyer, tout le monde y ayant parfaitement rempli son devoir, et particulièrement M. le chevalier de Callières[5], par ses soins et son application ordinaires, ce qui ne m'a pas été d'un petit secours. Je ne sais si Votre Majesté trouvera que j'ai essayé de m'acquitter du mien et si, après cela, elle me croira digne de quelque marque d'honneur qui puisse me faire passer le peu de temps qui me reste à vivre avec quelque sorte de distinction. De quelque manière qu'elle en juge, je la supplie très humblement d'être persuadée que je lui sacrifierai le reste de mes jours avec la même ardeur que j'ai toujours eue pour son service et que je serai jusqu'au dernier soupir de ma vie,

SIRE,

De Votre Majesté,
Le très humble, très obéissant,
très soumis et très fidèle serviteur et sujet.

Frontenac, *Lettre au roi*, 1692.

3. Sieur de Vaudreuil: *gouverneur général de 1703 à 1725.*

4. Ce rencontre: *cette occasion, cette circonstance.*
5. Chevalier de Callières: *succède à Frontenac comme gouverneur général jusqu'en 1703.*

Frontenac

DOCUMENT 3

L'ORGANISATION POLITIQUE DE LA NOUVELLE-FRANCE

Si le roi détient l'autorité, le Ministre [de la Marine] détient le pouvoir en ce qui concerne la Nouvelle-France [...]; pour les affaires très importantes, il rédige un résumé pour le roi; il répond au gouverneur et à l'intendant en parlant au nom du roi.

En Nouvelle-France, l'administration supérieure est partagée entre deux personnages: le gouverneur général et l'intendant.

[...] Le gouverneur général est le plus haut dignitaire [...], puisqu'il représente la personne du roi [...]. Le gouverneur général a juridiction exclusive et souveraine sur l'administration militaire [...]. De même, il a une juridiction souveraine sur les affaires extérieures [...]. Son influence personnelle est quand même restreinte [...].

[...] L'intendant est de loin le personnage le plus influent de la Nouvelle-France, à cause de sa juridiction qui couvre trois domaines étendus: la justice, la police (c'est-à-dire l'administration intérieure) et les finances [...].

Institué en 1663 pour tenir lieu de Conseil exécutif et de Cour d'appel, le Conseil souverain portait [...] le nom de *Conseil supérieur*; il était composé, à l'origine, du gouverneur et de l'évêque, ainsi que de cinq autres membres nommées par eux [...]. À la fin du régime, le Conseil supérieur compte (sous la présidence de l'intendant) 16 membres nommés par le roi, plus quelques conseillers-assesseurs, fils de famille qui se destinent aux charges de la judicature [...]. Il tient la place d'un Parlement de province; les arrêts du roi sont considérés de nulle valeur, si le Conseil ne les a enregistrés.

[La] double autorité, civile et militaire, se réunit, au niveau paroissial, dans les mains du capitaine de milice qui, auprès des habitants, représente à la fois, le gouverneur et l'intendant.

(Marcel Trudel, **Initiation à la Nouvelle-France**, Montréal, Holt, Rinehart et Winston, 1968; pp. 161, 164, 167 et 168.)

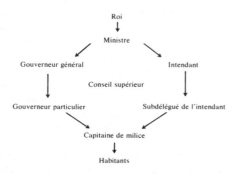

8.   DESCRIPTION DE LA NOUVELLE-FRANCE

Pierre Boucher (1622-1717), né à Mortagne dans le Perche, arriva en Nouvelle-France vers 1635. Interprète, il fut également gouverneur des Trois-Rivières, juge royal, fondateur et seigneur de Boucherville, où il mourut.

Œuvre: *Histoire véritable et naturelle des mœurs et productions du pays de la Nouvelle-France* (1664).

Pendant mon séjour en France, il m'a été fait diverses questions par plusieurs honnêtes gens, concernant le pays de la Nouvelle-France. J'ai cru que j'obligerais le lecteur curieux, de les mettre ici, et d'en faire un chapitre exprès, avec les réponses, qui donneront beaucoup d'intelligence et de connaissance à ceux qui ont de l'affection pour ce pays ici[1], ou qui souhaiteraient d'y venir.

Je commencerai donc par une assez commune, qui est: si la vigne y vient bien. J'ai déjà dit que les vignes sauvages y sont en abondance, et que même on en a éprouvé[2] de celle de France, qui y vient assez bien. Mais pourquoi ne faites-vous pas des vignes? Je réponds à cela, qu'il faut manger avant que de boire; et par ainsi[3] qu'il faut songer à faire du blé avant que de planter de la vigne: on se passe mieux de vin que de pain; c'est tout ce qu'on a pu faire que de défricher des terres pour faire des grains et non autre chose.

Y a-t-il des chevaux[4] dans le pays? Je réponds que non.

N'y a-t-il pas des prairies pour faire du foin? L'avoine n'y vient-elle pas bien? Parfaitement bien, et il y a de très belles prairies: mais il est assez dangereux d'avoir le foin tant que les Iroquois nous feront la guerre, et surtout aux habitations des Trois-Rivières et du Mont-Royal: car les faucheurs et les faneurs sont toujours en danger d'être tués par ces Iroquois. Voilà la raison pourquoi on fait moins de foin, quoique nous ayons de belles et grandes prairies où il y a de très bonne herbe propre à ce faire. Mais il y a encore une autre raison qui empêche d'avoir des chevaux, c'est qu'il coûterait beaucoup pour les faire venir de France; il y a peu de personnes qui aient de quoi faire ces dépenses, et d'ailleurs on craint qu'étant venus, les Iroquois ne les tuent comme ils font de nos autres bestiaux, ce qui serait bien fâcheux à celui qui aurait fait la dépense de les faire venir. Et puis on espère toujours que notre bon Roi assistera ce pays ici, et qu'il fera détruire cette canaille d'Iroquois.

Y a-t-il bien des habitants? À cela je ne peux rien répondre d'assuré sinon que l'on m'a dit qu'il y en avait environ huit cents à Québec; pour les autres habitations il n'y en a pas tant.

1. Ce pays ici: *ce pays-ci.*
2. Éprouvé: *expérimenté.*
3. Par ainsi: *en conséquence. Déjà quelque peu archaïque au XVIIe siècle.*
4. Chevaux: *les chevaux n'ont été introduits en Nouvelle-France qu'en 1665.*

Les habitants ont-ils bien des enfants? Oui, qui viennent bien faits, grands et robustes, aussi bien les filles que les garçons: ils ont communément l'esprit assez bon, mais un peu libertins, c'est-à-dire qu'on a de la peine à les captiver pour les études.

Quelle boisson boit-on à l'ordinaire? Du vin dans les meilleures maisons, de la bière dans d'autres; un autre breuvage[5] que l'on appelle du bouillon, qui se boit communément dans toutes les maisons. Les plus pauvres boivent de l'eau, qui est fort bonne et commune en ce pays ici.

De quoi sont bâties les maisons? Les unes sont bâties toutes de pierres et couvertes de planches ou aix[6] de pin; les autres sont bâties de colombages ou charpente, et maçonnées entre les deux; d'autres sont bâties tout à fait de bois; et toutes lesdites maisons se couvrent comme dit est[7], de planches.

Le chaud en été est-il bien grand? Il est environ comme dans le pays d'Aunis[8].

Les froids y sont-ils grands l'hiver? Il y a quelques journées qui sont bien rudes, mais cela n'empêche pas que l'on ne fasse ce que l'on a à faire: on s'habille un peu plus qu'à l'ordinaire, on se couvre les mains de certaines moufles, appelées en ce pays ici des mitaines; l'on fait bon feu dans les maisons, car le bois ne coûte rien ici qu'à bûcher et à apporter à feu. On se sert de bœufs pour le charrier sur certaines machines qu'on appelle des traînes: cela glisse sur la neige, et un bœuf seul en mène autant que deux bœufs feraient en été dans une charrette. Et comme j'ai déjà dit, la plupart des jours sont extrêmement sereins, et il pleut fort peu pendant l'hiver. Ce que j'y trouve de plus importun, c'est qu'il faut nourrir les bestiaux à l'étable plus de quatre mois, à cause que la terre est couverte de neige pendant ce temps-là: si la neige nous cause cette incommodité, elle nous rend d'un autre côté un grand service, qui est qu'elle nous donne une facilité de tirer les bois des forêts, dont nous avons besoin pour les bâtiments, tant de terre que d'eau, et pour autres choses. Nous tirons tout ce bois de la forêt, par le moyen de ces traînes dont j'ai parlé, avec grande facilité et bien plus commodément, et à beaucoup moins de frais que si c'était en été par charrette.

L'air y est extrêmement sain en tout temps mais surtout l'hiver: on voit rarement des maladies en ces pays ici; il est peu sujet aux bruines et aux brouillards; l'air y est extrêmement subtil[9]. À l'entrée du golfe et du fleuve, les bruines y sont fréquentes, à cause du voisinage de la mer: on y voit fort peu d'orages.

Les Anglais nos voisins ont fait d'abord de grandes dépenses pour les habitations là où ils se sont placés; ils y ont jeté force monde, et l'on y compte à présent cinquante mille hommes portant les armes: c'est merveille de voir leur pays à présent; l'on y trouve toutes sortes de choses comme en Europe, et la moitié meilleur marché. Ils y bâtissent quantité de vaisseaux de toutes façons; ils y font valoir les mines de fer; ils ont de belles villes, il y a messagerie et poste de l'une à l'autre; ils ont des carosses comme en France; ceux qui ont fait les avances trouvent bien à présent leurs comptes; ce pays-là n'est pas autre que le nôtre: ce qui se fait là, se peut faire ici.

PIERRE BOUCHER, *Histoire véritable et naturelle*
des mœurs et productions du pays
de la Nouvelle-France, vulgairement dite le Canada, 1664.

5. Breuvage: *boisson. Au Québec, l'usage de «breuvage» dans le sens de «boisson» a été maintenu.*
6. Aix: *planche.*
7. Comme dit est: *comme il est dit (plus haut).*
8. Aunis: *ancienne province de France, ayant La Rochelle pour capitale.*

9. Subtil: *léger.*

DOCUMENT 4

L'ÉCONOMIE DE LA NOUVELLE-FRANCE

L'un des buts de l'État français en Nouvelle-France était d'y établir un régime économique rentable et diversifié. Les instructions [...] indiquent que l'État désirait voir la colonie devenir un pays non seulement capable de se suffire à lui-même, mais aussi en mesure d'exporter ses produits agricoles et industriels en France et aux Antilles. Ces projets grandioses n'aboutirent pas à grand'chose. Talon réussit bien à établir quelques industries, entre autres un chantier maritime et une brasserie, mais le manque de capital, le marché restreint, la carence de main-d'œuvre spécialisée, et surtout le manque d'appui véritable de la France, obligea la colonie à dépendre encore de la traite des fourrures.

[...] Le choix du site de Québec par Champlain était intimement lié aux commodités du lieu pour la traite aux fourrures. Montréal, fondation mystique à l'origine, devint bien vite, par sa position stratégique avantageuse, le centre commercial par excellence. Le continentalisme propre au régime français est évident lorsqu'on voit Frontenac et La Salle étendre leurs ambitions vers les territoires du lac Ontario et ceux du Sud respectivement. La fourrure n'était pas seulement l'axe de l'économie nationale mais aussi le catalyseur des éléments politiques, militaires et sociaux de la colonie.

[...] En Nouvelle-France les nobles pouvaient s'adonner à la traite. La *dérogeance* qui, en France, était la perte du titre de noblesse pour participation active au commerce, n'était pas en vigueur dans la colonie. Cette position privilégiée accordée à la noblesse canadienne fit émerger une élite administrative, militaire et commerciale unie, puissante, influente et même parfois arrogante, dans tous les domaines.

[...] Après la fourrure, c'est la terre qui était la ressource économique la plus importante en Nouvelle-France. Pour récompenser les citoyens, de même que pour encourager le peuplement de la colonie l'État, mit en vigueur le système seigneurial. Il octroyait de vastes concessions territoriales à des particuliers. Le bénéficiaire, le seigneur de la terre, devait en retour se charger du défrichage et du peuplement de sa terre, à ses propres débours. Ce système fut efficace dans l'ensemble [...] Son application incombait à l'intendant.

(Cameron Nish, **Le Régime francais**, Tome I, Scarborough, Ontario, Prentice-Hall of Canada, LTD., 1966.)

9. APOLOGIE D'UNE CULTURE

Les harangues occupaient une place essentielle dans les sociétés amérindiennes. On en trouve des traductions dans les écrits des missionnaires, des interprètes et fonctionnaires français.
Le récollet Chrestien Le Clercq rapporte dans sa *Nouvelle Relation de la Gaspésie* (1691) le discours anonyme d'un Micmac.

Mon frère, as-tu autant d'adresse et d'esprit que les sauvages, qui portent avec eux leurs maisons et leurs cabanes pour se loger partout où bon leur semble, indépendamment de quelque seigneur que ce soit? Tu n'es pas aussi brave ni aussi vaillant que nous, puisque, quand tu voyages, tu ne peux porter sur tes épaules tes bâtiments ni tes édifices; ainsi, il faut que tu fasses autant de logis que tu changes de demeures, ou bien que tu loges dans une maison empruntée et qui ne t'appartient pas. Pour nous, nous nous trouvons à couvert de tous ces inconvénients et nous pouvons toujours dire plus véritablement que toi que nous sommes partout chez nous, parce que nous nous faisons facilement des cabanes partout où nous allons, sans demander permission à personne.

Tu nous reproches assez mal à propos que notre pays est un petit enfer, par rapport à la France que tu compares au paradis terrestre, d'autant qu'elle te fournit, dis-tu, toutes sortes de provisions en abondance; tu nous dis encore que nous sommes les plus misérables et les plus malheureux de tous les hommes, vivant sans religion, sans civilité, sans honneur, sans société et, en un mot, sans aucune règle, comme des bêtes dans nos bois et dans nos forêts, privés du pain, du vin et de mille autres douceurs que tu possèdes avec excès en Europe. Hé bien! mon frère, si tu ne sais pas encore les véritables sentiments que nos sauvages ont de ton pays et de toute ta nation, il est juste que je te l'apprenne aujourd'hui. Je te prie donc de croire que, tout misérables que nous paraissions à tes yeux, nous nous estimons beaucoup plus heureux que toi, en ce que nous sommes très contents du peu que nous avons; et crois encore une fois, de grâce, que tu te trompes fort si tu prétends nous persuader que ton pays soit[1] meilleur que le nôtre. Car si la France, comme tu dis, est un petit paradis terrestre, as-tu de l'esprit de la quitter? Et pourquoi abandonner femme, enfants, parents et amis? Pourquoi risquer ta vie et tes biens tous les ans et te hasarder[2] témérairement en quelque maison que ce soit aux orages et aux tempêtes de la mer, pour venir dans un pays étranger et barbare que tu estimes le plus pauvre et le plus malheureux du monde?

1. Soit: *est*.

2. Te hasarder: *t'exposer*. Se hasarder à, *suivi d'un nom, ne s'emploie plus*.

3. Avec justice: *avec raison.*
4. Dans nos côtes: *sur nos rives.*
5. Compagnons: *apprentis.*

6. Admirons: *voyons avec étonnement.*

Au reste, comme nous sommes entièrement convaincus du contraire, nous ne nous mettons guère en peine d'aller en France, parce que nous appréhendons avec justice[3] d'y trouver bien peu de satisfaction, voyant par expérience que ceux qui en sont originaires en sortent tous les ans pour s'enrichir dans nos côtes[4]. Nous croyons de plus que vous êtes incomparablement plus pauvres que nous et que vous n'êtes que de simples compagnons[5], des valets, des serviteurs et des esclaves, tout maîtres et tout grands capitaines que vous paraissez, puisque vous faites trophée de nos vieilles guenilles et de nos méchants habits de castor qui ne nous peuvent plus servir, et que vous trouvez chez nous, par la pêche de morue que vous faites en ces quartiers, de quoi soulager votre misère et la pauvreté qui vous accable. Quant à nous, nous trouvons toutes nos richesses et toutes nos commodités chez nous-mêmes, sans peines, et sans exposer nos vies aux dangers où vous vous trouvez tous les jours par de longues navigations; et nous admirons[6], en vous portant compassion dans la douceur de notre repos, les inquiétudes et les soins que vous vous donnez nuit et jour afin de charger votre navire; nous voyons même que tous vos gens ne vivent ordinairement que de la morue: morue au matin, morue à midi, morue au soir, et toujours morue; jusque-là même que, si vous souhaitez quelque bon morceau, c'est à nos dépens, et vous êtes obligés d'avoir recours aux sauvages que vous méprisez tant pour les prier d'aller à la chasse, afin de vous régaler.

Or, maintenant, dis-moi donc un peu, si tu as de l'esprit, lequel des deux est le plus sage et le plus heureux: ou celui qui travaille sans cesse et qui n'amasse qu'avec beaucoup de peines de quoi vivre, ou celui qui se repose agréablement et qui trouve ce qui lui est nécessaire dans le plaisir de la chasse et de la pêche? Apprends donc, mon frère, une fois pour toutes, puisqu'il faut que je t'ouvre mon cœur, qu'il n'y a pas de sauvage qui ne s'estime infiniment plus heureux et plus puissant que les Français.

Rapporté par CHRESTIEN LE CLERCQ,
Nouvelle Relation de la Gaspésie, 1691.

10. CHANSON D'HISTOIRE

Un folkloriste recueillit en 1946 d'un vieillard de 92 ans une chanson qui remonte au 17e siècle et qui a sans doute été composée au lendemain de la vaine tentative du général anglais William Phipps de prendre la ville de Québec (1690). Transmise par la tradition orale, cette chanson serait la plus vieille poésie populaire de la Nouvelle-France.

C'est le général Flip[1] qu'est[2] parti d'Angleterre
Avecque[3] trente-six voiles et plus de mille hommes faits[4].
Croyait par sa vaillance prendre la vill' de Québec.
A mouillé devant la vill' les plus beaux de ses vaisseaux.
Il met leur chaloupe à terre avec un beau générau[5].
C'est pour avertir la vill' de se rendr' vit' au plus tôt :
— Avant qu'il soit un quart d'heur' j'allons[6] lui livrer l'assaut.
C'est le général de vill' qu'appelle mon franc canon :
— Va-t-en dire à l'ambassad' : Recul'-toi, mon général !
Va lui dir' que ma répons', elle est au bout de mes canons[7] !
Avant qu'il soit un quart d'heur', nous dans'rons le rigaudon[8].
C'est le général Flip qui mit tout son monde à Beauport ;[9]
Trois canons les accompagn' pour leur donner du renfort.
— Car ça m'a l'air qu'il m'accable et que m'a toujours durer[10].
Les Français pleins de courag' m'en ont détruit la moitié.
C'est le général Flip, s'en est retourné dans Boston :
— Va-t-en dire au roi Guillaum'[11] que Québec lui fait faux bond,
Car il[12] a de la bonne poudr', aussi bien de beaux boulets,
Des canons en abondance au service des Français.

Anonyme, après 1690.

1. Flip : *déformation phonétique de* Phipps.
2. Qu'est : *forme contractée de* qui est.
3. Avecque : *graphie ancienne de* avec.
4. Faits : *adultes*.
5. Générau : *forme ancienne de* général, *employée pour la rime*.
6. J'allons : *forme dialectale et ancienne pour* je vais.
7. *Célèbre mot historique attribué à Frontenac alors gouverneur de la Nouvelle-France*.
8. Rigaudon *ou* rigodon : *danse très vive et très gaie, à la mode aux 17e et 18e siècles*.
9. Beauport : *petit village en aval de Québec*.
10. Durer : *verbe ancien qui signifiait* accabler.
11. Roi Guillaume : *roi d'Angleterre*.
12. Il : Québec.

11. L'HOMME D'HONNEUR

Louis-Armand de Lom d'Arce, baron de La Hontan (1666-1715?), officier, fonctionnaire, écrivain et aventurier, né à Lahontan (Basses-Pyrénées), vécut en Nouvelle-France de 1683 à 1693. Le grand succès de ses récits de voyages, de ses mémoires et de ses dialogues philosophiques ont fait de lui la figure littéraire la plus marquante de la Nouvelle-France.

Œuvres: Nouveaux Voyages de monsieur le baron de La Hontan dans l'Amérique septentrionale (1703). Les Mémoires de l'Amérique septentrionale ou La Suite des voyages de monsieur le baron de La Hontan (1703). Dialogues de monsieur le baron de La Hontan et d'un sauvage (1703).

1. *Entre ce que nous appelons homme d'honneur et brigand.*
2. Castors: *peaux de castor.*
3. Plutôt: *aussitôt.*
4. Train: *ensemble de domestiques, chevaux, voitures qui accompagnent une personne.*
5. Dans les meilleures tables: *aux meilleures tables.*
6. Dans les plus célèbres compagnies: *auprès des plus célèbres compagnies.*
7. Gentils hommes: *gentilshommes.*
8. Laquais: *valets.*
9. Équipage: *voitures, chevaux et le personnel qui en a charge.*

Tu as raison de dire que je ne fais point de différence de ce que nous appelons homme d'honneur à un brigand[1]. J'ai bien peu d'esprit, mais il y a assez de temps que je traite avec les Français pour savoir ce qu'ils entendent par ce mot d'homme d'honneur. Ce n'est pas pour le moins un Huron; car un Huron ne connaît point l'argent, et sans argent on n'est pas homme d'honneur parmi vous. Il ne me serait pas difficile de faire un homme d'honneur de mon esclave; je n'ai qu'à le mener à Paris, et lui fournir cent paquets de castors[2] pour la dépense d'un carosse, et de dix ou douze valets; il n'aura pas plutôt[3] un habit doré avec tout ce train[4], qu'un chacun le saluera, qu'on l'introduira dans[5] les meilleures tables et dans[6] les plus célèbres compagnies. Il n'aura qu'à donner des repas aux gentils hommes[7], des présents aux dames, il passera partout pour un homme d'esprit, de mérite et de capacité; on dira que c'est le roi des Hurons; on publiera partout que son pays est couvert de mines d'or, que c'est le plus puissant prince de l'Amérique, qu'il est savant, qu'il dit les plus agréables choses du monde en conversation, qu'il est redouté de tous ses voisins; enfin ce sera un homme d'honneur, tel que la plupart des laquais[8] le deviennent en France après qu'ils ont su trouver le moyen d'attraper assez de richesses pour paraître en ce pompeux équipage[9], par mille voies infâmes et détestables.

LA HONTAN, *Dialogues de monsieur le Baron de La Hontan et d'un Sauvage*, 1703.

12. MYTHOLOGIE AMÉRINDIENNE

Joseph-François Lafitau (1681-1746). Né à Bordeaux, ce missionnaire jésuite arrive en Nouvelle-France en 1712 pour y rester six ans. Il sera nommé plus tard (en 1722) procureur, à Paris, des missions de la Nouvelle-France.

Œuvres: *Mémoire concernant la précieuse du gin-seng de Tartarie découverte en Canada* (1718). *Mœurs des Sauvages américains comparées aux mœurs des premiers temps* (1722-1724).

　　Voici comment les Iroquois racontent l'origine de la terre et la leur. Dans le commencement il y avait, disent-ils, six hommes. (Les peuples du Pérou et du Brésil conviennent d'un pareil nombre.) D'où étaient venus ces hommes? C'est ce qu'ils ne savent pas. Il n'y avait point encore de terre, ils erraient au gré du vent, ils n'avaient point non plus de femmes, et ils sentaient bien que leur race allait périr avec eux. Enfin ils apprirent, je ne sais où, qu'il y en avait une dans le ciel. Ayant tenu conseil ensemble, il fut résolu que l'un d'eux nommé Hogouaho, ou le Loup, s'y transporterait. L'entreprise paraissait impossible, mais les oiseaux du ciel de concert ensemble, l'y élevèrent, en lui faisant un siège de leur corps et se soutenant les uns les autres. Lorsqu'il y fut arrivé, il attendit au pied d'un arbre que cette femme sortît à son ordinaire pour aller puiser de l'eau à une fontaine voisine du lieu où il s'était arrêté. La femme ne manqua pas de venir selon sa coutume. L'homme qui l'attendait lia conversation avec elle, et il lui fit un présent de graisse d'ours, dont il lui donna à manger; femme curieuse qui aime à causer, et qui reçoit des présents, ne dispute pas longtemps la victoire. Celle-ci était faible dans le ciel même, elle se laissa séduire. Le maître du ciel s'en aperçut, et dans sa colère il la chassa et la précipita: mais dans sa chute la tortue la reçut sur son dos, sur lequel la loutre et les poissons puisant de l'argile au fond des eaux formèrent une petite île qui s'accrut peu à peu et s'étendit dans la forme où nous voyons la terre aujourd'hui. Cette femme eut deux enfants qui se battirent ensemble; ils avaient des armes inégales, dont ils ne connaissaient pas la force; celles de l'un étaient offensives, et celles de l'autre n'étaient pas capables de nuire, de sorte que celui-là fut tué sans peine.

　　De cette femme sont descendus tous les autres hommes par une longue suite de générations, et c'est un événement aussi singulier qui a servi, disent-ils, de fondement à la distinction des trois familles iroquoises et huronnes, du Loup, de l'Ours et de la Tortue, lesquelles dans leur noms sont comme une tradition vivante, qui leur remet devant les yeux leur histoire des premiers temps.

Le ridicule de cette fable fait pitié, quoiqu'elle ne soit pas plus absurde que celle que les Grecs qui étaient des gens si spirituels, ont inventé du voyage de Prométhée[1] au ciel, quand il y a monta pour dérober le feu, ou de la réparation du monde par Deucalion[2] et Pyrrha[3], qui suivant le conseil des oracles[4], jetèrent des pierres par-dessus leurs têtes, lesquelles se convertissaient en hommes et en femmes, la différence du sexe dépendant uniquement de la main qui les avait jetées.

Mais au travers de cette fable, toute ridicule qu'elle est, on croit entrevoir la vérité malgré les ténèbres épaisses qui l'enveloppent : en effet, en approfondissant un peu, on y démêle la femme dans le Paradis terrestre, l'Arbre de la science du bien et du mal, la tentation où elle eut le malheur de succomber, que quelques hérétiques ont cru être un péché de la chair, fondé peut-être sur les altérations des idées païennes, on y découvre la colère de Dieu chassant nos premiers pères du lieu de délices où il les avait placés, et qui pouvait être regardé dans le ciel en comparaison du reste de la terre, laquelle ne devait plus leur produire d'elle-même que des ronces et des épines ; enfin on y croit voir le meurtre d'Abel, tué par son frère Caïn.

JOSEPH-FRANÇOIS LAFITAU, *Mœurs des Sauvages américains comparées aux mœurs des premiers temps*, 1724.

13. LA VIE MONDAINE

Élisabeth Bégon (1696-1755). Née à Montréal, Élisabeth Rocbert de la Morandière épousa le Chevalier Claude-Michel Bégon qui fut gouverneur des Trois-Rivières en 1743. Elle mourut à Rochefort (France). Elle nous a laissé une correspondance (1749-1753).

Le 14 février 1749.

Il est heureux, cher fils[1], pour tous ceux qui se livrent à la danse, qu'ils aient deux jours à se reposer, car je crois qu'ils en mourraient: ils sont sortis ce matin du bal à six heures. Je ne doute point qu'une partie de tout cela ne fasse point de Pâques et surtout ceux qui iront à la comédie qui doit se jouer les trois derniers jours gras. Toutes les dames et demoiselles de la ville étaient hier priées[2], jusqu'à Mme du Vivier qui y a dansé jusqu'à ce matin. De Muy me disait après dîner qu'il ne voulait plus que sa femme et sa fille y fussent et qu'il ne convenait point de passer les nuits à danser et dormir le jour, pendant que le Saint-Sacrement est exposé. Je ne sais s'il soutiendra cela aisément.

M. Bigot[3] passe, à ce que l'on dit, les nuits de ces bals à regarder, les mains jointes devant lui. S'il danse deux ou trois menuets, c'est le tout. Il est d'une tranquillité admirable.

Mme Thiery y est la brillante, et Mme Bonaventure, Mme Lavaltrie et les Ramesay. Mlle La Corne se damne, je crois, de ce que l'on a amené Dubreuil, son frère mourant, du fort Saint-Frédéric. Le médecin le croit hydropique et m'a dit qu'il ne pensait pas qu'il en revînt, ce qui met quelques bornes au plaisir de la belle Marianne; mais il n'en est pas de même de La Corne l'aîné ni du chevalier, car ils sont de toutes les fêtes et de tous les bals.

La Colombière n'a pas voulu que sa femme y ait été et a même poussé la mauvaise humeur, voilée de délicatesse, pour refuser que « Robiche »[4] y fut avec ses tantes et ses cousines. Je n'ai pas même vu Mme La Colombière de l'année, quoiqu'elle ait fait des visites partout, mais tu sais, cher fils, comment tout cela me touche.

[...] Je suis uniquement occupée de ma chère petite fille qui fait toute ma satisfaction. Nous raisonnons souvent sérieusement. Quelquefois, il faut la réjouir. Elle me demande hier de la laisser aller voir, au travers les fenêtres, le bal et qu'elle ne ferait que regarder un instant. Je lui permis. Charlotte la mena

1. Cher fils: *il s'agit en fait du gendre de l'auteur.*

2. Priées: *invitées.*

3. M. Bigot: *intendant de la Nouvelle-France de 1748 à 1760.*

4. Robiche: *sœur de l'auteur.*

et ne fut qu'un moment. Elle revint contente et me dit que tout cela était fort joli, mais qu'elle aimait encore mieux être avec moi.

Adieu, cher fils, en voilà trop: mais quand je puis m'entretenir avec toi à mon aise, si je me croyais, je ne ferais autre métier. Adieu, cher fils.

ÉLISABETH BÉGON, *Lettre à son gendre*, 1749.

DOCUMENT 5

L'ORGANISATION SOCIALE DE LA NOUVELLE-FRANCE

Ce n'est pas sur la naissance que repose la structure de la Nouvelle-France, mais bien sur l'utilité du groupe ou de l'individu. Il y a, cela saute aux yeux, une classe plus utile que celle des gentilshommes, même besogneux. Ce sont les seigneurs. Seigneurs et censitaires forment l'élément de base de l'organisation sociale du pays. La Nouvelle-France est avant tout une société féodale, mais d'un type particulier. Il faut d'abord nous expliquer sur la distinction implicite entre seigneurs et gentilshommes. Ces deux termes sont loin d'être interchangeables et ils couvrent deux réalités très différentes. Au Canada, un seigneur n'est pas toujours noble; ce n'est même pas le cas le plus fréquent au XVIIIe siècle. À côté des seigneurs ecclésiastiques, on trouve des conseillers, un bon nombre de négociants, quelques fonctionnaires, des navigateurs et au moins quatorze laboureurs; cela, sur un total de 91 seigneurs. Bien plus, il existe même une seigneurie qui appartient aux pauvres; le roi la leur a donnée; l'administration en est confiée aux religieuses de l'Hôpital Général de Québec qui, à cause de cela, jouissent de la moitié de la concession, mais ce sont les pauvres qui en possèdent l'autre moitié. Au début du XVIIIe siècle, les habitants ont acquis un bon tiers des seigneuries. Cette conquête silencieuse s'étendra de plus en plus et s'affermira si bien qu'en 1760 la plupart des seigneurs sont des fils d'habitants. La Nouvelle-France appartient aux Canadiens, à tous les Canadiens. Le régime seigneurial n'y a pas été établi pour permettre à une classe privilégiée de vivre du travail d'une classe inférieure, mais en vue de doter le pays de l'organisation économico-sociale qui lui convient.

(Guy Frégault, **La Civilisation de la Nouvelle-France**, Montréal, Éd. Fides, 1969; pp. 142-143.)

14. LES CANADIENS

François-Xavier de Charlevoix (1682-1761). Jésuite né à Saint-Quentin (Picardie) et professeur au collège des Jésuites de Québec de 1705 à 1709. Il rentre en France où il devient professeur de Voltaire. De retour au Nouveau-Monde de 1719 à 1723, il est chargé par le roi de faire enquête sur la question litigieuse des frontières de l'Acadie. Il tirera de ses deux séjours en Nouvelle-France de quoi écrire une *Histoire et Description de la Nouvelle-France*, suivie d'un *Journal historique* (1744).

Les Canadiens respirent en naissant un air de liberté qui les rend fort agréables dans le commerce de la vie, et nulle part ailleurs on ne parle plus purement notre langue. On ne remarque même ici aucun accent. On ne voit point en ce pays de personnes riches, et c'est bien dommage, car on y aime à se faire honneur [1] de son bien, et personne presque ne s'amuse à thésauriser [2]. On fait bonne chère, si avec cela on peut avoir de quoi se bien mettre [3] ; sinon, on se retranche sur la table pour être bien vêtu. Aussi faut-il avouer que les ajustements [4] font bien à nos Créoles [5]. Tout est ici de belle taille, et coule le plus beau sang du monde dans les deux sexes ; l'esprit enjoué, les manières douces et polies sont communs à tous ; et la rusticité [6], soit dans le langage, soit dans les façons, n'est pas même connue dans les campagnes les plus écartées.

Il n'en est pas de même, dit-on, des Anglais nos voisins [7]. Et qui ne connaîtrait les deux colonies que par la manière de vivre, d'agir et de parler des colons, ne balancerait [8] pas à juger que la nôtre est la plus florissante. Il règne dans la Nouvelle-Angleterre une opulence dont il semble qu'on ne sait point profiter ; et dans la Nouvelle-France une pauvreté cachée par un air d'aisance qui ne paraît point étudié. Le commerce et la culture des plantations fortifient la première, l'industrie [9] des habitants soutient la seconde, et le goût de la nation y répand un agrément infini. Le colon anglais amasse du bien et ne fait aucune dépense superflue ; le Français jouit de ce qu'il a et souvent fait parade de ce qu'il n'a point. Celui-là travaille pour ses héritiers ; celui-ci laisse les siens dans la nécessité où il s'est trouvé lui-même de se tirer d'affaire. Les Anglais américains ne veulent point de guerre parce qu'ils ont beaucoup à perdre ; ils ne ménagent point les Sauvages parce qu'ils ne croient point en avoir besoin. La jeunesse française, par des raisons contraires, déteste la paix et vit bien avec les Naturels [10] du pays dont elle s'attire aisément l'estime pendant la guerre et l'amitié en tout temps.

1. Se faire honneur : *se vanter.*
2. Thésauriser : *amasser des trésors.*
3. Se bien mettre : *bien se vêtir.*
4. Ajustements : *vêtements.*
5. Créoles : *nom que l'on donnait parfois aux habitants de la Nouvelle-France ; ce nom désigne habituellement les colons des Antilles.*
6. Rusticité : *vulgarité.*
7. Nos voisins : *les Anglais des treize colonies de la Nouvelle-Angleterre.*
8. Balancerait : *hésiterait.*
9. L'industrie : *la débrouillardise.*
10. Naturels : *les Amérindiens.*

Nous ne connaissons point au monde de climat plus sain que celui-ci : il n'y règne aucune maladie particulière, les campagnes et les bois y sont remplis de simples merveilles, et les arbres y distillent des baumes d'une grande vertu. Ces avantages devraient bien au moins y retenir ceux que la Providence y a fait naître ; mais la légèreté, l'aversion d'un travail assidu et réglé, et l'esprit d'indépendance en ont toujours fait sortir un grand nombre de jeunes gens et ont empêché la colonie de se peupler. Ce sont là les défauts qu'on reproche le plus et avec le plus de fondement aux Français canadiens. On dirait que l'air qu'on respire dans ce vaste continent y contribue, mais l'exemple et la fréquentation de ses habitants naturels, qui mettent tout leur bonheur dans la liberté et l'indépendance, sont plus que suffisants pour former ce caractère. Ils ont beaucoup d'esprit, surtout les personnes du sexe[11] qui l'ont fort brillant, aisé, ferme, fécond en ressources, courageux et capable de conduire les plus grandes affaires.

Je ne sais si je dois mettre parmi les défauts de nos Canadiens la bonne opinion qu'ils ont d'eux-mêmes. Il est certain du moins qu'elle leur inspire une confiance qui leur fait entreprendre et exécuter ce qui ne paraîtrait point possible à beaucoup d'autres. Nous n'avons point dans le royaume de province où le sang soit communément si beau, la taille plus avantageuse et le corps mieux proportionné. La force du tempérament n'y répond pas toujours, et si les Canadiens vivent longtemps, ils sont vieux et usés de bonne heure. Ce n'est pas même uniquement leur faute ; c'est aussi celle des parents qui pour la plupart ne veillent pas assez sur leurs enfants pour les empêcher de ruiner leur santé dans un âge où, quand elle se ruine, c'est sans ressource. Leur agilité et leur adresse sont sans égales : les Sauvages les plus habiles ne conduisent pas mieux leurs canots dans les rapides les plus dangereux et ne tirent pas plus juste.

Comme avec cela ils sont extrêmement braves et adroits, on pourrait en tirer de plus grands services pour la guerre, pour la marine et pour les arts ; et je crois qu'il serait du bien de l'État de les multiplier plus qu'on n'a fait jusqu'à présent. Les hommes sont la principale richesse du Souverain, et le Canada, **quand il ne pourrait être**[12] **d'aucune utilité à la France que par ce seul endroit**, serait encore, s'il était bien peuplé, une des plus importantes de nos colonies.

FRANÇOIS-XAVIER DE CHARLEVOIX, *Journal historique*, 1744.

11. Personnes du sexe : *les femmes.*

12. Quand il ne pourrait être : *même s'il n'était.*

15. LA DERNIÈRE BATAILLE

Le marquis de Montcalm, qui commandait toutes les opérations militaires des troupes françaises de la Nouvelle-France pendant la guerre de Sept Ans, a laissé le *Journal* de ses campagnes militaires au Nouveau Monde. Comme il meurt au soir de la bataille des Plaines d'Abraham le 13 septembre 1759, un anonyme s'est chargé d'ajouter à ce journal les dernières notes décrivant la bataille funeste qui mit fin à la présence française au Canada d'alors. Cette page, pleine de détresse, est comme le testament d'un régime.

Au jour tout parut tranquille sur notre front et l'on fit rentrer les troupes. En rentrant dans la cour de la Canardière, arriva un Canadien du poste de M. de Vergor à qui on avait bien mal à propos confié celui de l'Anse-au-Foulon. Ce Canadien nous conta avec toutes les marques de la peur la plus décidée qu'il avait seul échappé et que l'ennemi était sur la hauteur[1]. Nous connaissions si bien les difficultés de pénétrer par ce point, pour peu qu'il fût défendu, qu'on ne crut pas un mot du récit d'un homme à qui nous crûmes que la peur avait tourné la tête. J'allai me reposer chez moi en priant M. Dumas d'envoyer[2] au quartier général pour avoir des nouvelles et me faire avertir s'il y avait quelque chose à faire. On entendait toujours quelques coups de fusil de loin en loin. Je vis alors défiler des piquets qui se portaient sur la hauteur de Québec et en même temps un grand nombre de berges en panne à la pointe de l'Île-d'Orléans. Je montai à cheval, fis charger quelques voitures de munitions et suivis les troupes que Monsieur le major général faisait défiler, en disant que le régiment de Guyenne seul contenait l'ennemi. Je courus et montai sur la hauteur sans suivre de chemin que celui que le sifflement des balles nous indiquait. Nous joignîmes M. le marquis de Montcalm qui rangeait ses troupes en bataille à mesure qu'elles arrivaient. Les ennemis étaient déjà formés et se retranchaient. Ils paraissaient être au moins quatre mille hommes, divisés en trois corps. J'y fus à peine arrivé qu'ils établirent une pièce de gros canon. Toutes nos troupes étaient alors arrivées. Je m'arrêtai un moment avec M. le marquis de Montcalm qui me dit: « Nous ne pouvons éviter le combat. L'ennemi se retranche. Si nous lui donnons le temps de s'établir, nous ne pourrons jamais l'attaquer avec le peu de troupes que nous avons. » Il ajouta avec une espèce de saisissement: « Est-il possible que Bougainville[3] n'entende pas cela! » Il me quitta sans me donner le temps de lui répondre autre chose, sinon que nous étions bien petits. Nous eûmes plusieurs officiers blessés sur le terrain où les troupes

1. Sur la hauteur: *le haut des falaises à l'ouest de la ville de Québec.*
2. Envoyer: *sans complément d'objet direct, signifie: «envoyer des domestiques» ou «des messagers».*

3. Bougainville: *à la tête d'un corps d'élite, très loin derrière les Anglais.*

Soldat anglais combattant contre Montcalm.

étaient en bataille. Les balles y pleuvaient et ce petit corps d'armée était couvert en entier de mitraille, lorsque portait le canon ennemi. Le premier rang, français et canadien avait mis un genou à terre et se coucha après la décharge. L'ennemi riposta par un feu de peloton très vif. À l'instant, nos troupes firent demi-tour à droite et s'enfuirent à toutes jambes. Jamais il ne fut possible de rallier nos troupes qui ne furent heureusement poursuivies que par un détachement de volontaires. Heureux[4], dans cette cruelle disgrâce, qu'ils ne profitassent point de tous leurs avantages! Le désordre était si grand qu'ils auraient pu entrer dans la ville, pêle-mêle avec les fuyards, et nous couper le chemin du camp. L'on s'arrêta enfin sous les murailles de la place où la peur avait fait entrer plus de huit cents hommes de tous les corps. Je vis alors arriver M. le marquis de Montcalm à cheval soutenu par trois soldats[5].

L'ennemi, possesseur de la hauteur de Québec, était content de cette position qu'il avait si longtemps désirée et qui nous forçait d'abandonner notre camp, n'ayant plus de communication avec nos subsistances. Aussi ne songea-t-il pas à nous poursuivre. Les divisions et équipages se mêlèrent avec tant de confusion que cinquante hommes auraient détruit tout le reste de notre armée. Le soldat français ne connaît plus de discipline, et au lieu d'avoir formé le Canadien, il en a pris tous les défauts. La plus grande partie des Canadiens de Québec profita du désordre et regagna ses foyers, peu inquiète du maître auquel il appartiendrait désormais. Je n'ai plus que des malheurs à écrire; vingt fois j'ai pris la plume et vingt fois la douleur l'a fait tomber de mes mains. Comment me rappeler une suite d'événements aussi assommants! Nous étions sauvés, et nous sommes perdus!

Anonyme, en fin du *Journal* de Montcalm, 1759.

4. Heureux: «*Il était heureux...*», *ou:* «*Heureusement...*».

5. Montcalm est blessé à mort; il mourra quelques heures plus tard.

DOCUMENT 6

L'ORGANISATION MILITAIRE DE LA NOUVELLE-FRANCE

La milice coloniale existait, comme institution régulière, au moins depuis 1669. Tout Canadien devra s'y enrôler, quel que soit son rang social; tout gentilhomme qui refusera de servir comme officier devra marcher comme milicien. Les exemptions se réduiront au strict minimum: seuls, les fonctionnaires pourvus de commissions, de brevets et de lettres de service ne seront pas mobilisables. L'organisation de cette armée territoriale est aussi simple que vigoureuse. Pas de régiments. L'unité de recrutement est en même temps l'unité sociale du pays, la paroisse. Chaque paroisse, petite ou grosse, fournit une compagnie de milice. Formée de tous les hommes valides de l'endroit, la compagnie comprend naturellement des effectifs très variables. Si elle est forte, elle a pour officiers un capitaine, un lieutenant et un enseigne; faible, elle a seulement un capitaine. Comme la colonie est divisée en trois gouvernements — Montréal, les Trois-Rivières et Québec — chaque gouverneur particulier, assisté d'un major et d'un aide-major, est le commandant des compagnies de milice de son district. Le commandement suprême est exercé par le gouverneur général, de qui relèvent toutes les forces armées de la colonie. On exige et on obtient une discipline plus rigoureuse que formaliste et aussi efficace qu'intelligente. Fondée sur la paroisse, intégrée à la vie même des habitants, l'organisation militaire de la Nouvelle-France se moule sur la réalité la plus immédiate et en même temps la plus profonde de la patrie. Ce peuple armé n'est pas un peuple caporalisé.

(Guy Frégault, **La Civilisation de la Nouvelle-France**, Montréal, Éd. Fides, 1969; pp. 32-33)

BIBLIOGRAPHIE SOMMAIRE

1. Collection des Classiques Canadiens, éditions Fides: une quinzaine de titres de cette collection sont consacrés à des écrivains de la Nouvelle-France (introduction et choix de textes).

2. Douville (Raymond) et Casanova (Jacques), *La Vie quotidienne en Nouvelle-France*, Paris, Hachette, 1964.

3. Frégault (Guy), *La Civilisation de la Nouvelle-France*, Montréal, Fides, 1969.

4. Groulx (Lionel), *Notre Grande Aventure. L'Empire français en Amérique du Nord, 1534-1760*, Montréal, Fides, 1958.

5. Hamelin (Jean), *Économie et société en Nouvelle-France*, Québec, Presses de l'Université Laval, 1960.

6. Hamelin (Jean) et coll., *Histoire du Québec*, Toulouse, Privat, 1976.

7. Lahaise (Robert) et Vallerand (Noël), *Histoire du Canada; la Nouvelle-France 1524-1760*, Montréal, Éditions Hurtubise HMH, 1977.

8. Nish (Cameron), *Le Régime français*, Scaborough (Ontario), Prentices and Hall, 1966.

9. Séguin (Robert-Lionel), *La civilisation traditionnelle de «l'habitant» aux 17ᵉ et 18ᵉ siècles: fonds matériel*, Montréal, Fides, 1973.

10. Trudel (Marcel), *Initiation à la Nouvelle-France*, Montréal, Holt, Rinehart et Winston, 1968.

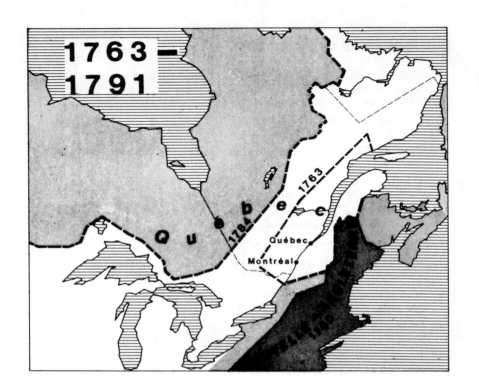

1763 – 1791

Québec

1763

1184

Québec
Montréale

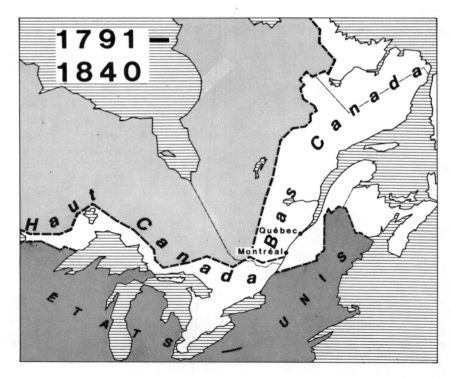

1791 – 1840

Haut Canada

Bas Canada

Québec
Montréale

ÉTATS-UNIS

Chapitre 2

Le Bas-Canada 1763-1840

INTRODUCTION

La Conquête constitua une véritable catastrophe pour la petite communauté française du Nouveau Monde; elle fut suivie d'une longue apathie culturelle contrastant vivement avec l'époque qui avait précédé. Il faudra attendre presque un siècle avant que la vie littéraire proprement dite se reforme et se manifeste ailleurs que dans la presse courante. Après le régime militaire, le pays fut soumis à une vague d'immigration anglaise venue principalement des Treize colonies américaines: il s'agit des Loyalistes, c'est-à-dire d'Anglais qui, pour demeurer fidèles à la Royauté britannique, fuiront les États-Unis après l'indépendance américaine de 1776 pour se réfugier dans une colonie encore entièrement soumise à la couronne britannique, le Canada. Ils deviennent bientôt si nombreux que, pour éviter d'avoir à vivre avec la communauté française, ses lois propres, sa langue et sa confession religieuse, ils obtiendront de l'Angleterre que le pays soit divisé en deux colonies (1791): le Bas-Canada, réservé à la communauté française, et le Haut-Canada, réservé à la communauté anglaise.

La littérature suit à peu près ce même cheminement: elle est l'histoire même d'un combat. Dix-huit ans après la Conquête paraît dans un journal le premier conte littéraire encore tout empreint de l'insouciance de l'ancien régime (texte 1). Mais la littérature, bientôt, s'incarnera dans la situation réelle du pays, en raillant par exemple, les mœurs des Canadiens français qui tendent à s'assimiler aux mœurs et aux coutumes de l'occupant anglais (texte 2). Entre temps, la Révolution française ayant eu lieu (1789), l'Angleterre tente d'inculquer à ses nouveaux sujets la haine, sinon la crainte de leur ancienne mère-patrie; mais des esprits vigilants constatent que l'ennemi ne saurait venir de France mais bien plutôt de la République américaine qui s'infiltre partout (texte 3).

Sous le nouveau régime, la communauté française est en danger de perdre ses droits et son identité propres. Contre ce danger, le journalisme devient l'activité littéraire par excellence, visant à former une opinion publique vigilante et éclairée (texte 4). Même la poésie tend à devenir une activité militante dont le but est de rappeler au peuple qu'il doit rester français (texte 5).

L'affrontement politique entre l'Angleterre et ses sujets d'origine française devient de plus en plus inévitable; la colère gronde. Cela se voit à une certaine instabilité sociale où augmente la criminalité (texte 6). Puis la révolte éclate au grand jour en 1837, l'année même où paraît le premier roman de la littérature québécoise, l'Influence d'un livre de Philippe Aubert de Gaspé, fils. La répression est totale et brutale. Parmi ceux qui mourront sur l'échafaud, Chevalier de Lorimier laissera sans doute le témoignage le plus touchant (texte 7). À la suite du Rapport Durham, le pays se dirige ensuite vers un nouveau régime qui unira les deux Canadas en une seule colonie où les Canadiens français, pour la première fois de leur histoire, se trouveront en minorité: l'Angleterre espère ainsi qu'ils y seront assimilés. Malgré de fortes résistances au projet de ce nouveau régime (texte 8), l'Union se fera en 1840. L'assimilation escomptée n'aura toutefois pas encore lieu...

1. Zélim

Anonyme (1778). C'est sans nom d'auteur que paraît dans la *Gazette du commerce et littéraire* de Montréal un texte que l'on peut considérer comme le premier conte littéraire de la littérature française du Québec. *Zélim* se situe dans la tradition du conte qui emprunte son sujet, sa sagesse et jusqu'à son style un peu naïf à la littérature orientale; cette tradition est particulièrement vivace au 18e siècle, et son plus illustre représentant est sans aucun doute Voltaire.

Dans les jardins délicieux d'un puissant de la terre, vivait un mortel chéri des dieux, dont l'unique soin, dès son enfance, était d'arroser plusieurs fois le jour les tendres fleurs séchées par les ardeurs du soleil. Dans l'obscurité de sa condition, il était heureux, parce qu'il n'avait point les désirs qui dévorent le cœur des avides humains. Le bonheur qui fuit les lambris dorés vient plus souvent habiter sous le chaume et se plaît dans la simplicité. C'est lui qui répand la sérénité sur le front du laboureur, tandis que le riche au sein de ses trésors n'offre dans ses regards pâles et livides qu'un objet rempli d'horreur. L'aurore voyait l'heureux Zélim commencer avec plaisir son travail ordinaire, l'astre du jour au terme de sa carrière le laissait occupé à se préparer un repas frugal, jouissant d'un repos plein de charmes que les fatigues de la journée lui rendaient encore plus précieux. Son bonheur était parfait s'il eût été durable. Mais hélas! comme la feuille que le moindre zéphir agite, le cœur de l'homme éprouve de continuelles agitations. Tel est son triste sort, qu'il ne se croit jamais heureux: l'ambition vient le chercher jusque dans les retraites les plus écartées. «Pourquoi, dit-il un jour en jetant ses regards sur les vastes palais du Sultan, pourquoi le destin m'a-t-il si mal partagé que[1] de me faire naître dans l'état misérable de jardinier; aussi peu considéré sur la terre que l'atome dans l'immensité de la nature; tandis que d'autres dans l'abondance, les grandeurs et les richesses filent sans inquiétude les jours les plus fortunés? Oui! le bonheur doit être plus grand sur le trône que dans une chaumière qui me défend à peine des injures des saisons.» À peine cette funeste pensée se fut-elle emparée de son esprit que son cœur ne fut plus qu'une mer d'illusions où la félicité vint s'engloutir et se perdre: il devint malheureux. Un soir qu'en plaignant son destin il se promenait à grands pas dans les allées à perte de vue, une force supérieure l'entraîna vers un bois de laurier dont le feuillage gardait pendant le jour des ardeurs du midi. De sourds gémissements frappent son oreille; dans sa surprise il avance, il entend distinctement la voix d'un homme plongé dans les eaux de la douleur; il reconnaît le Sultan qui se roulait sur la poussière en s'arrachant

1. Que: *au point de.*

48

la barbe et se frappant la poitrine. «Que mon sort est à plaindre, s'écriait-il. Je possède des richesses immenses, mon nom fait trembler l'aurore et le couchant, et si je suis le plus infortuné des mortels. J'apprends qu'un fils indigne, un fils dénaturé trame contre mes jours; mes serviteurs que j'ai comblés de mes bienfaits me trahissent, et pour comble de malheurs, Fatima, ma bien-aimée, Fatima m'est infidèle; la perfide, en souillant par un crime nouveau la pureté de mes amours, s'unit avec mes ennemis pour me plonger le poignard dans le sein. Ah! cruelle fortune, reprends tes dons empestés puisqu'ils portent avec eux tant d'amertume.» Les sanglots lui coupèrent la parole, il se tut. Zélim reste immobile; une foule de pensées s'offrent à son esprit; enfin sa raison perce à travers les sombres nuages qui l'obscurcissaient. «Les hauts pins, s'écrie-t-il, sont plutôt frappés de la foudre que le faible roseau. L'aquilon[2] insulte le sommet des montagnes et respecte l'humble vallée; plus le mortel est élevé plus les coups que la fortune lui porte sont terribles. Ô vérité céleste! tu seras désormais gravée dans mon cœur.» En finissant ces paroles il se prosterna devant l'Éternel qui avait éclairé son entendement; il l'adora dans sa grandeur et le remercia de ne l'avoir fait naître que simple jardinier.

Anonyme, dans *la Gazette du commerce et littéraire*, 1778.

2. Aquilon: *vent violent.*

DOCUMENT 1

LES GRANDES DATES D'APRÈS LA CONQUÊTE

1759: Défaite de l'armée française sur les Plaines d'Abraham et capitulation de Québec.

1760: Capitulation de Montréal et institution du régime militaire britannique.

1763: *Traité de Paris* par lequel la France cède la Nouvelle-France à l'Angleterre.

1774: *L'Acte de Québec* par lequel le roi d'Angleterre accorde à ses nouveaux sujets canadiens le droit au culte catholique et aux coutumes civiles françaises.

1776: L'Indépendance américaine des Treize colonies. De nombreux colons anglais, loyaux à la Couronne britannique, se réfugient au Canada.

1791: *L'Acte Constitutionnel* divise le Canada en deux provinces: le Bas-Canada (français) et le Haut-Canada (anglais). Chaque province possède désormais sa propre assemblée législative.

1837-38: Premières révoltes des Canadiens français depuis la Conquête contre la présence britannique. Échec de la rébellion.

1840: *L'Acte d'Union* réunit à nouveau sous une seule assemblée législative le Bas-Canada et le Haut-Canada dans le but (à long terme) de mettre les Canadiens français en minorité. Le français est banni comme langue de l'État, au profit de l'anglais.

2. Le dîner à l'anglaise

Joseph Quesnel (1746-1809). Navigateur né à Saint-Malo (Bretagne). En route pour les États-Unis où il devait livrer des armes aux insurgés américains, son vaisseau fut arraisonné par la marine britannique, et Quesnel est emmené à Halifax. Il décide de s'établir au Canada, plus particulièrement à Montréal où il épouse la fille d'un marchand de fourrures; il deviendra lui-même « traitant ». À la fois poète, homme de théâtre et musicien, il compose des poèmes de circonstances qu'il publie dans les journaux de l'époque, deux pièces de théâtre dont *l'Anglomanie ou le dîner à l'anglaise,* de nombreuses pièces musicales (symphonies, quatuors, etc.), dont un opéra resté célèbre, le premier opéra composé au Nouveau Monde: *Colas et Colinette.* Quesnel demeure à tout point de vue un homme du 18e siècle.

M. PRIMENBOURG

> Ainsi donc, Colonel, j'aurai demain l'honneur
> De donner à dîner à notre Gouverneur[1]:
> Je ne l'eus jamais cru...

LE COLONEL BEAUCHAMP *(son gendre, familier du Gouverneur)*

> Oh! vraiment je vous crois.
> Voici ce que vous vaut un gendre tel que moi.
> Depuis le jour heureux qu'épousant votre fille,
> De l'éclat de mon nom j'ornai votre famille,
> Je me suis oublié pour ne songer qu'à vous;
> Vous en aviez besoin, je le dis entre nous.
> Vous n'aviez point le ton, les manières élégantes
> D'un seigneur possédant vingt mille francs de rentes;
> Vous n'étiez point connu des puissances, des Grands;
> Jamais on ne voyait chez vous que vos parents;
> Et quels parents! Dieu sait! De bonté sans seconde,
> Bons et polis, d'accord! mais n'ayant aucun monde[2]
> Ils n'étaient qu'un obstacle à vous bien policer[3],
> Aussi, je commençai d'abord par les chasser;
> Tout alla beaucoup mieux dès qu'ils firent retraite,
> Et je suis si content des progrès que vous faites
> Que j'espère de vous faire un homme de cour!

1. Gouverneur: *le gouverneur anglais de Québec.*

2. Monde: *fréquentation mondaine.*
3. Policer: *civiliser.*

M. Primenbourg

J'en remercie le Ciel, Colonel, chaque jour.
Je devais en effet être bien ridicule!
Ma femme, ma maison, mes meubles, ma pendule,
Rien n'était à l'anglaise, et jusqu'à mes couverts,
Tout rappelait chez moi le temps des Dagoberts[4].
Mais docile à vos soins, à vos conseils fidèle,
Je changeai tous mes plats, je fondis ma vaisselle;
Et changeant l'or en cuivre et l'argent en laiton,
Ma maison fut un peu mise sur le bon ton.

Le Colonel

Vous vous en trouvez bien en cette circonstance...
Mais j'aperçois vers nous que Madame s'avance.

M. Primenbourg

Ma Mère est avec elle.

(Madame Primembourg entre avec sa belle-mère.)

Madame Primenbourg

Ah! mon gendre, bon jour.
J'ignorais qu'en ce lieu vous fussiez de retour.

Le Colonel

Mesdames, un instant je viens voir la famille.

Madame Primenbourg

Soyez le bienvenu!

La Douairière

Comment va notre fille?

Le Colonel

Toujours à l'ordinaire. On prit hier le thé
Chez le vieux Général, et je suis invité
Avec elle aujourd'hui chez la jeune Baronne.

La Douairière

Vous la ferez mourir, je crois, Dieu me pardonne,
Avec tout ce thé-là! Du temps de nos Français
Qu'on se portait si bien — en buvait-on jamais?
Jamais! que pour remède, ou bien pour la migraine.
Mais avec vos Anglais la mode est qu'on en prenne

4. Dagoberts: *dynastie du roi Dagobert au plus lointain Moyen Âge.*

Soir et matin, sans goût et sans nécessité.
On croirait être mort si l'on manquait de thé ;
Aussi, ne voit-on plus que des visages blêmes,
Des mauvais estomacs, des faces de carêmes,
Au lieu du teint vermeil de notre temps passé...
Voilà ce que produit cet usage insensé !

M. PRIMENBOURG

Vous ne devriez pas, par égard pour mon gendre,
Ma mère, sans sujet, nous faire cet esclandre ;
Apprenez que jamais le thé d'un Général
Au plus faible estomac ne peut faire de mal.

LA DOUAIRIÈRE

Je ne crois point cela.

LE COLONEL

                    Chez tous nos gens en place
Être prié du thé [5], Mémé, c'est une grâce
Que le rang qu'on occupe a seul droit d'exiger.

MADAME PRIMENBOURG
Engagez-la toujours à se bien ménager.

M. PRIMENBOURG
Oui, mais je suis d'avis qu'elle accepte, et pour cause,
Les invitations... Or parlons d'autre chose.
Savez-vous à dîner qui nous aurons demain ?

MADAME PRIMENBOURG
J'aurai ma sœur, je crois, et mon cousin germain ;
De dîner avec nous ils ont fait la partie [6].

LE COLONEL (bas à M. Primenbourg)

Ceci cadrera mal avec la compagnie.
Vous sentez bien, Monsieur, qu'avec un Gouverneur
Il faudrait...

M. PRIMENBOURG

(bas) Il est vrai. (haut) Ma femme, votre sœur
Sait à n'en point douter le plaisir véritable
Que l'on a de la voir, elle sait que ma table
Est bien à son service ainsi qu'à mon cousin ;
Mais nous ne pouvons pas les avoir pour demain.

5. Être prié du thé :
   être invité au thé.

6. Ils ont fait la par-
   tie : *ils ont décidé.*

MADAME PRIMENBOURG
    Tant pis! Et pourquoi non?

M. PRIMENBOURG
              Sachez donc la nouvelle:
    Le Gouverneur, Madame, et sa suite avec elle
    De dîner au logis nous font demain l'honneur.

LA DOUAIRIÈRE
    Eh bien! est-ce un motif pour exclure ta sœur?
    Ce mépris à vos yeux n'est-il qu'une vétille?

M. PRIMENBOURG
    Ma mère, ce n'est pas un dîner de famille
    Où chacun tel que tel est admis sans façon.

LE COLONEL
    Comme il ne faut prier que gens d'un certain ton,
    On peut bien les choisir sans offenser personne.

LA DOUAIRIÈRE
    Oh vraiment, Colonel, vous nous la donnez bonne!
    Qui donc à votre avis doit être du repas,
    Si les sœurs, les cousins, les parents n'en sont pas?
    Peut-on trouver mauvais d'être en leur compagnie?

M. PRIMENBOURG
    Ne vous échauffez pas, ma Mère, je vous prie.
    Notre gendre n'a point dessein de vous piquer;
    Sur le choix qu'on fera l'on peut bien s'expliquer;
    Mais, comme il le dit bien, il faut, ne vous déplaise,
    Autant qu'il se pourra, suivre la mode anglaise…

LA DOUAIRIÈRE
    Anglaise ou non, pourvu que l'on les traite bien,
    Qu'on soit poli, civil, la mode n'y fait rien.

M. PRIMENBOURG
    Vous tenez trop, ma mère, à vos anciens usages.

LA DOUAIRIÈRE
    Les anciens, croyez-moi, n'étaient pas les moins sages.

M. Primenbourg

>   Eh bien, soit! mais enfin, puisqu'on a le bonheur
>   Aujourd'hui d'être Anglais, on doit s'en faire honneur
>   Et suivre, autant qu'on peut, les manières anglaises.

La Douairière

>   Eh bien, pour moi, mon fils, je m'en tiens aux françaises!
>   Contester avec vous, c'est perdre son latin.
>   Tout comme il vous plaira, réglez votre festin:
>   Pour moi, je n'en suis pas! Adieu!

M. Primenbourg

>   Je désespère
>   De jamais au bon ton accoutumer ma mère...

JOSEPH QUESNEL, *L'Anglomanie*, 1802.

DOCUMENT 2

LENDEMAIN DE CONQUÊTE

Les Canadiens ne sont plus les mêmes depuis qu'ils sont passés sous une « domination » ou, autrement dit, sous un « empire » anglais. Peuple que le commerce avait formé, qui avait vécu du négoce plus que de l'agriculture, qui avait trouvé à la terre si peu de « charme » — le mot est de Talon — qu'il fallut, vers 1750, élaborer une législation rigoureuse pour enrayer l'exode rural, voilà maintenant les Canadiens qui se replient sur le sol et qui, lorsqu'ils rentreront dans les villes, y reviendront comme immigrants. Après avoir vécu sous un gouvernement de type militaire, avoir fourni des capitaines et des combattants à toute la Nouvelle-France et même à la métropole et s'être fait une réputation de « belliqueux », on verra ce groupe humain, et à plus d'une reprise, unanime sur un seul point, lui toujours si divisé : le refus de porter les armes. Capable, durant un siècle et demi, de donner naissance à de nombreuses équipes d'organisateurs, à la fois explorateurs, diplomates, brasseurs de grandes affaires et soldats, aptes à mettre sur pied l'administration, l'exploitation et la défense de territoires immenses autant que variés, la société canadienne montrera tout à coup un embarras extrêmement pénible à pourvoir même à son organisation intérieure. En vérité, les Canadiens ont changé. [...] Leur propre armature sociale ayant été tronquée en même temps que secouée sur ses bases, ils ne forment plus qu'un résidu humain, dépouillé de la direction et des moyens sans lesquels ils ne sont pas à même de concevoir et de mettre en œuvre la politique et l'économie qu'il leur faut. Leur condition ne résulte pas d'un choix qu'ils auraient fait : elle est la conséquence directe de la conquête qui a disloqué leur société, supprimé leurs cadres et affaibli leur dynamisme interne, si bien qu'elle s'achève en eux.

(Guy Frégault, **La Guerre de la conquête**, Montréal, Éd. Fides, 1955 ; p. 456.)

3. La véritable menace

Denis-Benjamin Viger (1774-1861). Né à Montréal, il fut élu député de sa ville natale à la chambre d'assemblée du Bas-Canada en 1808. En 1838, arrêté sans motifs consignés sur le mandat, il refusa de payer le cautionnement qu'on réclamait de lui et resta ainsi plus d'une année et demie en prison. Relâché, il fut de nouveau élu député, nommé président du conseil exécutif, puis membre du conseil législatif. Ses nombreux écrits dans les journaux publics l'ont consacré comme le père de la presse canadienne à Montréal.

Œuvres: Considérations sur les effets qu'ont produits en Canada, les établissements du pays, les mœurs, l'éducation, etc. de ses habitants (1809). Analyse d'un entretien sur la conservation des établissements du Bas-Canada, des lois, des usages, etc., de ses habitants (1826). Mémoires relatifs à l'emprisonnement de l'homorable D.-B. Viger (1840).

On crie sans cesse contre les Français. C'est le mot de ralliement. À entendre parler des importants[1], nous avons tout à craindre d'eux, de leurs intrigues, de leurs forces, de leurs principes, et de je ne sais encore quels pièges, quelles embuscades inconnues. La prudence exige naturellement de veiller sur tous les objets qui peuvent intéresser l'ordre, et la tranquillité publique, mais ces politiques qui n'ont uniquement que cet objet en vue, ne ressemblent-ils pas à ces jardiniers maladroits qui prendraient le plus grand soin d'entretenir les branches et les feuilles pendant que l'arbre pourrirait dans le cœur et aux racines. Je l'ai déjà dit, nos mœurs ne sont pas celles des anciens Français: elles sont encore plus éloignées de celles des Français modernes. Ceux-ci, par la nature de leur gouvernement, ne peuvent espérer de devenir jamais une nation commerçante. La Grande-Bretagne peut seule tirer de ce pays un parti qui nous soit réciproquement avantageux. Les Français ne sont jamais, par cela même, en état d'avoir une marine assez puissante pour faire ou conserver des conquêtes éloignées, surtout celle d'un pays isolé comme le nôtre: fermez-leur l'entrée[2], vous n'avez rien à craindre au dedans. La possession de cette colonie ne peut être vraiment enviée et réellement avantageuse qu'à une nation dont l'industrie et le commerce sont portés au plus haut degré, telle qu'est la Grande-Bretagne. L'état de la France, avant comme depuis la conquête, prouve assez ce que j'avance. Notre propre expérience nous le démontre. La France l'a si bien senti, qu'elle n'a jamais fait aucune démarche sérieuse pour en obtenir la possession.

1. Importants: *personnes qui se donnent des airs importants.*

2. *C'est-à-dire l'entrée du golfe Saint-Laurent.*

D'ailleurs, elle ne pourrait nous régir maintenant sur le même pied qu'elle gouverne ses autres colonies. Cette manière de les conduire, ne pourrait point convenir à ce pays. Disons en outre que nous n'avons pas lieu de craindre sa puissance, quand bien même elle aspirerait à cette conquête. Nous sommes séparés des Français par douze cents lieues de mer. Il n'y a pas de levier qui puisse abattre cette barrière, ils ne peuvent combler l'abîme que la nature a mise entre leur pays et le nôtre. Ils ont pu franchir les Alpes et passer le Rhin, écraser par leur nombre, autant que par la supériorité de leur tactique militaire, les armes des puissances combinées; nous pouvons plaindre les maux des nations qui succombent, et nous reposer tranquillement sur notre propre sort: l'océan nous met à l'abri de ces funestes coups. Quant aux Américains, le seul moyen qui nous reste pour nous garantir de la contagion de leurs principes, c'est celui-là même qu'on voudrait nous arracher. Ils sont déjà à nos portes, ils partagent nos foyers, ils inondent une partie de la province; sans l'obstacle des mœurs, de la religion, des lois, et du langage, qui les séparent de nous, il n'y aurait rien de surprenant, rien que de naturel, s'il leur prenait quelque jour la même fantaisie qu'au hérisson de la fable, à qui la couleuvre avait donné l'hospitalité dans son asile. Il voulut rester seul, elle se trouva obligée d'aller chercher gîte ailleurs.

DENIS-BENJAMIN VIGER, *Considérations sur les effets qu'ont produits en Canada la conservation des établissements du pays, les mœurs, l'éducation, etc. de ses habitants*, 1809.

4. DÉFENSE DU JOURNALISME

Étienne Parent (1802-1874). Né à Beauport, près de Québec, d'une des plus anciennes familles du pays. À vingt ans, il est déjà rédacteur au journal *le Canadien,* le plus ancien journal français du Canada, fondé en 1806 pour la défense des droits politiques des « Canadiens ». Devenu avocat, il continue néanmoins sa carrière de journaliste. Quoique très réservé à l'égard de l'aile révolutionnaire des Patriotes, il est emprisonné pendant les événements de 1838. En 1841, il est élu député du Saguenay. Il devient sous-secrétaire de la Province en 1847 et sous-secrétaire d'État en 1867 l'année de la Confédération. Il est considéré comme l'un des maîtres à penser de la première moitié du 19e siècle canadien et l'un des plus ardents défenseurs des droits politiques des Canadiens d'alors.

Mériterons-nous de devenir le rebut des peuples, un troupeau d'esclaves, les serfs de la glèbe, que nous tournerons au profit de quiconque voudra se rendre notre maître? C'est pourtant le sort qui nous est réservé, si nous ne prenons le seul moyen que nous avons de nous y soustraire, qui est d'apprendre à nous gouverner nous-mêmes. Point de milieu: si nous ne gouvernons pas, nous serons gouvernés... Qui est celui d'entre vous qui voudrait confier la conduite de ses affaires domestiques à son voisin? Vous craindriez sans doute et avec raison, que votre patrimoine ne fût pillé et diverti par ceux à qui vous en auriez abandonné la régie absolue. Eh bien! c'est pourtant ce que fait tout homme qui, sous une constitution comme la nôtre, ne fait aucune attention aux affaires publiques de son pays. Sous le gouvernement anglais, c'est l'opinion qui fait tout; les autorités voudraient en vain récuser son pouvoir, elles sont obligées de s'y soumettre. Mais cette opinion ne peut se former que dans le sein des lumières. De tous les moyens, après celui d'une étude régulière que ne peuvent faire qu'un petit nombre de personnes, nous offrons au public, dans la publication actuelle, le plus efficace et le plus avantageux.

Notre politique, notre but, nos sentiments, nos vœux et nos désirs, c'est de maintenir tout ce qui parmi nous constitue notre existence comme peuple et, comme moyen d'obtenir cette fin, de maintenir tous les droits civils et politiques qui sont l'apanage d'un pays anglais. C'est avec ces sentiments que nous nous présentons, c'est dans ces sentiments que nous agirons, c'est avec eux que nous prospérerons ou que nous tomberons.

Nous venons de voir notre langue chassée des tribunaux, voyons maintenant nos lois exilées, voyons-nous nous-mêmes repoussés d'une belle portion du pays que nous avons payée de notre sang. Canadiens de toutes les classes, de tous les métiers, de toutes les professions, qui avez à conserver des lois, des coutumes et des institutions qui vous sont chères, permettez-nous de vous répéter qu'une presse canadienne est le plus puissant moyen que vous puissiez mettre en usage.

La presse périodique est la seule bibliothèque du peuple. Dans un nouveau pays comme le nôtre, pour que la presse réussisse et fasse tout le bien qu'elle est susceptible de produire, il faut que tous ceux qui en connaissent les avantages s'y intéressent particulièrement, qu'ils s'efforcent de procurer de nouveaux lecteurs ; car le savoir est une puissance et chaque nouveau lecteur ajoute à la force populaire.

ÉTIENNE PARENT, *le Canadien*, 7 mai 1831.

5. LES FRANÇAIS AUX CANADIENS

Napoléon Aubin (1812-1890). Né en Suisse, il vint au Canada en 1834. Il fonda la publication polémique *Le Fantasque* en 1837 et fut emprisonné à Québec lors de la seconde insurrection l'année suivante. Libéré, il continua la publication du *Fantasque*, puis fonda *Le Castor* (1843); rédacteur au quotidien *Le Canadien*, il fonda et rédigea *La Tribune* (1862). Outre son abondante activité de journaliste, il composa plusieurs poèmes qui, selon l'usage de l'époque, étaient chantés sur des airs populaires.

Vous Canadiens, vous autrefois nos frères,
Vous que l'intrigue a lâchement vendus;
Unissez-vous, comme l'ont fait nos pères,
Et les puissants seront bientôt vaincus.
Forts de vos droits, vous méprisez les haines,
À vos tyrans, opposez vos vertus...
Ce noble sang qui coule dans vos veines,
Ô Canadiens! ne le sentez-vous plus?

À l'étranger qui vous défend la gloire,
Montrez un titre inscrit dans le passé;
Le souvenir que laissa la victoire,
De votre cœur ne s'est point effacé...
Demandez-lui qu'il allège vos chaînes...
L'on peut... deux fois... essuyer un refus.
Ce noble sang qui coule dans vos veines,
Ô Canadiens! ne le sentez-vous plus?

Si, dans vos champs, la victoire moins prompte
Cédait au nombre et trompait la valeur,
L'on ne pourrait vous accabler sans honte!
Vous ne succomberez pas sans honneur!
Vous suppliez; ...vos demandes sont vaines,
Du rang des peuples vous êtes exclus...
Ce noble sang qui coule dans vos veines,
Ô Canadiens! ne le sentez-vous plus?

Il est un vœu qui du peuple s'élance,
Lorsque le joug est trop longtemps porté ;
Le temps n'est plus, où le cœur en silence
Pouvait se taire au nom de *liberté* !
Du Saint-Laurent aux rives de la Seine,
Ce nom magique reçoit des tributs.
Au noble sang qui coule dans vos veines,
Ah ! Canadiens, ah ! ne résistez plus !

NAPOLÉON AUBIN, *Chanson*, 1834.

DOCUMENT 3

APPEL DES HABITANTS DU CANADA À L'EMPEREUR
DES FRANÇAIS NAPOLÉON 1er

Sire,

Deux de nos compatriotes se rendent en France pour faire connaître à votre Majesté par l'organe de ses ministres les intentions bien prononcées du peuple canadien de retourner sous l'Empire de la France et porter à nouveau le nom glorieux de Français.

Nous avions projeté, Sire, de secouer le joug des Anglais ; nous attendions des fusils pour nous armer, et frapper un coup sûr. Mais notre espoir a été trompé. La surveillance des Milords, des Lords et des salariés de tous genres échouerait contre notre réunion et nos efforts, sous un bon général français, pénétré de ses devoirs et guidé par l'honneur [...]. Les sentiments que nous manifestons aujourd'hui à votre Majesté sont nourris depuis longtemps dans nos cœurs [...].

Sire, nous attendons de votre sollicitude paternelle que la paix ne se fera pas sans que nous ayons repris le nom de Français Canadiens. Nous sommes prêts à tout entreprendre à la première vue des Français que nous regardons toujours comme nos frères [...].

Recevez l'assurance de l'admiration que nous cause votre gloire et daignez accueillir l'hommage du dévouement sincère et du profond respect du peuple canadien.

À Saint-Constant le 1er mars 1805.
(Lettre signée par 12 vieux paysans de la région de Montréal.)

6. CRIME ET SOCIÉTÉ

François-Réal Angers (1812-1860). Né à Pointe-aux-Trembles, il fit ses études au séminaire de Québec et s'inscrivit au barreau en 1837. Il fut rapporteur des débats parlementaires à l'assemblée législative du Bas-Canada, puis collabora à la rédaction des *Décisions des tribunaux du Bas-Canada*. Son fils, Auguste-Réal, occupa le poste de lieutenant-gouverneur (représentant du roi) de la province de Québec de 1887 à 1892.

Il publia plusieurs poèmes et textes de chansons, et on lui attribue la comédie *Le Statut* (sic) *Quo en déroute* (1874), pièce à caractère politique. Mais il est surtout connu comme l'auteur du roman *Les Révélations du crime ou Cambray et ses complices* (1837).

On peut se livrer à toute son indignation à la première nouvelle d'un attentat, commis avec audace, sur les droits de la société, et loin de nous l'idée de se faire l'apologiste des scélérats. Qu'ils soient punis, quand ils sont coupables: mais que l'effet des lois ne soient pas d'augmenter leur nombre et de rendre le vice nécessaire. Quand vous demandez à ce criminel, dont on ne parle qu'avec horreur, l'histoire de sa vie, il vous répond: «La misère, une faiblesse, un écart d'un moment me porta à dérober un pain, un méchant[1] habit; la justice s'empara de moi, elle me jeta parmi de vieux délinquants qui me corrompirent: elle me flétrit d'un supplice public, et de ce jour, diffâmé, repoussé de tous, il m'a fallu vivre de crimes.» Et quand cet homme arrive à grand pas à la fin de sa carrière, c'est-à-dire à la potence, quand il est en présence de la mort, quand il rentre en lui-même, qu'il reprend toute sa sensibilité d'homme, descendez dans son cachot, voyez-le se tordre, gémir, prier sur son misérable grabat, déplorer ses crimes, invoquer la miséricorde de Dieu au moment où celle des hommes lui est pour toujours retirée, et alors si vous le pouvez, contemplez ce spectacle d'un œil sec!

Peu de sociétés, eu égard au nombre de la population, comptent autant de criminels que la nôtre[2]. Il faut attribuer ces progrès effrayants du vice à des causes souvent indiquées, aux imperfections du code pénal, dont la sévérité est un gage certain d'impunité, à l'usage des peines afflictives[3] et flétrissantes, au système pernicieux des prisons, au manque de maisons de refuge pour occuper les vagabonds, et de pénitenciaires pour réformer les condamnés.

Dans l'état actuel des choses, quand un homme a le malheur de tomber dans nos prisons, il est perdu: il n'y a plus pour lui de barrière du premier au

1. Méchant: *mauvais, misérable.*

2. Peu de sociétés... que la nôtre: *après les épidémies de choléra de 1832 et 1834, les vols, les attaques à main armée et les meurtres se multiplièrent dans la région de Québec.*

3. Afflictives: *infamantes.*

dernier pas; le chemin du vice lui est aplani d'un seul coup; les plus heureuses dispositions ne peuvent le sauver de l'influence de l'air corrompu qu'il respire.

FRANÇOIS-RÉAL ANGERS. *Le Révélations du crime ou Cambray et ses complices*, 1837.

7. LA DERNIÈRE LETTRE

Marie-Thomas Chevalier de Lorimier (1805-1839). Né à Montréal, il descend d'une famille noble française demeurée au Canada après la conquête. Quoique notaire, et père de trois enfants, il participe activement à l'insurrection de 1837-38. Nommé secrétaire de presque toutes les assemblées qui ont précédé la rébellion et du comité central qui a dirigé les activités de la campagne, il est arrêté en novembre 1838. Au procès, le juge, dans son adresse à la cour martiale, le prend à partie et le désigne comme celui qui mérite le plus de mourir sur l'échafaud. Condamné à mort le 26 janvier 1839, il est pendu le 15 février à Montréal.

> Prison de Montréal
> 14 février 1839 à 11 heures du soir

Le public et mes amis en particulier attendent peut-être une déclaration sincère de mes sentiments : à l'heure fatale qui doit nous séparer de la terre, les opinions sont toujours regardées et reçues avec plus d'impartialité. L'homme chrétien se dépouille en ce moment du voile qui a obscurci beaucoup de ses actions, pour se laisser voir en plein jour ; l'intérêt et les passions expirent avec ses dépouilles mortelles. Pour ma part, à la veille de rendre mon esprit à son créateur, je désire faire connaître ce que je ressens et ce que je pense. Je ne prendrais pas ce parti, si je ne craignais qu'on ne représentât mes sentiments sous un faux jour : on sait que le mort ne parle plus, et la même raison d'état qui me fait expier sur l'échafaud ma conduite politique pourrait bien forger des contes à mon sujet. J'ai le temps et le désir de prévenir de telles fabrications et je le fais d'une manière vraie et solennelle à mon heure dernière, non pas sur l'échafaud environné d'une foule stupide et insatiable de sang, mais dans le silence et les réflexions du cachot. Je meurs sans remords, je ne désirais que le bien de mon pays dans l'insurrection et l'indépendance, mes vues et mes actions étaient sincères et n'ont été entachées d'aucun des crimes qui déshonorent l'humanité, et qui ne sont que trop communs dans l'effervescence des passions déchaînées. Depuis 17 à 18 ans, j'ai pris une part active dans presque toutes les mesures populaires et toujours avec conviction et sincérité. Mes efforts ont été pour l'indépendance de mes compatriotes, nous avons été malheureux jusqu'à ce jour. La mort a déjà décimé plusieurs de mes collaborateurs[1]. Beaucoup gémissent dans les fers, un plus grand nombre sur la terre d'exil avec

1. *Pour réprimer le mouvement des Patriotes (insurgés), on arrêta 500 personnes en 1837, et 800 en 1838 ; du nombre, huit furent exilés aux Bermudes, 58 en Australie et douze furent pendus.*

2. Canadien: *Jus-qu'au milieu du 19ᵉ siècle, «Cana-dien» ne s'em-ployait que pour désigner un Cana-dien français; on nommait les au-tres «Anglais» ou «Britanniques».*
3. Des Canadas: *du Haut-Canada et du Bas-Canada.*

4. « Le crime... écha-faud »: *vers em-prunté à un poè-me de Victor Hugo.*

leurs propriétés détruites, leurs familles abandonnées sans ressources aux rigueurs d'un hiver canadien. Malgré tant d'infortunes, mon cœur entretient encore du courage et des espérances pour l'avenir: mes amis et mes enfants verront de meilleurs jours, ils seront libres, un pressentiment certain, ma conscience tranquille me l'assurent. Voilà ce qui me remplit de joie, quand tout est désolation et douleur autour de moi. Les plaies de mon pays se cica-triseront après les malheurs de l'anarchie d'une révolution sanglante. Le pai-sible Canadien[2] verra le bonheur et la liberté sur le Saint-Laurent, tout con-court à ce but, les exécutions même, le sang et les larmes versés sur l'autel de la liberté arrosent aujourd'hui les racines de l'arbre qui fera flotter le drapeau marqué des deux étoiles des Canadas.[3] Je laisse des enfants qui n'ont pour héritage que le souvenir de mes malheurs. Pauvres orphelins, c'est vous que je plains, c'est vous que la main ensanglantée et arbitraire de la loi martiale frappe par ma mort. Vous n'aurez pas connu les douceurs et les avantages d'embrasser votre père aux jours d'allégresse, aux jours de fêtes! Quand votre raison vous permettra de réfléchir, vous verrez votre père qui a expié sur le gibet des actions qui ont immortalisé d'autres hommes plus heureux. Le crime de votre père est dans l'irréussite, si le succès eût accompagné ses tentatives, on eût honoré ses actions d'une mention honorable. «Le crime fait la honte et non pas l'échafaud.»[4] Des hommes d'un mérite supérieur au mien m'ont battu la triste carrière qui me reste à parcourir de la prison obscure au gibet. Pauvres enfants, vous n'aurez plus qu'une mère tendre et désolée pour maintien; si ma mort et mes sacrifices vous réduisent à l'indigence, demandez quelquefois en mon nom, je ne fus jamais insensible aux malheurs de l'infortune. Quant à vous, mes compatriotes, peuple, mon exécution et celle de mes compagnons d'écha-faud vous seront utiles. Puissent-elles vous démontrer ce que vous devez atten-dre du gouvernement anglais... Je n'ai plus que quelques heures à vivre, et j'ai voulu partager ce temps précieux entre mes devoirs religieux et ceux dûs à mes compatriotes; pour eux je meurs sur le gibet et de la mort infâme du meurtrier, pour eux je me sépare de mes jeunes enfants et de mon épouse sans autre appui, et pour eux je meurs en m'écriant: *Vive la liberté! Vive l'indépendance!*

CHEVALIER DE LORIMIER, *Lettre*, 1839.

8. LA MISE EN CAUSE

Louis-Joseph Papineau (1786-1871). Né à Montréal. Élu député à l'Assemblée législative du Bas-Canada en 1808, il devient rapidement le chef de file de l'opposition à la politique britannique et l'animateur du mouvement qui conduira à l'insurrection des Patriotes (1837-38). L'échec de la rébellion le fait s'enfuir aux États-Unis d'où il gagne la France jusqu'en 1844. Amnistié, il rentre au pays pour y devenir à nouveau député de l'Union à laquelle il demeure énergiquement opposé. Il meurt dans son manoir de Monte-Bello à l'âge de 85 ans. Il est l'homme clef de la vie politique canadienne du 19ᵉ siècle et l'orateur le plus illustre de son temps. Son œuvre est surtout faite de discours et de lettres, mais il a publié en 1839 à Paris une *Histoire de l'Insurrection du Canada* où il s'attache à réfuter le récent rapport de Lord Durham sur la condition des Canadiens français. Papineau est si célèbre dans l'histoire du Québec que son nom a donné lieu à une expression populaire («la tête à Papineau») par laquelle on désigne un homme d'intelligence supérieure.

Ce n'est plus à moi à me porter l'accusateur du gouvernement anglais, comme il a été de mon devoir de le faire pendant trente ans de ma vie publique. Ce gouvernement s'est lui-même confessé coupable dans les cent vingt pages que vient de publier lord Durham[1]. Corruption systématique, péculats[2] honteux, antipathies contre les peuples, exemples révoltants d'irresponsabilité dans les agents du pouvoir, accaparement du domaine public, rien ne manque à ce tableau des misères du Canada, tableau tellement hideux que son pendant ne pourrait être fourni que par l'histoire d'une autre possession anglaise: l'Irlande[3].

Et pourtant, l'auteur a uniformément adouci ses formules accusatrices contre l'autorité dont il est l'organe, et à laquelle il veut conserver son sceptre de plomb sur les colonies par de si pitoyables moyens, qu'il s'est perdu de réputation comme homme d'État.

Voulant prouver que sa race favorite, la race saxonne, est seule digne du commandement, lord Durham l'a mensongèrement peinte en beau, et il a assombri par les plus noires couleurs le faux portrait qu'il a tracé des Canadiens français. Mais malgré cette avilissante partialité, je renvoie avec confiance les lecteurs équitables à cet étrange rapport, bien convaincu qu'ils en tireront cette conclusion, que les Canadiens n'ont aucune justice à espérer de l'Angleterre; que pour eux, la soumission serait une flétrissure et un arrêt de mort, l'indépendance, au contraire, un principe de résurrection et de vie. Ce serait plus encore, ce serait une réhabilitation du nom français terriblement compromis en

1. Lord Durham: *envoyé de la couronne britannique pour enquêter sur la condition des Canadiens français à la suite des événements insurrectionnels de 1837. Son fameux Rapport (voir document 4) est un classique de la pensée impérialiste du 19ᵉ siècle.*
2. Péculats: *détournements des fonds publics.*
3. Irlande: *possession britannique depuis le Moyen Âge, obtint son indépendance en 1921.*

Amérique par la honte du Traité de Paris de 1763, par la proscription en masse de plus de vingt mille Acadiens[4] chassés de leurs foyers, enfin, par le sort de six cent mille Canadiens gouvernés depuis quatre-vingts ans avec une injustice incessante, aujourd'hui décimés, demain condamnés à l'infériorité politique, en haine de leur origine française.

Vrai quand il accuse le pouvoir, faux quand il accuse le peuple, le rapport de lord Durham servira aussi à prouver que l'indépendance du Canada est un événement voulu par l'intérêt de l'ancienne comme de la nouvelle France, et par l'intérêt de l'humanité tout entière.

LOUIS-JOSEPH PAPINEAU, *Histoire de l'Insurrection du Canada*, 1839.

Louis-Joseph Papineau

DOCUMENT 4

LE RAPPORT DURHAM

Par suite des circonstances spéciales où je me trouvai, j'ai pu faire un examen assez juste pour me convaincre qu'il y avait eu dans la Constitution de la province, dans l'équilibre des pouvoirs politiques, dans l'esprit et dans la pratique administrative de chaque service du Gouvernement, des défauts très suffisants pour expliquer en grande partie la mauvaise administration et le mécontentement. Mais aussi j'ai été convaincu qu'il existait une cause beaucoup plus profonde et plus radicale des dissensions particulières et désastreuses dans la province, une cause qui surgissait du fond des institutions politiques à la surface de l'ordre social, une cause que ne pourraient corriger ni des réformes constitutionnelles ni des lois qui changeraient en rien les éléments de la société. Cette cause, il faut la faire disparaître avant d'attendre le succès de toute autre tentative capable de porter remède aux maux de la malheureuse province. Je m'attendais à trouver un conflit entre un gouvernement et un peuple ; je trouvai deux nations en guerre au sein d'un même État ; je trouvai une lutte, non de principes, mais de races. Je m'en aperçus : il serait vain de vouloir améliorer les lois et les institutions avant que d'avoir réussi à exterminer la haine mortelle qui maintenant divise les habitants du Bas-Canada en deux groupes hostiles : Français et Anglais [...].

Je n'entretiens aucun doute sur le caractère national qui doit être donné au Bas-Canada : ce doit être celui de l'Empire britannique, celui de la race supérieure qui doit à une époque prochaine dominer sur tout le continent de l'Amérique du Nord. Sans opérer le changement ni trop vite ni trop rudement pour ne pas froisser les esprits et ne pas sacrifier le bien-être de la génération actuelle, la fin première et ferme du Gouvernement britannique doit à l'avenir consister à établir dans la province une population de lois et de langue anglaise, et de n'en confier le gouvernement qu'à une Assemblée décidément anglaise [...].

On ne peut guère concevoir de nationalité plus dépourvue de tout ce qui peut vivifier et élever un peuple que les descendants des Français dans le Bas-Canada, du fait qu'ils ont gardé leur langue, et leurs coutumes particulières. C'est un peuple sans histoire et sans littérature. De la même manière, leur nationalité joue contre eux pour les priver des joies et de l'influence civilisatrice des arts [...].

(Lord Durham, **Rapport sur les affaires de l'Amérique du Nord britannique**, 1839.)

BIBLIOGRAPHIE SOMMAIRE

1. Collection des « Classiques canadiens », éditions Fides — une dizaine de titres consacrés à des auteurs de l'époque 1760-1840.

2. Filteau (Gérard), *Histoire des Patriotes*, Montréal, éditions de l'Action canadienne-française, 1938-39. 3 vol.

3. Frégault (Guy), *La Guerre de la Conquête*, Montréal, Fides, 1955.

4. Galarneau (Claude), *La France devant l'opinion canadienne (1760-1815)*, Québec et Paris, PUL et Colin, 1970.

5. Gosselin (A.-H.), *L'Église du Canada après la Conquête*, Québec, éditions Laflamme et Proulx, 1916-17. 2 vol.

6. Groulx (Lionel), *Lendemains de conquête*. Montréal, Bibliothèque d'Action française, 1920.

7. Huston (James), *Le Répertoire national* ou *Recueil de littérature canadienne*, Montréal, Lowel et Gibson, 1848-50. 4 vol.
   [Contient une partie importante de tout ce qui s'est écrit au Canada entre 1760 et 1840.]

8. Marion (Séraphin), *Les Lettres canadiennes d'autrefois*, Ottawa, éditions de l'Université, 1939-58. 6 vol. [en particulier les tomes III et IV.]

9. Ouellet (Fernand), *Histoire économique et sociale du Québec: 1760-1860*, Montréal et Paris, Fides, 1966.

10. Ouellet (Fernand), *Le Bas-Canada 1791-1840; changements structuraux et crise*, Ottawa, éditions de l'Université d'Ottawa, 1977.

11. Trudel (Marcel), *L'Influence de Voltaire au Canada*. Montréal, Fides, 1945. 2 vol.

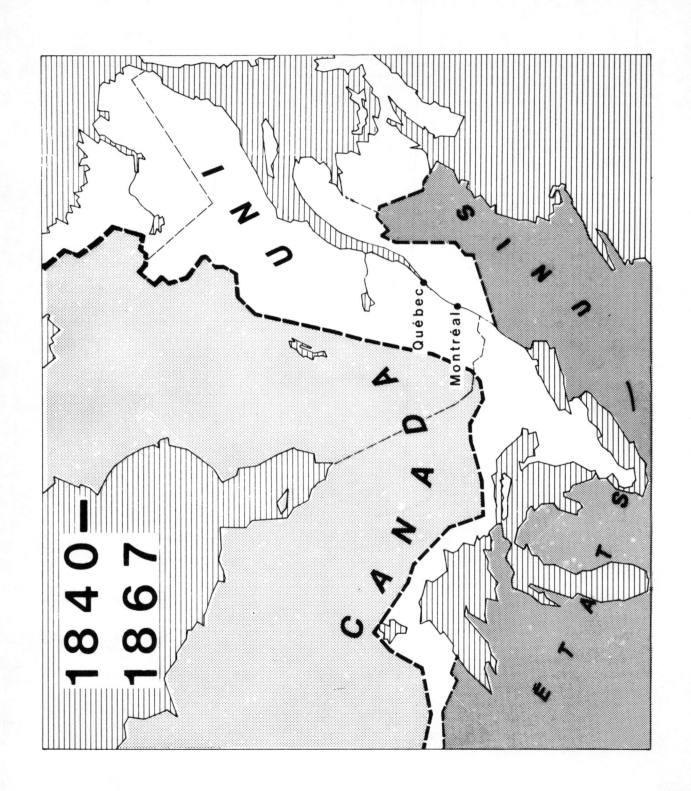

Chapitre 3

Le Canada
1840-1867

1. UN CANADIEN ERRANT
   Antoine Gérin-Lajoie

2. DÉFENSE DU FRANÇAIS
   Louis-Hippolyte La Fontaine

3. LE DILEMME
   Antoine Gérin-Lajoie

4. LA DÉPORTATION DES ACADIENS EN 1755
   François-Xavier Garneau

5. MUTATIONS D'UNE SOCIÉTÉ
   Louis-Octave Letourneux

6. DES PEUPLES ENNEMIS
   Étienne Parent

7. LE RENOUVEAU LITTÉRAIRE
   James Huston

8. LE NORD-EST
   Pierre-Joseph-Olivier Chauveau

9. LE CHANT DU VIEUX SOLDAT CANADIEN
   Octave Crémazie

10. L'INSTITUT CANADIEN
    Joseph-Guillaume Barthe

11. LA RÉSISTANCE
    François-Xavier Garneau

12. UN SOUPER D'AUTREFOIS
    CHEZ UN SEIGNEUR CANADIEN
    Philippe Aubert de Gaspé

13. IDYLLE
    Napoléon Bourassa

14. MALHEUR DE L'ÉCRIVAIN
    Octave Crémazie

INTRODUCTION

L'Acte d'Union *des deux Canadas eut sur les Canadiens français de 1840 tous les effets d'une «seconde conquête», avec tout ce qu'elle suppose de repli sur soi, d'inertie collective, de nostalgie du passé et de rêves impossibles.*

L'échec de la Rébellion de 1837-38 créa le type du «Canadian errant» (texte 1) *à la fois ardemment attaché à son pays et désespéré de le voir jamais vivre un jour. Dès le seuil du nouveau régime, la langue française, symbole par excellence de la survie collective d'un peuple, se trouve frappée d'interdit; c'est à l'ordre politique qu'il revient de rétablir ses droits* (texte 2), *cependant qu'à travers certains personnages symboliques tout un peuple se trouve livré au dilemme de la fidélité à son origine et de la soumission aux dures réalités du présent* (texte 3). *L'historiographie devient dès lors le mode d'expression privilégié d'une vision du monde entièrement vouée à l'exorcisation du présent par l'explication des malheurs du passé* (textes 4 et 5), *sans que soit oubliée, cependant, l'analyse objective des conditions du présent* (texte 6).

La vie culturelle, et plus particulièrement la vie littéraire, semble récupérer en énergie ce que la vie politique ne paraît plus pouvoir promettre: pour la première fois apparaît la volonté délibérée de fonder une littérature nationale (texte 7), *et ce vœu même semble avoir donné à la prose des littérateurs un souffle particulier dans la production des effets esthétiques* (texte 8).

L'amplification de cette vie culturelle place dans une perspective toute particulière le renouement des relations avec la France, à travers cet événement capital que constitua, en 1855, la venue du premier vaisseau français dans les eaux du Saint-Laurent depuis la Conquête de 1760 (document 4). *Les poètes s'en inspirent, dans l'évocation nostalgique de l'ancien régime* (texte 9), *cependant qu'une humble élite intellectuelle en voie de formation se regroupe autour de l'Institut Canadien pour favoriser l'éclosion de la liberté de l'esprit et affirmer du même coup l'existence irrécusable d'une certaine identité culturelle* (textes 10 et 11).

L'avenir est ouvert. Les prosateurs vont une dernière fois tourner leurs regards nostalgiques vers le passé (texte 12), *parfois avec une légère ironie déjà* (texte 13), *avant que l'écrivain ne s'installe tout à fait dans ses malheurs propres d'écrivain en pays conquis* (texte 14). *Le type de l'auteur canadien-français est fixé pour quelques générations.*

1. UN CANADIEN ERRANT (Chanson)

Antoine Gérin-Lajoie (1824-1882). Né à Yamachiche (près des Trois-Rivières). Il fait ses études au collège de Nicolet et est admis au barreau en 1848. Il travaille comme rédacteur à *La Minerve,* avant de devenir fonctionnaire, traducteur à l'Assemblée législative et bibliothécaire au Parlement. En 1858, il épouse Joséphine Parent, fille du célèbre journaliste et conférencier. Président de l'Institut Canadien qui recrute toute la jeunesse intellectuelle de Montréal, et secrétaire de la Société Saint-Jean-Baptiste, association nationaliste, il fonde les revues *Soirées canadiennes* et *Le Foyer canadien.* Il meurt à Ottawa.

À dix-sept ans, il compose une tragédie en vers, *Le Jeune Latour* (1844), qui lui vaut un grand succès ; il est également l'auteur de deux romans ; *Jean Rivard, le défricheur* (1862) et *Jean Rivard, l'économiste* (1864), de plusieurs ouvrages économiques, politiques et historiques, et de nombreuses pièces fugitives, écrites en prose et en vers, parmi lesquelles on trouve la célèbre complainte du *Canadien Errant.*

Un Canadien errant,
Banni de ses foyers,
Parcourait en pleurant
Des pays étrangers.[1]

Un jour, triste et pensif,
Assis au bord des flots,
Au courant fugitif
Il adressait ces mots :

« Si tu vois mon pays,
Mon pays malheureux,
Va dire à mes amis
Que je me souviens d'eux.

« Ô jours si pleins d'appas
Vous êtes disparus...
Et mon pays, hélas !
Je ne le verrai plus.

1. *Évocation de l'exil des insurgés de 1837-38 déportés en Australie et aux Bermudes.*

« Plongé dans mes malheurs,
Loin de mes chers parents,
Je passe dans les pleurs
D'infortunés moments.

« Pour jamais séparé
Des amis de mon cœur
Hélas ! oui, je mourrai
Je mourrai de douleurs.

« Non, mais en expirant,
Ô mon cher Canada,
Mon regard languissant
Vers toi se portera. »

ANTOINE GÉRIN-LAJOIE, *Complainte*, 1842.

DOCUMENT 1

LES GRANDES DATES DU RÉGIME DE L'UNION

1841 : 10 février, entrée en vigueur de l'Acte d'Union votée l'année précédente par le Parlement britannique et unissant le Bas et le Haut-Canada sous une seule législature.
Première organisation de l'instruction publique au Canada français.

1848 : La langue française, bannie par l'Acte d'Union comme langue de l'État, redevient admissible comme langue de la Législature. L'Assemblée obtient de Londres la reconnaissance du principe de la responsabilité ministérielle.

1849 : Suite à la reconnaissance des droits du français et à l'intention de la Législature d'indemniser les rebelles de 1837-38 lésés dans leurs biens, les Anglais de Montréal se révoltent et incendient le Parlement. La Législature se transporte à Québec.

1851 : Adoption du dollar comme monnaie légale du Canada.

1854 : Abolition du système seigneurial encore en vigueur au Canada depuis le régime français.

1855 : *La Capricieuse*, premier vaisseau français à entrer dans le Saint-Laurent depuis la Conquête de 1760: c'est la fête chez les populations des deux rives.

1857 : Ottawa devient la nouvelle capitale du Canada Uni.

1864 : Première conférence politique devant mener à la Confédération.

2. Défense du français

Louis-Hyppolyte La Fontaine (1807-1864). Né à Boucherville, il est élu député en 1834 et devient l'un des plus ardents disciples de Papineau. Après les événements de 1837, il est mis en prison. Mais après l'Union de 1840 il se range, se fait élire député par les Anglais de l'ancien Haut-Canada et se fait ainsi paradoxalement le défenseur des droits des Canadiens français à l'intérieur du régime. S'opposant désormais à Papineau qui refuse toujours de reconnaître le régime de l'Union, La Fontaine devient pour ses compatriotes ce que fut Papineau pour l'époque précédente: un chef politique. Il se retira de la politique en 1853 pour devenir juge de la Cour d'appel.
Orateur exceptionnel, il laissa surtout des discours, notamment celui qu'il fit à l'Assemblée législative, le 13 septembre 1842, en français, malgré l'interdiction constitutionnelle dont cette langue était frappée d'après l'*Acte d'Union*.

On me demande de prononcer dans une autre langue que ma langue maternelle le premier discours que j'aie à faire dans cette chambre. Je me défie de mes forces à parler la langue anglaise. Mais je dois informer les honorables membres que, quand même la connaissance de la langue anglaise me serait aussi familière que celle de la langue française, je n'en ferais pas moins mon premier discours dans la langue de mes compatriotes canadiens-français, ne fut-ce que pour protester contre cette cruelle injustice de l'Acte d'Union qui tend à proscrire la langue maternelle d'une moitié de la population du Canada. Je le dois à mes compatriotes, je le dois à moi-même.

Le but de l'Acte d'Union, dans la pensée de son auteur, a été d'écraser la population française; mais l'on s'est trompé, car les moyens employés ne sont pas complets pour produire ce résultat. La masse des deux populations du Haut et du Bas-Canada a des intérêts communs, et elles finiront par sympathiser ensemble.

Oui, sans notre coopération active, sans notre participation au pouvoir, le gouvernement ne peut fonctionner de manière à rétablir la paix et la confiance, qui sont essentielles au succès de toute administration. Placés par l'Acte d'Union dans une situation exceptionnelle et de minorité dans la distribution du pouvoir politique, si nous devons succomber, nous succomberons du moins en nous faisant respecter. Je ne recule pas devant la responsabilité que j'ai assumée, puisque dans ma personne le gouverneur général a choisi celui par lequel il voulait faire connaître ses vues de libéralité et de justice envers mes compatriotes. Mais dans l'état d'asservissement où la main de fer de lord Sydenham [1]

1. Lord Sydenham: *gouverneur du Canada, décédé la veille de l'élection de La Fontaine comme député.*

a cherché à tenir la population française, en présence des faits qu'on voulait accomplir dans ce but, je n'avais, comme Canadien, qu'un devoir à remplir, celui de maintenir le caractère honorable qui a toujours distingué mes compatriotes et auquel nos ennemis les plus acharnés sont obligés de rendre hommage. Ce caractère je ne le ternirai jamais!

Pour faire apprécier à la Chambre la position particulière où je me suis trouvé, on me permettra de faire remarquer qu'avant l'Union de deux provinces chacune d'elles était soumise à une législature séparée. L'absence de tout nom français dans le cabinet n'est-elle pas une circonstance qui comporte une injustice, même une injure préméditée? Mais, dira-t-on, «vous ne voulez pas accepter d'emploi». Ce n'est pas là une raison. Mes amis et moi, il est vrai, nous ne voulions pas en accepter sans des garanties; mais puisque vous avez bien trouvé quelques noms français pour siéger dans le Conseil spécial, même pour assister la Cour martiale, ne pouviez-vous pas en trouver de même force pour siéger dans le cabinet? Non pas qu'un pareil choix aurait eu l'apparence de ne pas dédaigner entièrement une origine qui est celle de la moitié de la population. Non, les honorables membres du cabinet ne l'auraient pu, quand même ils l'auraient voulu, sous l'administration de lord Sydenham. Ils n'étaient là que pour résister. Lord Sydenham leur imposait silence. Et ils s'y soumettaient servilement. Croit-on que ce serait pour marcher sur leurs traces que je consentirais à entrer dans le Conseil? Avant tout, je préfère mon indépendance, les dictées de ma conscience. Quand je serai appelé à donner mes avis au représentant de Sa Majesté, je manquerais également envers mes compatriotes et envers moi-même. Ce n'est pas d'aujourd'hui que je suis ma carrière. Je n'ai pas à rougir du passé; je ne veux pas avoir à rougir du présent, ni de l'avenir.

Louis-Hippolyte La Fontaine, *Discours à l'Assemblée Législative*, 1842.

DOCUMENT 2

LE RÉGIME DE L'UNION

Constatons d'abord qu'un des buts principaux des auteurs de l'union, l'anéantissement de la nationalité française, ou l'anglification des Canadiens-Français, n'a pas été atteint; car tout ce qui constitue cette race, sa religion, sa langue, ses lois civiles, ses institutions, sa littérature, s'est développé avec rapidité et a pris une force d'expansion plus considérable que sous l'ancien régime constitutionnel. D'un autre côté, cette union qui était encore destinée à faire sortir le Haut-Canada de ses embarras financiers, a parfaitement réussi dans ce sens; en effet, cette province a pu rétablir ses finances, continuer ses travaux publics, attirer une forte immigration et progresser rapidement, grâce surtout aux larges octrois qui lui furent accordés par la législature.

On remarque deux grandes luttes politiques qui fixent surtout l'attention. La première se fit dès le début de l'Union, pour le triomphe de la responsabilité ministérielle. Cette lutte fut vive et animée; les conservateurs de l'ancien régime désiraient continuer leur politique d'exclusion et de privilèges pour leur parti; mais grâce à l'esprit d'union entre les libéraux des deux provinces la cause du gouvernement responsable fut gagnée. Le peuple gagna donc à se gouverner par lui-même, et par les hommes qui possédaient sa confiance, et la métropole n'intervint plus dans ses affaires locales. La lutte prit fin dans les émeutes et les incendies de 1849.

Une deuxième lutte se préparait dans le silence. Le Haut-Canada, favorisé par une immigration considérable, commençait à dépasser l'autre province par sa population; les Anglais se mirent à agiter la question de la représentation basée sur la population, et de briser par là l'égalité représentative et le caractère fédéral de la constitution. Pour parvenir à leur but, on les a vus employer tous les moyens, soulever les passions populaires, les préjugés de race et de religion, sans même épargner les menaces. Tout fut inutile; le Bas-Canada tout entier s'unit pour repousser cette demande injuste tant que durerait l'union législative des deux provinces. L'Union pu encore subsister quelques années. Finalement, la législature souffrit de cette lutte entre les deux provinces; les gouvernements se succédèrent avec rapidité; il fallait apporter un changement à cet état de chose alarmant.

Malgré ces grandes luttes politiques, le Canada progressa cependant avec rapidité. Lorsque l'on jette un coup d'œil sur l'état des provinces avant leur union, on a une meilleure idée des changements qui se sont opérés en toutes choses. En effet, depuis 1841, le progrès matériel, le progrès dans la législation, etc. a été immense. Les Canadiens ont d'abord amélioré la navigation du Saint-Laurent, et en ont fait une des plus belles voies de communication du monde entier. Ils ont agrandi et achevé leurs canaux, bâti des phares, des jetées, etc. Ils ont enveloppé la province dans un réseau de lignes télégraphiques et de chemins de fer. Ces grands travaux ont activé le commerce, l'industrie, augmenté la valeur des produits et des propriétés et amené par là la prospérité des individus. Grâce à ces communications faciles, la liberté commerciale, en 1849, les vaisseaux de tous les pays ont pu naviguer dans les eaux du Saint-Laurent; les marchands ont établi des relations commerciales avec les nations étrangères.

(LOUIS-P. TURCOTTE, **Le Canada sous l'Union**, Québec, éd. Demers, 1882; t. 2, pp. 591-593.)

3. LE DILEMME

Antoine Gérin-Lajoie (1824-1882). (Voir Texte 1 du présent chapitre.) À l'âge de dix-sept ans, il compose une tragédie dont voici le sujet: Pendant que les Anglais prennent Québec et le Canada par les armes, un jeune officier, Roger Latour, leur résistait à Cap-de-Sable en Acadie. Son père, marié en secondes noces à l'une des filles d'honneur de la reine d'Angleterre, avait promis au gouvernement anglais de les mettre en possession du poste commandé par son fils. La tragédie fait voir la rencontre du père et du fils où ce dernier se voit offrir par l'autre l'estime de la cour d'Angleterre et la confirmation de son gouvernement à Cap-de-Sable en échange de sa reconnaissance de l'autorité britannique.

LE PÈRE

                                        Ô Roger, je t'implore,
Épargne-moi l'horreur de combattre mon fils.

ROGER

Mon père, mes tourments ne sont donc pas finis?
Si je perds mon honneur vous en serez la cause!

LE PÈRE

Je veux tout obtenir, et je ne me repose
Que lorsque j'aurai vu couronner mes combats.

ROGER

À vos premiers projets vous ne renoncez pas?
Ô mon père! s'il faut que je vous sacrifie
Un bien qui m'est plus cher que celui dé la vie...
Je n'en ai pas le droit.

LE PÈRE

                                        Mais quel est donc ce bien?

ROGER

C'est mon devoir.

LE PÈRE

Quoi donc ! pour toi je ne suis rien !

ROGER

Oui, vous êtes pour moi tout après ma patrie.

LE PÈRE

Ce que je te demande, est-ce une perfidie ?

ROGER

J'enfreindrais les serments que j'ai faits à mon roi ;
Auprès de mon pays, je trahirais ma foi.

LE PÈRE

Qu'en résulterait-il ? Une légère offense.

ROGER

La fureur, des remords, la peur de la vengeance,
Le cri de mon honneur, le désespoir enfin.

LE PÈRE

Non, livrez-moi ce fort, livrez-moi ce terrain,
C'est tout ce que je veux.

ROGER

Ô désir trop funeste !
Vous allez me ravir tout l'espoir qui me reste.

LE PÈRE

Roger, perdre ce Cap[1], est-ce un si grand malheur ?

ROGER

Vous le livrer serait vous livrer mon honneur.
Ce sol n'est pas à moi, mais il est à la France ;
Louis[2] en est le maître, et j'en ai la défense.

1. Cap: *Cap-de-
    Sable, le seul
    poste, à peu près,
    resté aux mains
    des Français
    après la défaite
    de Québec en
    1759.*
2. Louis: *Louis XV,
    roi de France.*

LE PÈRE

L'honneur ! C'est un vain nom que la langue des rois
Se plaît à répéter pour soutenir leurs droits
Contre ceux qu'établit l'auteur de la nature ;
Ô vertu filiale, et si noble et si pure !

ROGER

Mon père, écoutez-moi : le temps est précieux,
Je veux vous dire encor mes raisons et mes vœux.
S'il est vrai qu'aujourd'hui votre cœur me chérisse,
De moi n'exigez pas un si grand sacrifice.
Pour défendre ce sol contre des étrangers,
L'on a vu les Français affronter les dangers,
Ni les fers, ni la mort n'ébranlaient leur courage.
S'ils voyaient l'ennemi débarquer au rivage,
Ils s'armaient tout à coup, et ces preux[3] combattants
Sur le champ de bataille allaient mourir contents,
Heureux de conserver aux dépens de leur vie
Un pays qu'ils aimaient comme une autre patrie.
Et moi j'irais, mon père, abjurant la pudeur,
Et de ces fils de Mars[4] indigne successeur,
Sans respect pour mon nom, j'irais ternir la gloire
Attachée à ce Cap par plus d'une victoire ?...
Tout ici parle d'eux : je regarde ce fort,
Ces remparts, ces maisons, ces murailles, ce port
Où pour votre malheur vos vaisseaux abordèrent,
Ces vastes bâtiments, ces champs qu'ils défrichèrent :
Mon père, ce sont là les fruits de leurs labeurs.
Pourrais-je, dites-moi, mépriser leurs sueurs
Au point de les offrir moi-même à l'Angleterre ?
Puis-je dire aux Anglais : Occupez cette terre,
C'est moi qui la gouverne, et je puis volontiers
Moi-même en enrichir des peuples étrangers ?
Que diriez-vous, héros de la Nouvelle-France ?
Ah ! vos mânes[5] sanglants demanderaient vengeance !
Tu frémirais de rage, honneur de Saint-Malo,
Cartier[6], toi qui jadis arboras ton drapeau,
Le vieux drapeau français, sur cette vaste plage,
Après avoir bravé les autans[7] et l'orage.
La Roche[8], au haut du ciel, en voyant ce forfait,
Tu gémirais aussi, ton cœur s'attristerait,
Toi pour qui notre sol offrait de si grands charmes
Qu'à son seul souvenir tu répandais des larmes !
Et toi surtout, Champlain[9] dont les soins paternels
Naguère protégeaient nos murs et nos autels !
Pour défendre Québec ton bras prenait la flamme,

3. Preux : *braves, vaillants.*

4. Fils de Mars : *soldats. Mars était le dieu de la guerre dans la mythologie romaine.*

5. Mânes : *ancêtres.*
6. Cartier : *découvreur du Canada en 1534. Voir le premier texte du chapitre I.*
7. Autans : *vents.*
8. La Roche : *marquis de La Roche de Mesgouez, premier vice-roi de la Nouvelle-France, il fonda l'établissement de l'Île-de-Sable en 1598.*
9. Champlain : *fondateur de Québec en 1608. Voir le texte n° 3 du chapitre premier.*

Et le courage alors bouillonnait dans ton âme ;
Et s'il fallut enfin succomber sous les coups[10],
Tu cherchas pour ta ville un destin noble et doux.

ROGER

L'on ne t'attira point par quelque vil amorce,
Jamais tu n'as cédé que vaincu par la force.
Héros de mon pays, je veux suivre vos pas,
Ce Cap, rien ne pourra l'enlever à mon bras.
Qu'on le prenne de force ; alors ma conscience,
Loin de me reprocher mon défaut de vaillance,
Lorsque je gémirai sur mon propre malheur,
Ne rendra témoignage en calmant ma douleur.

ANTOINE GÉRIN-LAJOIE, *Le Jeune Latour*, 1844.

10. Succomber sous les coups : *allusion à la capitulation de Québec aux mains de l'Anglais Kirke de 1629 à 1632.*

4. LA DÉPORTATION DES ACADIENS EN 1755

François-Xavier Garneau (1809-1866). Né à Québec. Participe très tôt à la vie publique comme journaliste et notaire. Devient secrétaire de D.-B. Viger (voir Texte 3 du chapitre précédent) avec qui il se rend en Europe en 1831. Piqué, comme beaucoup de ses compatriotes, par le jugement de Lord Durham sur les Canadiens français (voir document 4 du chapitre précédent : « Un peuple sans histoire et sans littérature »), il décide de donner à son pays son premier monument véritablement *littéraire* sous forme d'une *histoire nationale*. C'est ainsi que parut entre 1845 et 1848 les trois tomes de l'*Histoire du Canada depuis sa découverte jusqu'à nos jours*. Garneau écrivit en outre plusieurs poèmes patriotiques et un récit de son *Voyage en Angleterre et en France* (1855).

1. *Les treize colonies américaines.*
2. Acadie : *Partie de l'ancien empire français d'Amérique tombée aux mains des Anglais depuis 1713 ; couvre les provinces actuelles du Nouveau-Brunswick, de la Nouvelle-Écosse et de l'Île du Prince Édouard.*
3. Appareil : *Apparat, magnificence.*

Il fut résolu de disperser dans les colonies anglaises[1] ce peuple infortuné ; et, afin que personne n'échappât, on enjoignit le secret le plus inviolable. L'enlèvement devait avoir lieu le même jour et à la même heure dans toutes les parties de l'Acadie[2]. Pour rendre le succès plus complet, on voulut réunir les habitants par troupes. Des proclamations, rédigées avec une adresse perfide, leur ordonnèrent de s'assembler dans les principaux villages, sous les peines les plus rigoureuses. Quatre cent dix-huit chefs de famille, se fiant à la foi britannique, se réunirent ainsi, le 5 septembre, à 3 heures de l'après-midi, dans l'église du Grand-Pré. Le colonel Winslow s'y rendit dans un grand appareil[3]. Après leur avoir montré la commission qu'il tenait du gouverneur, il leur dit qu'ils avaient été assemblés pour entendre la décision finale du roi à leur égard. Alors il leur annonça qu'il avait un devoir bien pénible à remplir ; mais qu'il devait obéir aux ordres qu'il avait reçus, et il les informa « que leurs terres et leurs bestiaux étaient confisqués au profit de la couronne avec tous leurs meubles, excepté leur argent et leur linge, et qu'ils allaient être eux-mêmes déportés hors de la province. » Aucun motif n'était donné de cette décision. Un corps de troupes, qui s'était tenu caché jusque-là, sortit tout à coup de sa retraite et cerna l'église : les habitants, surpris et sans armes, ne firent aucune résistance. Les soldats rassemblèrent les femmes et les enfants ; 1 023 personnes furent arrêtées au Grand-Pré seulement. Quelques Acadiens s'étaient échappés dans les bois, on dévasta le pays pour leur empêcher de subsister. Dans les Mines on brûla des centaines d'habitations, onze moulins et une église. Ceux qui s'étaient montrés les partisans de l'Angleterre, ne furent pas mieux traités que ses ennemis : ainsi le vieux notaire Le Blanc, qui lui avait rendu les plus grands services, mourut à Philadelphie de misère et de chagrin, en cherchant ses fils dispersés dans les colonies de ses oppresseurs; on ne fit aucune distinction. Il fut permis aux uns et aux autres avant de s'embarquer, et c'est le seul adoucissement qu'on accorda à leurs malheurs, de visiter, dix par dix, leurs familles, et de contempler pour la dernière fois ces champs, ces vallons, ces collines, naguère si calmes et si heureuses qui les avaient vus naître et qu'ils ne devaient plus revoir. Le 10 fut le jour fixé pour l'embarquement. Une résignation calme avait succédé à leur premier désespoir. Mais lorsqu'il fallut dire un dernier adieu à leur patrie, pour aller vivre séparés, au milieu d'un peuple étranger, qui avait d'autres coutumes, d'autres mœurs, une autre langue, une autre religion, leur courage s'évanouit et ils furent navrés de douleur. En violation de la foi jurée et par un raffinement inouï de barbarie, les familles furent divisées et dispersées sur différents navires. Pour les embarquer on rangea les prisonniers sur six fronts, les jeunes gens en tête. Ceux-ci refusèrent de marcher, en réclamant l'exécution de la promesse qui leur avait été faite, qu'ils seraient embarqués avec leurs parents; on fit avancer contre eux les soldats, la baïon-

nette croisée. Le chemin, depuis la chapelle du Grand-Pré jusqu'à la rivière Gaspareaux, avait un mille de longueur; il était bordé des deux côtés de femmes et d'enfants, qui, à genoux et fondant en larmes, encourageaient leurs maris, leurs pères et leur adressaient leurs bénédictions. Cette lugubre procession défila lentement en priant et en chantant des hymnes. Les chefs de famille marchaient après les jeunes gens. Enfin la procession atteignit le rivage. Les hommes furent mis sur certains bâtiments; les femmes et les enfants, sur d'autres, pêle-mêle, sans qu'on prit le moindre soin pour leur commodité. Des gouvernements ont commis des actes de cruauté dans des temps de passions, au milieu des révolutions politiques ou religieuses, pour satisfaire des haines ou des vengeances particulières; mais il n'y a pas d'exemple chez les modernes qu'un châtiment ait été infligé à tout un peuple paisible et inoffensif avec autant de calcul, de barbarie et de sang-froid, que celui dont nous venons de retracer le douloureux tableau.

Tous les autres établissements acadiens présentèrent le même jour et à la même heure le même spectacle de désolation.

Les navires, chargé de leurs nombreuses victimes, firent voile pour les colonies anglaises. Ils les jetèrent sur le rivage depuis Boston jusqu'à la Caroline, sans pain et sans protection. Pendant de longues journées après le départ des Acadiens, on vit leurs bestiaux s'assembler autour des ruines des habitations, et les chiens passer les nuits à pleurer l'absence de leurs maîtres, en poussant de plaintifs hurlements.

FRANÇOIS XAVIER GARNEAU, *Histoire du Canada*, 1845.

François-Xavier Garneau

5. MUTATIONS D'UNE SOCIÉTÉ

Louis-Octave Letourneux (1823-1858). Né à Montréal. Avocat, il fonde et rédige pendant plusieurs années la *Revue canadienne* (1846), journal littéraire d'abord, politique plus tard, et *L'Album de la Revue canadienne* (1847), recueil littéraire et musical. Ces deux publications disparaissent vers 1849. Très brillant juriste, il crée en 1849, la *Revue de législation et de jurisprudence*. L'excès de travail ruine sa santé: il meurt prématurément à l'âge de 35 ans.

Avec le régime féodal, les lois, les traditions, les fêtes nationales et religieuses, les plaisirs, la pensée, la poésie de la France, tout ce qui fait la patrie, fut amené sur les bords du Saint-Laurent; et la société canadienne eut un caractère complet, un passé à qui demander des inspirations, et des souvenirs nationaux à évoquer. Les manières et les coutumes retinrent ce vernis d'élégance et de politesse que l'on rencontre encore aujourd'hui dans la population de nos campagnes. Mais ce qui distingue éminemment le peuple canadien, ce fut sa fidélité à la religion, cette source de toute poésie sociale et nationale. Qui d'entre nous n'a pas ressenti son cœur remué par les plus douces émotions à la vue de nos cérémonies religieuses: la messe de minuit, les Rois[1], les Rogations[2], la Fête-Dieu[3] et le jubilé[4]? et par les touchantes et solennelles cérémonies de la semaine sainte? Et encore, qui n'admire les mœurs de nos braves cultivateurs, et les fêtes qui précèdent le carême, et qui commencent au jour de l'an, alors que se font les présents, les mariages, et les visites des cultivateurs entre eux, qui resserrent les liens de l'amitié, de la fraternité, et font de tous comme une grande famille? Tous ces traits de la physionomie nationale n'ont pas changé, tout cela est resté comme autrefois dans nos campagnes, si bien que les voyageurs français qui parcourent le Canada aujourd'hui, sont frappés de retrouver sur nos rivages les mœurs de leur patrie, et comme le disait si justement un de nos compatriotes: «Nos souvenirs populaires, nos contes de vieilles, nos chansons, nos proverbes, nos superstitions, tout en nous est normand ou breton. Les contes de la *Mer Bleue*, du *Petit Chaperon Rouge*, du *Petit Poucet*, etc.; les chansons: *Dans les prisons de Nantes...*, *À Saint-Malo, beau port de mer...*, *C'est la belle Françoise...*, *À Rouen, à Rouen...*, encore les histoires des feux follets, de la chasse-galerie..., du lutin qui fait trotter les chevaux, etc. Ces contes, ces fadaises-là[5] me font plaisir à entendre. C'est quelque chose que les Anglais ne savent pas, quelque chose par quoi nous sommes distincts des Écossais.»

1. Les Rois: *le jour des Rois (ou l'Épiphanie) célébré le 6 janvier.*
2. Les Rogations: *prières publiques processions faites pendant les trois jours précédant l'Ascencion et la fête de Saint-Marc (25 avril) pour favoriser de meilleures récoltes.*
3. Fête-Dieu: *fête de l'Eucharistie fixée au jeudi qui suit l'octave de la Pentecôte. Elle célébrée par une procession au reposoir.*
4. Le jubilé: *dans la religion catholique, les occasions où le pape accorde une indulgence plénière et générale.*
5. Fadaises: *choses sans importance.*

Ainsi, au village et hors des villes, notre société a conservé cette bonhomie franche et polie, le laisser-aller, le sans-façon et la simplicité des anciens temps. Elle ne s'est pas encore dépouillée de son originalité nationale. Les mœurs primitives de la colonie n'ont pas subi d'autres changements que ceux qu'un peu plus de bien-être amène naturellement à sa suite. Ils n'ont subi encore aucune influence étrangère. L'émigration ne demeure pas dans les paroisses des seigneuries. Elle se dirige vers les townships[6] de l'Est, vers l'Ouest du Canada et surtout vers les États-Unis. Le village français est resté le même avec son apparence calme, paisible et stagnante. Il y a tels d'entre eux qui, depuis vingt-cinq ans, n'ont rien changé, n'ont rien ajouté, rien amélioré, rien défait dans leur forme et leur apparence extérieure. Pas une bâtisse ne s'est élevée; on s'est contenté, par-ci par-là, de couper les vieux arbres qui bordaient la grande route, qui ombrageaient le fronton des vieilles églises ou qui entouraient les cimetières, et d'en laisser les tronçons pour rappeler sans doute le bon vieux temps et la folie, le vandalisme de ceux qui ont coupé ces vieux arbres. Enfin, ce ne sont pas les transformations successives et continuelles du progrès et de la civilisation, mais en revanche c'est une tranquillité si douce, si heureuse, qu'on est tenté de renoncer à la civilisation, à la bruyante activité, à son impatiente et insatiable avidité d'améliorations, pour se retirer dans un de ces jolis villages sur les bords du Saint-Laurent et partout dans nos campagnes, pour y goûter cette paix, ce calme pur qu'on ne trouve nulle part aussi parfait qu'au milieu de notre population polie, morale, franche et hospitalière.

Il n'en est pas ainsi de nos villes.

Québec et Montréal n'ont plus leur physionomie d'autrefois. Elles ont plutôt une apparence étrangère. Le commerce qui d'abord était relégué dans un coin ou une seule partie de ces villes, s'est avancé dans tous les quartiers; il s'est étendu des centres aux extrémités.

Dans ces transformations de la ville vieille à la ville moderne, qu'est devenue la société d'autrefois, son allure, sa tenure[7], ses mœurs et son esprit? D'abord propriétaire en possession du sol, composée de familles bourgeoises qui déjà, sous le gouvernement français, avaient pris de l'accroissement, elle regardait dédaigneusement comme au-dessous d'elle, ces trafiquants que l'émigration jetait au milieu de ses villes et qui commençaient le commerce d'importation.

Mais bientôt l'émigration devint plus forte, surtout de la Grande-Bretagne; le commerce devint florissant alors que le Canada pouvait être considéré comme le grenier de l'Amérique du Nord. La société anglaise et écossaise se recruta de jour en jour; elle avait entre ses mains tout le commerce; elle était favorisée de toutes manières par le gouvernement qui, en mainte occasion, oublia et ce qu'il devait à notre nationalité, et ce qu'il pouvait encore en attendre, et qui suivait ce sentiment qui anime les gouvernements comme les hommes, qu'il faut favoriser les siens, souvent grandissant à l'ombre du monopole, prenant chaque jour de l'accroissement, accumulant des capitaux, si bien qu'elle trancha bientôt l'uniformité de nos villes par des cercles à part et des mœurs différentes des nôtres. De sorte que aujourd'hui Montréal et Québec ont toute l'apparence de villes commerciales et anglaises. Le commerce et l'industrie, voilà quels sont les éléments de progrès de ces deux villes. Ce sont eux qui démolissent nos édifices et nos mœurs; ils accaparent tout sans jamais s'ar-

6. Townships: *municipalités anglaises de la région du Québec où s'étaient établis les Loyalistes.*

7. Sa tenure: *son mode de concession.*

rêter, et jusqu'à ces dernières années, ils étaient entre les mains de nos compatriotes d'origine anglaise et autres presque exclusivement. Voyez ce qu'il y a
de pénible dans notre position; nous sommes presque obligés de regarder avec
regret les progrès de la civilisation dans notre pays, parce que dans les grands
centres, dans les villes, ils nous enlèvent tout ce qui nous distingue comme un
peuple et une nation à part. Et comment résister à ce pouvoir qui en agran-
dissant nos villes, ouvrant toutes les branches d'industries, améliorant chaque
jour la condition matérielle et morale du peuple, répandant partout l'abondance et l'activité, emporte dans sa marche et efface petit à petit les traits dis-
tinctifs de notre nationalité?

LOUIS-OCTAVE LETOURNEUX, *La Société canadienne*, 1845.

6. DES PEUPLES ENNEMIS

Étienne Parent. Voir la notice du texte 4 du chapitre 2.

Jusqu'à présent, on ne saurait se le cacher, le but et l'effet de toutes nos coutumes et législations ont été de favoriser la concentration des richesses dans un petit nombre de mains. On n'a vu dans la société que la propriété; on n'a pensé à l'homme que pour savoir le meilleur parti qu'on pouvait tirer de lui; mais c'est prendre la société à rebours, la fin pour le moyen. La fin de la société, c'est l'homme, c'est le bonheur, c'est l'avancement moral et intellectuel de l'espèce humaine entière. La propriété, ce n'est, ce ne doit être qu'un des moyens employés pour parvenir à cette grande fin. Que veulent dire alors toutes ces lois et coutumes si soigneusement calculées pour conserver intégralement dans certaines classes toutes les richesses d'un pays, laissant les masses dans l'impuissance permanente d'améliorer leur sort? Les anciens Grecs et Romains, comme les peuples de l'Asie de nos jours encore, étaient au moins francs et conséquents; ils n'admettaient pas la fraternité humaine, et ils traitaient le peuple en esclave. Nous, chrétiens et libéraux, nous avons l'hypocrisie de donner au peuple le nom de frère, et nous lui faisons souvent un sort pire que celui de l'esclave. La belle égalité, la belle fraternité que nous faisons à l'homme du peuple! Voyez cet enfant, cet héritier du riche, à qui on prodigue tous les moyens d'instruction et d'avancement; avec des talents médiocres, nuls même, il est sûr de parvenir à une position sociale des plus brillantes. Abaissez maintenant vos yeux sur cette humble chaumière; voyez ce pauvre enfant, dans les yeux duquel pétille l'intelligence, dans l'âme duquel Dieu s'est plu à faire réfléter son image divine; d'après la manière dont nos sociétés en général ont jusqu'à présent traité, chez la grande masse des hommes, l'intelligence, le plus beau don du Créateur à l'humanité, que va devenir cet enfant du pauvre? Eh bien! à moins de quelque coup imprévu de la fortune, il ne fera qu'un portefaix [1], parce qu'il ne pourra aller à une bonne école, même élémentaire. Heureux encore pour lui et pour la société, si cette intelligence comprimée, sans essor, sans direction salutaire, ne fait de lui un grand scélérat, et ne coûte à la société et aux riches, par ses crimes, mille et mille fois plus que la bonne éducation qu'on lui aurait procurée.

Mais que voulez-vous donc? me demandera-t-on. Voulez-vous nous prêcher la loi agraire, la communauté des biens, l'abolition des lois de propriété? Prétendez-vous qu'il faille priver un père du plaisir de laisser à ses enfants le fruit de ses longs et pénibles travaux? Non, quand je le voudrais, je prêcherais

1. Portefaix: *personne dont le métier est de porter des fardeaux.*

dans le désert. Nos sociétés modernes ne sont pas en état d'entendre de pareilles doctrines, quoique quelque chose de semblable se soit vu cependant. Chez les Juifs, on avait, tous les cinquante ans, le jubilé[2] qui abolissait toutes les dettes. On sait qu'à Sparte[3] la propriété foncière était divisée également entre tous les pères de famille, et que tous les enfants y étaient élevés aux frais de l'État. Chez les Romains, outre une foule de lois agraires, «toutes inspirées, dit Blanqui[4], par un vain désir de partage des terres et d'équilibre entre les fortunes», il fut passé en différents temps nombre de lois en faveur des citoyens indigents, qu'on secourait sous une forme ou sous une autre. Enfin, l'on voit que chez les premiers chrétiens, il existait une espèce de communauté de biens.

Nos lois de succession ont eu partout pour conséquence inévitable la concentration des richesses dans certaines classes de la société, et partant de créer deux peuples ennemis dans la même nation: l'un énervé par le luxe et la mollesse, l'autre abruti par l'ignorance et l'immoralité; réalisation sociale de la statue de Nabuchodonosor[5], dont la tête était d'or et les pieds d'argile. L'histoire, en vous apprenant quel fut le sort de ces nations, vous prédit le vôtre, chute certaine, chute terrible, chute méritée.

ÉTIENNE PARENT, *Considérations sur notre système d'éducation populaire, sur l'éducation en général et les moyens législatifs d'y pourvoir*, 1848.

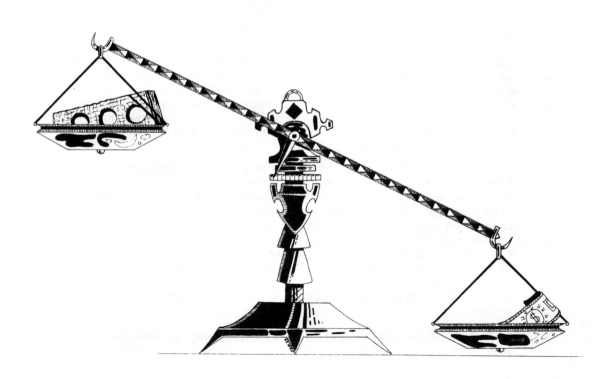

7. LE RENOUVEAU LITTÉRAIRE

James Huston (1820-1854). Né à Québec d'une famille anglaise francisée. Traducteur à l'Assemblée législative de Québec. Il travaille pendant de nombreuses années à colliger les textes littéraires du Canada qu'il publie en 4 volumes entre 1848 et 1850 sous le titre de *Répertoire national* ; c'est de sa préface qu'est tiré le texte qui suit.

Le goût des lettres qui se répand aujourd'hui avec rapidité dans toutes les classes de la société, ne s'est introduit qu'avec beaucoup de difficultés en Canada. Peuple français, cédé tout à coup aux Anglais, la classe lettrée et aisée s'est éloignée du pays après le traité de 1763, qui faisait de la Nouvelle-France une province anglaise. Abandonné à de nouveaux maîtres, ce jeune peuple vit son éducation, dans la langue de ses pères, négligée et parfois proscrite. Quelques collèges, cependant, entretenaient dans la jeunesse riche, le goût des lettres joint à l'amour de la nationalité. Mais, ces jeunes gens, devenus hommes, ne se livraient à la culture des lettres que pour leur amusement ou celui d'un petit cercle d'amis ; car le peuple, ne sachant seulement pas lire, n'était nullement capable de goûter les travaux de l'esprit et de l'intelligence, ni d'apprécier l'importance d'une littérature nationale qui contribuerait à lui conserver son individualité au milieu des nombreuses populations dont se couvre le continent américain, en transmettant de générations en générations les traditions, les coutumes, les mœurs nationales.

Une autre chose, aussi, empêchait alors le développement d'un germe de littérature : c'était le manque de livres, et surtout de livres français. Les ouvrages classiques étaient rares ; et bienheureux étaient les jeunes gens dont les amis plus âgés pouvaient leur prêter quelques volumes des meilleurs auteurs français ou anglais. Il fut un temps, dont se rappellent beaucoup de vieillards, où une bibliothèque de quelques livres était un luxe dont quelques personnes favorisées de la fortune et du hasard seules pouvaient jouir. Malgré beaucoup de restrictions de la part des autorités du pays, les livres entrèrent peu à peu dans les villes ; et les écrivains canadiens purent alors étudier les grands maîtres de la littérature française, et commencer à poser les bases d'une littérature nationale.

Des hommes éclairés, luttant avec énergie contre les difficultés des temps, parvinrent à établir quelques bibliothèques publiques, et à fonder quelques sociétés littéraires, qui ont puissamment contribué à répandre le goût de la littérature dans la société franco-canadienne.

Les journaux, en se multipliant, ont fait multiplier les lecteurs et les écrivains. Mais pendant longtemps, bien longtemps, les écrivains se sont renfermés dans des discussions souvent oiseuses et rarement instructives. Ceux qui ont eu la hardiesse de sortir les premiers de ces ennuyeuses discussions, pour s'essayer dans des compositions purement littéraires, soit en prose, soit en vers, furent en butte à des critiques acerbes, ironiques, jalouses, et à des reproches plus modérés et trop souvent mérités.

La littérature canadienne s'affranchit lentement, il faut bien le dire, de tous ses langes de l'enfance. Elle laisse la voie de l'imitation pour s'individualiser, se nationaliser; elle s'avance en chancelant encore, il est vrai, vers des régions nouvelles; devant elle s'ouvre un horizon et plus grand, et plus neuf: elle commence à voir et à croire qu'elle pourra s'implanter sur le sol d'Amérique comme une digne bouture de cette littérature française qui domine et éclaire le monde, le guide ou le soulève, le fait rire ou trembler, le lance en même temps contre les rois et les préjugés sociaux, et le mène à la recherche de la vérité par des chemins inconnus jusqu'à nos jours, en jetant cependant l'effroi dans l'âme d'un grand nombre de penseurs contemporains.

Les sociétés littéraires existantes, les travaux des hommes généreux et dévoués qui prononcent des discours aux séances publiques de ces sociétés, les penchants, les études et les essais des jeunes gens, tout nous fait voir que la littérature nationale entre dans une ère nouvelle: ère de progrès et de perfectionnement.

JAMES HUSTON, *Répertoire Nationale*, 1848.

8. LE NORD-EST

Pierre-Joseph-Olivier Chauveau (1820-1890). Né à Québec, avocat et journaliste, il fit ses études au séminaire et à l'Université de Québec ; il obtint plus tard un doctorat en droit de l'université McGill (Montréal). Élu député, nommé solliciteur général puis surintendant de l'Instruction publique pour le Bas-Canada, il devint Premier ministre, secrétaire provincial et ministre de l'Instruction publique dans le premier cabinet de la Province de Québec après la Confédération, soit de 1867 à 1873, date à laquelle il fut nommé sénateur et président du Sénat. Il fut aussi doyen de la faculté de droit de l'Université Laval à Montréal et président de la Société Royale du Canada.

Chauveau a composé de nombreuses œuvres dont *Charles Guérin, roman de mœurs canadiennes* (1853) et *Études sur les poésies de François-Xavier Garneau et sur les commencements de la poésie française au Canada* (1884) ; en outre, il fut l'auteur de plusieurs travaux historiques et biographiques, et d'ouvrages sur l'éducation.

1. golfe : *golfe Saint-Laurent.*
2. catharres : *inflammation des muqueuses avec hyper-sécrétions.*
3. pulmonie : *pneumonie. Le mot est populaire.*

C'est pour le district de Québec un véritable fléau que le vent de nord-est. C'est lui qui, pendant des semaines entières, promène d'un bout à l'autre du pays les brumes du golfe[1]. C'est lui qui, au milieu des journées les plus chaudes et les plus sèches de l'été, vous enveloppe d'un linceul humide et froid, et dépose dans chaque poitrine le germe des catarrhes[2] et de la pulmonie[3]. C'est lui qui interrompt par des pluies de neuf ou dix jours, tous les travaux de l'agriculture, toutes les promenades des touristes, toutes les jouissances de la vie champêtre. C'est lui qui, durant l'hiver, soulève ces formidables tempêtes de neige qui interrompent toutes les communications et bloquent chaque habitant dans sa demeure. C'est lui, enfin, qui chaque automne préside à ces fatales bourrasques, causes de tant de naufrages et de désolations, à ces ouragans répétés et prolongés qui à cette saison rendent si dangereuse la navigation du golfe et du fleuve Saint-Laurent.

Dès qu'il commence à souffler, tout ce qui, dans le paysage, était gai, brillant, animé, velouté, gazouillant, devient terne, froid, morne, silencieux, renfrogné. Un ennui, un malaise décourageant pénètre tout ce qui vous touche et vous environne. Bientôt des brumes légères, aux formes fantastiques, rasent en bondissant, la surface du fleuve. Ce n'est que l'avant-garde de bataillons beaucoup plus formidables, qui ne tardent pas à paraître. Alors vous chercheriez en vain un rayon de soleil, un petit coin de ce beau ciel bleu, si limpide, qui vous plaisait tant. Sur un fond de nuages d'un gris sale, passent rapides comme des flèches, ces mêmes brumes, qui se succèdent avec une émulation, une opiniâtreté désolante. On dirait tantôt la blanche fumée du canon, tantôt la fumée noire d'un bateau-à-vapeur. Tantôt elles dansent comme des fées capricieuses, aux vêtements d'écume, sur la crête des vagues, tantôt elles passent dans l'air d'un vol assuré, comme d'immenses oiseaux de proie. Quelquefois leur vitesse semble se ralentir, elles paraissent moins nombreuses; déjà vous croyez entrevoir en quelques endroits une lumière vive, comme celle du soleil, vous apercevez même à la dérobée quelque chose de bleuâtre qui ressemble au firmament, vous vous dites que les brumes s'épuisent, que vous allez bientôt en voir la fin; vous vous trompez, elles passeront toujours. Le golfe en contient un inépuisable réservoir.

Une journée maussade, quelquefois deux, s'écoulent ainsi. Puis vient une pluie froide et fine, qui va toujours en augmentant, jusqu'à ce qu'elle se transforme en véritables torrents, poussée qu'elle est par un vent impétueux. Tout le jour et toute la nuit, et souvent plusieurs jours et plusieurs nuits, ce n'est qu'un même orage uniforme, continu, persévérant. Pendant tout ce temps la pluie tombe comme dans les plus grandes averses, la fureur du vent se maintient à l'égal des ouragans les plus terribles. Il semble que le désordre est devenu permanent, que le calme ne pourra jamais se rétablir. Cependant cela cesse; mais alors recommence l'ennuyeuse petite pluie froide, plus désagréable et plus malsaine que tout le reste. Enfin, un bon jour, sur le soir éclate une épouvantable tempête: ce n'est plus le vent du nord-est seul; tous les enfants d'école sont conviés à cette fête assourdissante. C'est ce que l'on nomme le coup du revers. Cela termine et complète la neuvaine de mauvais temps.

PIERRE-JOSEPH-OLIVIER CHAUVEAU, *Charles Guérin, roman de mœurs canadiennes*, 1853.

9. CHANT DU VIEUX SOLDAT CANADIEN

Claude-Joseph-Olivier, dit *Octave Crémazie* (1827-1879). Né à Québec, il fit ses études au séminaire de Québec. Associé à son frère Joseph qui était propriétaire d'une librairie, il connut de sérieuses difficultés financières surtout à cause de ses commandes astronomiques de livres et du peu d'intérêt qu'il portait au commerce. Membre-fondateur de l'Institut Canadien de Québec (1849), il fit partie du bureau de direction et fut élu secrétaire puis président de cet Institut (cf. Texte suivant). Il effectua plus de huit voyages en France avant d'être forcé de s'y exiler, ayant été reconnu coupable de faux. À Paris, il travailla pour un libraire tout en suivant des cours publics à la Sorbonne et au Collège de France. Son corps fut inhumé au cimetière du Havre.

Dans ses *Oeuvres complètes* (1882), on trouve une partie de sa correspondance, le *Journal du siège de Paris* (1870-1871) composé lors de l'écroulement du Second Empire, et toute sa poésie dont *Le Vieux Soldat canadien*, poème écrit pour célébrer l'arrivée à Québec de « La Capricieuse », corvette française envoyée en 1855, par Napoléon III, pour nouer des relations commerciales entre la France et le Canada.

« Pauvre soldat, aux jours de ma jeunesse,
Pour vous, Français, j'ai combattu longtemps ;
Je viens encor dans ma triste vieillesse,
Attendre ici vos guerriers triomphants [1].
Ah ! bien longtemps vous attendrais-je encore
Sur ces remparts où je porte mes pas ?
De ce grand jour quand verrai-je l'aurore ?
Dis-moi, mon fils, ne paraissent-ils pas ?

Qui nous rendra cette époque héroïque
Où, sous Montcalm, nos bras victorieux,
Renouvelaient dans la jeune Amérique
Les vieux exploits chantés par nos aïeux ?
Ces paysans qui, laissant leur chaumière,
Venaient combattre et mourir en soldats,
Qui redira leurs charges meurtrières ?
Dis-moi, mon fils, ne paraissent-ils pas ?

1. *Allusion à l'arrivée de «La Capricieuse».*

2. Napoléon:
   Napoléon III.

3. Carillon: *fort de la
   Nouvelle-France
   qui fut l'enjeu
   d'une bataille (en-
   tre Français et
   Anglais) remportée
   par Montcalm en
   1758.*
4. Que: *plutôt que.*

Napoléon[2] rassasié de gloire,
Oublirait-il nos malheurs et nos vœux,
Lui, dont le nom, soleil de victoire,
Sur l'univers se lève radieux?
Serions-nous seuls privés de la lumière
Qu'il verse à flots aux plus lointains climats?
O ciel! qu'entends-je? une salve guerrière!
Dis-moi, mon fils, ne paraissent-ils pas?

Quoi! c'est, dis-tu, l'étendard d'Angleterre,
Qui vient encor, porté par ses vaisseaux,
Cet étendard que moi-même naguère,
À Carillon[3] j'ai réduit en lambeaux.
Que n'ai-je, hélas! au milieu des batailles
Trouvé plutôt un glorieux trépas,
Que[4] de le voir flotter sur nos murailles!
Dis-moi, mon fils, ne paraissent-ils pas?

Le drapeau blanc, la gloire de nos pères,
Rougi depuis dans le sang de mon roi,
Ne porte plus aux rives étrangères
Du nom français la terreur et la loi.
Des trois couleurs l'invincible puissance
T'appelera pour de nouveaux combats;
Car c'est toujours l'étendard de la France.
Dis-moi, mon fils, ne paraissent-ils pas?

Pauvre vieillard, dont la force succombe,
Rêvant encor l'heureux temps d'autrefois,
J'aime à chanter sur le bord de ma tombe
Le saint espoir qui réveille ma voix.
Mes yeux éteints verront-ils dans la nue
Le fier drapeau qui couronne leurs mats?
Oui, pour le voir, Dieu me rendra la vue!
Dis-moi, mon fils, ne paraissent-ils pas?»

Un jour pourtant que grondait la tempête,
Sur les remparts on ne le revit plus.
La mort, hélas! vint courber cette tête
Qui tant de fois affronta les obus.
Mais, en mourant, il redisait encore
À son enfant qui pleurait dans ses bras:
« De ce grand jour tes yeux verront l'aurore,
Ils reviendront! et je n'y serai plus!»

Tu l'as dit, ô vieillard! la France est revenue.
Au sommet de nos murs, voyez-vous dans la nue
Son noble pavillon dérouler sa splendeur?

Ah ! ce jour glorieux où les Français, nos frères,
Sont venus, pour nous voir, du pays de nos pères,
Sera le plus aimé de nos jours de bonheur.

Voyez sur les remparts cette forme indécise,
Agitée et tremblante au souffle de la brise:
C'est le vieux Canadien à son poste rendu !
Le canon de la France a réveillé cette ombre
Qui vient, sortant soudain de sa demeure sombre,
Saluer le drapeau si longtemps attendu.

Et le vieux soldat croit, illusion touchante !
Que la France, longtemps de nos rives absente
Y ramène aujourd'hui ses guerriers triomphants,
Et que sur le grand fleuve elle est encor maîtresse:
Son cadavre poudreux tressaille d'allégresse,
Et lève vers le ciel ses bras reconnaissants.

Tous les vieux Canadiens moisonnés par la guerre,
Abandonnent aussi leur couche funéraire,
Pour voir réalisés leurs rêves les plus beaux.
Et puis on entendit, le soir, sur chaque rive,
Se mêler au doux bruit de l'onde fugitive,
Un long chant de bonheur qui sortait des tombeaux.

OCTAVE CRÉMAZIE, *Le Vieux Soldat canadien*, 1855.

DOCUMENT 3

LE PREMIER VAISSEAU FRANÇAIS DEPUIS 1760

L'arrivée de *la Capricieuse* était connue d'avance, et partout les populations accouraient à la côte, la saluant de leurs hourras, et de salves de mousqueterie ; le long de la magnifique île d'Orléans, malgré la pluie battante, les habitants, tous d'origine française, saluaient de l'intérieur des maisons, ou bravaient le mauvais temps en courant le long du rivage pour suivre plus longtemps les mouvements de la corvette.

Figurez-vous le pavillon de la France reparaissant après cent ans d'absence, dans notre ancienne colonie et y retrouvant, endormis au fond des cœurs, le souvenir et l'amour de la vieille mère Patrie et l'explosion de ce sentiment éclatant partout. Aussi ai-je fait à travers 800 lieues de fleuves, de lacs, de chemins de fer un voyage princier, passant sous je ne sais combien d'arcs de triomphe, traversant la nuit, le jour, les populations, les municipalités m'attendant à l'entrée des villes. Une vingtaine d'adresses à répondre, plus de cinquante speeches à prononcer, l'un d'eux sur le Champ-de-Mars devant 10 000 personnes et le tout avec accompagnement de canons, feux d'artifices, etc.

(LE COMMANDANT DE BELVÈZE, **Lettres choisies**, éd. Pigelet, Bourges, 1882, pp. 385, 388-389.)

10.   L'INSTITUT CANADIEN

Joseph-Guillaume Barthe (1816-1893). Essayiste, journaliste et poète, né à Carleton en Gaspésie, fit ses études classiques au séminaire de Nicolet, puis étudia la médecine et le droit. Emprisonné au cours des événements de 1837-38, il fut admis au barreau en 1839 et élu député à l'Assemblée législative du Canada-Uni de 1841 à 1844; il occupa également le poste de greffier de la cour d'appel. Après avoir signé des poèmes à succès dans le journal *Le Populaire* sous le pseudonyme de Marie-Louise, il participa successivement au *Fantasque*, au *Bas-Canada*, au *Moniteur*, à *L'Avenir*, et fut rédacteur de *L'Aurore des Canadas* (1839-1848), le seul journal français de Montréal à l'époque. Chargé par l'Institut Canadien de renouer des liens avec les Instituts français et le gouvernement de Napoléon III, il se rendit en France en 1853 et collabora pendant trois ans à *La Gazette de France*.

Œuvres: *Lettres sur le Canada à M. de Monmerqué* (1853); *Le Canada reconquis par la France* (1855); *Souvenirs d'un demi-siècle ou mémoires pour servir à l'histoire contemporaine* (1885).

L'Angleterre nous ayant, en 1840, imposé le régime de l'union des deux Canadas, et corrompu nos chefs[1] pour le leur faire accepter, la jeunesse s'alarma sur l'avenir de notre origine, et comprit que la seule force d'inertie serait une opposition stérile d'abord, et désastreuse ensuite de nos intérêts nationaux. Pour paralyser, autant qu'il était en elle, ce mouvement de dénationalisation systématique que la marâtre[2], au mépris des traités, et avec la feintise[3] hypocrite qu'elle travaillait, par là, dans l'intérêt des générations à venir, ne prenait plus la peine de déguiser; elle songea sérieusement à mettre un frein à *cet organe de succion* qui s'attaquait au fondement même de notre état de société, en commençant par saper nos institutions dans ce qu'elles avaient de plus vital, la langue du peuple, qu'elle proscrivit législativement comme judiciairement. Malheureusement, quelques années plus tard, la guerre civile ayant éclaté, la torche incendiaire vint au secours du machiavélisme[4] politique pour aider à cette proscription légale. L'hôtel du Parlement fut livré aux flammes[5] par une bande de forcenés sans freins et sans aveu, et la première bibliothèque du Nouveau Monde, celle qui devait alimenter chez nous le goût de la littérature et des sciences, et être la fontaine vive où nous pouvions puiser des forces de résistance à la manie anglomane qui voulait se substituer à l'inébranlable attache-

1. Corrompu nos chefs: *allusion au rapport Durham où il est dit sur l'assimilation des Français d'Amérique*: «Corrompez leurs chefs en les appelant au pouvoir et je vous promets le reste.»
2. Marâtre: *mère dénaturée, sans indulgence: l'Angleterre.*
3. Feintise: *feinte.*
4. Machiavélisme: *ruse sans scrupule.*
5. *L'incendie du Parlement et de sa bibliothèque à Montréal, en 1849, par les fanatiques anglais du Doric Club.*

ment des Canadiens à leur idiome; cette riche collection de chefs-d'œuvre, dans tous les genres, fut réduite en cendres pendant une nuit néfaste. Les vandales dansèrent comme des bacchantes[6] échevelées au milieu d'une orgie autour de ce noble édifice en flammes, pendant que nous étions réduits à assister, le cœur serré et l'œil morne, à cette fête de saturnales[7] où des hurleurs en guenilles faisaient un feu de joie de ce qui avait été notre orgueil et notre espérance ! Cette bibliothèque, qui était à la fois un musée d'antiques[8] et un cabinet d'histoire naturelle sur planches, eût fait l'orgueil d'une cité européenne, par le vaste assemblage de matériaux et la prodigieuse variété d'ouvrages qu'elle contenait dans tous les ordres de sciences; elle était le dépôt de tout ce que le pays avait pu se procurer de ressources scientifiques, acquises à grands frais, et que l'origine française était fière de montrer comme le luxe de son intelligence. Une galerie de tableaux du plus grand mérite, et qui avait à nos yeux la double valeur de l'art indigène et de l'histoire nationale, puisqu'ils étaient l'œuvre de nos meilleurs artistes couronnés dans les écoles de Rome, dont ils sortaient, et la représentation de ce que nous comptions de plus glorieux parmi les hommes qui avaient été l'honneur de notre race, l'ornement de notre magistrature parlementaire, et qui restaient historiques par les services qu'ils avaient rendus à leur pays; toutes ces richesses, toutes ces valeurs sans prix pour nous, après quelques heures d'une sauvage conflagration, ne furent plus qu'un monceau de cendres et de décombres, l'anéantissement même de ce qu'il y avait de plus élevé dans le souvenir et de plus cher dans le cœur canadien. Cette bibliothèque fut cependant rétablie, à force de sacrifices, au moyen d'un budget déjà obéré[9], et pour comble de malheur, à peine venait-on de réparer le premier désastre, qu'un nouvel incendie, cette fois apparamment le fruit d'un déplorable accident, dévora, pour la seconde fois, cette inappréciable ressource de notre origine si sévèrement éprouvée.

La jeunesse donc, en présence de cette calamité nationale, et sous le coup de la législation anglaise, se demanda avec inquiétude si elle devait tranquillement courber le front devant son abaissement, ou si ce n'était pas plutôt l'heure de relever fièrement la tête devant la menace du martyre national qui s'apprêtait pour elle. Nous ne faisions que sortir fraîchement encore de l'époque dramatique de 1837, pendant laquelle l'échafaud avait immolé et l'exil décimé la fleur de notre population; et le sang des nôtres était encore chaud dans la mémoire de chacun de nous, moins pourtant de ceux qui léchaient la main qui leur prodiguait l'or et les oripeaux[10], en retour du trafic auxquel ils consentaient, à cette condition, de ce sang de leurs frères sacrifiés. Il en est de ceux-là qui pour l'avoir ainsi renié, ont été anoblis depuis lors[11], ce qui consommera leur opprobre[12] auprès de l'histoire, qui sait bien que faire de ces parchemins rougis dans le sang fraternel pour leur servir en vain d'écran contre les malédictions populaires. Son tribunal incorruptible a d'autres arrêts à rendre contre la mémoire des traîtres, fussent-ils des demi-dieux aux yeux des chauvins d'aujourd'hui, et ils n'échapperont pas à l'œil de cette postérité pour laquelle ils professent aujourd'hui si peu de souci, si même ils réussissent à se soustraire à la réprobation de leurs contemporains dont les yeux se dessillent[13].

L'Institut Canadien, corps littéraire, mais national avant tout, fut créé dans un mouvement spontané d'enthousiasme pour opposer une digue au torrent qui menaçait de tout submerger. C'étaient de jeunes hommes sortis de tous les rangs de la société, qui, combinant toutes leurs ressources, fondèrent un modeste cénacle[14] pour y brûler la lampe du patriotisme devant le symbole de la foi nationale, et qui juraient de l'alimenter de la sueur de leurs fronts et du souffle de leur âme. Pendant des années, cette association entourée d'obstacles, mais ne consentant au prix d'aucune séduction à entrer dans le camp des parvenus, accepta joyeusement la lutte de tous les jours, et se maintint héroïquement sur la brèche, sous les yeux de Dieu et du peuple qui tressaillaient de son courage ! Elle savait bien que ce n'était pas dans le camp des vaincus qu'il fallait aller pour cueillir les bénéfices de la lutte : et l'avenir était à elle.

Cette société a sa charte, ses statuts, ses chaires[15], ses journaux, son hôtel, son ascendant suprême sur la génération contemporaine, et son avenir assuré. Il ne faut pas se dissimuler pourtant que sa responsabilité est immense, son labeur ardu, et ses ressources limitées, en présence de la tâche herculéenne qui lui est imposée. Elle ne se déguise pas le besoin qu'elle a de l'appui moral du dehors, et elle soupire après le regard de la France pour y lire un signe d'encouragement. La France pourrait-elle lui refuser son sourire d'approbation ? Tout ce qu'elle rêve, c'est le maintien d'elle-même, comme Dieu l'a faite, sans chercher à faire obstacle au développement d'aucune race rivale ; ne demandant que la place qui lui est due au soleil, l'égalité de droits et de devoirs, et le bonheur de continuer à rendre son culte à la littérature qu'elle adore, à ses affections traditionnelles pour tout ce que la France lui a légué, en l'établissant sur cette terre qu'elle aime et qu'ont fécondé ses pères. C'est cette piété nationale, cet attachement aux choses sacrées de son histoire qu'elle demande à tous les amis des sciences, des arts et des lettres, de favoriser, non seulement de leur vœux et de leurs sympathies morales, mais de leur concours et de leur coopération efficace, en lui tendant la main, non pas de la politique, mais de la science, pour l'aider à accomplir son rôle de pacifique émancipation.

JOSEPH-GUILLAUME BARTHE, *Le Canada reconquis par la France*, 1855.

14. Cénacle : *cercle*.

15. Chaires : *tribunes d'enseignement*.

DOCUMENT 4

LES RETROUVAILLES

Paris, juin 1854

Monsieur,

Votre désir de vous rapprocher de la France, ce beau pays qui le premier a découvert le vôtre, et a eu la douleur de s'en voir séparé, à la suite d'une guerre malheureuse, et aussi par l'apathie de Louis XV et la faiblesse de ses conseillers, recevra, je l'espère, une sorte d'accomplissement moral. L'Institut de France est touché de voir se conserver parmi vos compatriotes l'attachement presque filial des anciens Canadiens-Français pour leur patrie d'origine, et il me paraît disposé à faire pour des frères, vivant sous un autre ciel, tout ce qui sera possible dans la ligne d'une véritable affection tout à fait indépendante des événements politiques. Vous aimez les lettres, vous les cultivez, vous parlez notre langue et vous êtes restés fidèles à la religion de vos pères les frères des nôtres: ne pouvez-vous donc pas aussi vous livrer à d'utiles travaux historiques et géographiques, que vous suivrez vous-mêmes sur les lieux qui vous avoisinent, et qui, faits en France par des hommes savants, n'offriraient peut-être que de curieux rapprochements faits sur le rapport des voyageurs? Enfin, Monsieur, l'Institut Canadien de Montréal ne pourrait-il pas devenir le correspondant du corps savant français qui siège à Paris sous la protection de son souverain? Que de questions pourraient être approfondies par vous sur les temps anciens de votre hémisphère, sur la manière, encore incertaine, dont il a été peuplé, soit au Nord, soit au Midi; sur l'étude des diverses langues parlées par les naturels, dans leur rapport avec les idiomes du septentrion de l'Europe! Une noble émulation s'emparerait de quelques esprits supérieurs, et la science ferait de nouveaux progrès.

Vous savez que l'Académie des inscriptions et belles-lettres et l'Académie des sciences ont déjà décidé que l'Institut de Montréal recevrait leurs publications les plus importantes, celles qui pourront vous être le plus utiles.

Je me féliciterai toujours, Monsieur, d'avoir eu quelque part à l'établissement de rapports littéraires avec les fils de nos anciens compatriotes et surtout d'avoir cultivé avec vous des relations de goût, de sentiment et de lettres.

Je vous prie, Monsieur, d'agréer la nouvelle assurance des sentiments d'estime et de haute considération avec lesquels j'ai l'honneur d'être,

Votre très-humble et très-obéissant serviteur,
Monmerqué.
Conseiller hon. à la Cour Impériale de
Paris, membre de l'Académie royale
des inscriptions et belles-lettres, etc.

(Lettre adressée à J.-G. Barthe, membre de l'Institut Canadien, et reproduite dans son livre **Le Canada reconquis par la France**, Paris, Librairie Le Doyen, 1855, pp. 355 à 358.)

11. LA RÉSISTANCE

François-Xavier Garneau (1809-1866). Voir le texte 4 du présent chapitre.

Si l'on envisage l'histoire du Canada dans son ensemble, depuis Champlain jusqu'à nos jours, on voit qu'elle a deux phases, la domination française et la domination anglaise, que signalent, l'une, les guerres contre les tribus sauvages et contre les provinces qui forment aujourd'hui les États-Unis; l'autre, la lutte morale et politique des Canadiens pour conserver leur religion et leur nationalité. La différence des armes à ces deux époques nous les montre sous deux aspects différents; mais c'est sous le dernier qu'ils nous intéressent le plus. Il y a quelque chose de noble et de touchant tout à la fois à défendre sa nationalité, héritage sacré qu'aucun peuple, quelque dégradé qu'il fût, n'a jamais répudié. Jamais plus grande et plus sainte cause n'a inspiré un cœur haut placé, et n'a mérité la sympathie des esprits généreux.

Si autrefois la guerre a fait briller la valeur des Canadiens, les débats politiques ont depuis fait surgir au milieu d'eux des hommes dont les talents, l'éloquence et le patriotisme sont pour nous un juste sujet d'orgueil et un motif de généreuse émulation. Les Papineau,[1] les Bédard[2] ont, à ce titre, une place distinguée dans l'histoire comme dans notre souvenir.

Par cela même que le Canada a éprouvé de nombreuses vicissitudes, tenant à la nature de sa dépendance coloniale, les progrès n'y ont marché qu'au milieu d'obstacles, de secousses sociales, qu'augmentent aujourd'hui l'antagonisme des races en présence, les préjugés, l'ignorance, les écarts des gouvernants et quelquefois des gouvernés. Les auteurs de l'union des deux provinces du Canada, projetée en 1822 et exécutée en 1840, ont apporté en faveur de cette mesure diverses raisons spécieuses[3] pour couvrir d'un voile une grande injustice. L'Angleterre, qui ne veut voir maintenant dans les Canadiens français que des colons turbulents, des étrangers mal affectionnés, a feint de prendre pour des symptômes de rébellion leur inquiétude, leur attachement à leurs institutions et à leurs usages menacés. Cette conduite prouve que ni les traités ni les actes publics les plus solennels n'ont pu l'empêcher de violer des droits d'autant plus sacrés qu'ils servaient d'égide[4] au faible contre le fort.

Mais, quoi qu'on fasse, la destruction d'un peuple n'est pas chose aussi facile qu'on pourrait se l'imaginer.

Nous sommes loin de croire que notre nationalité soit à l'abri de tout danger. Comme bien d'autres, nous avons eu nos illusions à cet égard. Mais le

1. Papineau: *Louis-Joseph Papineau: voir «La mise en cause», ch. 2, texte 8.*
2. Bédard: *Pierre Bédard, député à l'Assemblée du Bas-Canada et fondateur de l'important journal le* **Canadien.**
3. Spécieuses: *séduisantes mais sans valeur, fallacieuses.*
4. Égide: *protection.*

sort des Canadiens n'est pas plus incertain aujourd'hui qu'il l'était il y a un siècle. Nous ne comptions que soixante mille âmes en 1760, et nous sommes aujourd'hui (1859) près d'un million. Ce qui caractérise la race française entre toutes les autres, c'est, dit un auteur, cette force secrète de cohésion et de résistance qui maintient l'unité nationale à travers les plus cruelles vicissitudes, et la relève triomphante de tous les désastres...

Tout démontre que les Français établis en Amérique ont conservé ce trait caractéristique de leurs pères, cette puissance énergique et insaisissable qui réside en eux-mêmes, et qui, comme le génie, échappe à l'astuce de la politique aussi bien qu'au tranchant de l'épée. Ils se conservent comme un type même quand tout semble annoncer leur destruction. Un noyau s'en forme-t-il au milieu de races étrangères, il se développe, en restant isolé, pour ainsi dire, au sein de ces populations avec lesquelles il peut vivre, mais avec lesquelles il ne peut s'incorporer. Des Allemands, des Hollandais, des Suédois se sont établis par groupes dans les États-Unis, et se sont insensiblement fondus dans la masse, sans résistance, sans qu'une parole même révélât leur existence au monde. Au contraire, aux deux bouts de cette moitié de continent, deux groupes français[5] ont pareillement pris place, et non seulement ils s'y maintiennent comme race, mais on dirait qu'un esprit d'énergie indépendante d'eux repousse les attaques dirigées contre leur nationalité. Leurs rangs se resserrent; la fierté du grand peuple dont ils descendent, laquelle les anime alors qu'on les menace, leur fait rejeter toutes les capitulations qu'on leur offre; leur nature gauloise, en les éloignant des races flegmatiques, les soutient aussi dans les circonstances où d'autres perdraient toute espérance. Enfin cette force de cohésion, qui leur est propre, se développe d'autant plus que l'on veut la détruire.

FRANÇOIS-XAVIER GARNEAU, *Discours préliminaire*, 1859.

5. Deux groupes français: *celui du Canada et celui de la Louisiane, au sud des États-Unis.*

12. UN SOUPER D'AUTREFOIS CHEZ UN SEIGNEUR CANADIEN

Philippe Aubert de Gaspé (1786-1871). Né à Québec d'une vieille famille de la noblesse qui a son manoir à Saint-Jean-Port-Joli. Avocat et « shérif » de la ville de Québec en 1816. C'est son fils qui publie en 1837 le premier roman canadien, *L'Influence d'un livre*. Mais le père ne viendra que très tard à l'écriture: à l'âge de 76 ans, il entreprend la rédaction des *Anciens Canadiens* (1863). Son succès est si triomphant que l'auteur récidive en écrivant ses *Mémoires* (1866).

Le couvert était mis dans une chambre basse, mais spacieuse, dont les meubles, sans annoncer le luxe, ne laissaient rien à désirer de ce que les Anglais appellent confort. Un épais tapis de laine à carreaux, de manufacture[1] canadienne, couvrait, aux trois quarts, le plancher de cette salle à manger. Les tentures en laine, aux couleurs vives, dont elle était tapissée, ainsi que les dossiers du canapé, des bergères et des chaises en acajou, aux pieds de quadrupèdes semblables à nos meubles maintenant à la mode, étaient ornées d'oiseaux gigantesques, qui auraient fait le désespoir de l'imprudent ornithologiste qui aurait entrepris de les classer.

1. Manufacture: *fabrication.*

Un immense buffet, touchant presque au plafond, étalait, sur chacune des barres transversales dont il était amplement muni, un service en vaisselle bleue de Marseille, semblant, par son épaisseur, jeter un défi à la maladresse des domestiques qui en auraient laissé tomber quelques pièces. Au-dessus de la partie inférieure de ce buffet, qui servait d'armoire, et que l'on pourrait appeler le rez-de-chaussée de ce solide édifice, projetait une tablette d'au moins un pied et demi de largeur, sur laquelle était une espèce de cassette, beaucoup plus haute que large, dont les petits compartiments, bordés de drap vert, étaient garnis de couteaux et de fourchettes à manches d'argent, à l'usage du dessert. Cette tablette contenait aussi un grand pot d'argent, rempli d'eau, pour ceux qui désiraient tremper leur vin, et quelques bouteilles de ce divin jus de la treille.

Une pile d'assiettes, de vraie porcelaine de Chine, deux carafes de vin blanc, deux tartes, un plat d'œufs à la neige, des gaufres, une jatte de confitures, sur une petite table couverte d'une nappe blanche, près du buffet, composaient le dessert de ce souper d'un ancien seigneur canadien. À un des angles de la chambre était une fontaine, de la forme d'un baril, en porcelaine bleue et blanche, avec robinet et cuvette, qui servait aux ablutions de la famille. À un angle opposé, une grande canevette[2], garnie de flacons carrés, contenant l'eau-de-

2. Canevette: *plateau en osier.*

vie, l'absinthe, les liqueurs de noyau, de framboises de cassis, d'anisette, etc., pour l'usage journalier, complétait l'ameublement de cette salle.

Le couvert était dressé pour huit personnes. Une cuillère et une fourchette d'argent, enveloppées dans une serviette étaient placées à gauche de chaque assiette, et une bouteille de vin léger à la droite. Point de couteau sur la table pendant le service des viandes: chacun était muni de cet utile instrument, dont les Orientaux savent seuls se passer. Si le couteau était à ressort, il se portait dans la poche, si c'était, au contraire, un couteau-poignard, il était suspendu au cou dans une gaine de maroquin, de soie, ou même d'écorce de bouleau, artistement travaillée et ornée par les aborigènes. Les manches étaient généralement d'ivoire, avec des rivets d'argent, et même en nacre de perles pour les dames.

Il y avait aussi à droite de chaque couvert une coupe ou un gobelet d'argent de différentes formes et de différentes grandeurs: les uns de la plus grande simplicité, avec ou sans anneaux, les autres avec des anses; quelques-uns en forme de calice, avec ou sans pattes, ou relevés en bosse; beaucoup aussi étaient dorés en dedans.

Une servante, en apportant sur un cabaret le coup d'appétit[3] d'usage, savoir[4], l'eau-de-vie pour les hommes et les liqueurs douces pour les femmes, vint prévenir qu'on était servi.

Le menu du repas était composé d'un excellent potage (la soupe était alors de rigueur, tant pour le dîner que pour le souper), d'un pâté froid, appelé pâté de Pâques, servi, à cause de son immense volume, sur une planche recouverte d'une serviette ou d'une petite nappe blanche, suivant ses proportions. Ce pâté, qu'aurait envié Brillat-Savarin[5], était composé d'une dinde, de deux poulets, de deux perdrix, de deux pigeons, du râble[6] et des cuisses de deux lièvres: le tout recouvert de bardes[7] de lard gras. Le godiveau[8] de viandes hachées, sur lequel rep saient, sur un lit épais et mollet, ces richesses gastronomiques, et qui en couvrait aussi la partie supérieure, était le produit de deux jambons et de cet animal[9] que le juif méprise, mais que le chrétien traite avec plus d'égards. De gros oignons, introduits çà et là, et de fines épices, complétaient le tout. Mais un point très important en était la cuisson, d'ailleurs assez difficile; car si le géant crevait, il perdait alors cinquante pour cent de son acabit[10]. Pour prévenir un événement aussi déplorable, la croûte du dessous, qui recouvrait encore de trois pouces les flancs du monstre culinaire, n'avait pas moins d'un pouce d'épaisseur. Cette croûte même, imprégnée du jus de toutes ces viandes, était une partie délicieuse de ce mets unique.

PHILIPPE AUBERT DE GASPÉ, *Les Anciens Canadiens*, 1863.

3. Le coup d'appétit: *l'apéritif.*
4. Savoir: *c'est-à-dire.*

5. Brillat-Savarin: *célèbre gastronome français du 19ᵉ siècle.*
6. Râble: *partie inférieure du dos d'un animal.*
7. Bardes: *tranches.*
8. Godiveau: *hachis de viande en boulettes.*
9. Cet animal: *le porc que la religion israélite interdit de manger.*
10. De son acabit: *de sa taille, de son volume.*

13. IDYLLE

Napoléon Bourassa (1827-1916). Né près de Montréal d'une famille d'origine acadienne. Avocat et peintre, il séjourne à Paris, à Florence et à Rome. Il épouse la fille de Louis-Joseph Papineau. En 1865, il publie *Jacques et Marie*, roman sur la dispersion des Acadiens telle qu'il l'a entendue raconter dans sa famille. Vingt-cinq ans plus tard, il devient maire de Monte-Bello. L'un de ses fils n'est autre que le célèbre homme politique Henri Bourassa.

Un petit tableau de l'état des coutumes des colonies acadiennes fera deviner en partie au lecteur ces simples et suaves mystères dont chacun a plus ou moins dans son cœur la secrète intuition.

L'isolement où se trouvaient ces colonies, le nombre encore peu considérable des habitants, leur vie sédentaire, surtout à Grand-Pré, leur industrie, leur économie, la surabondance des produits agricoles, le grand nombre des enfants, la pureté et la simplicité des mœurs, tout cela rendait les rapports sociaux faciles et agréables, et préparait des mariages précoces. Tout le monde se voyait, se visitait, s'aimait de ce sentiment que donnent l'honnêteté et la charité réciproque. Les enfants trouvaient facile de se lier entre eux dans cette atmosphère de bienveillance où vivaient leurs pères: toujours mêlés ensemble autour de l'église, de la chaumière, des banquets de famille, ils rencontraient bientôt l'objet sympathique et l'occasion de marcher sur les traces de leurs généreux parents. Les entraves ne surgissaient pas plus après qu'avant ces liaisons. Il n'y avait pas d'inégalité de conditions; à part le curé et le notaire, tous les autres avaient la même aisance, à peu près la même éducation et la même noblesse: toutes choses qu'ils acquéraient facilement avec leur intelligence, leurs cœurs honnêtes et les lumières de la foi.

Or, le curé ne pouvant pas se marier, personne n'avait donc à se disputer sa main; lui, de son côté, tenait beaucoup à faire des mariages. Quant au notaire, comme il était ordinairement seul dans le canton, on ne pouvait toujours le ravir qu'une fois, ou deux tout au plus, dans le cas d'un veuvage, ce qui le rendait déjà moins ravissant.

Cet énorme parti, ce suprême personnage une fois fixé, les grandes ambitions du village n'avaient plus de but, car il n'y avait pas d'avocat — ô le beau temps! Comme le curé, le notaire n'avait pas de plus grand intérêt que de conjoindre les autres. Ainsi, tout contribuait à faire les voies larges et fleuries à ce sacrement des cœurs tendres. Donc pas de longs pourparlers; ce que l'on gaspille, ce qu'on laisse évaporer de beaux sentiments ailleurs, avant le mariage, on l'apportait là, en plus, dans la vie d'époux et de mère.

Oh! nos saintes mères! combien nous devons admirer et bénir leur héroïque existence! Si jamais rôle de femme a été complètement accompli, c'est le leur; si jamais quelqu'un a su se donner aux autres, avec joie, abandon et sincérité, dans le silence et l'obscurité du foyer, celles-là l'ont fait plus que toute autre.

Jacques et Marie[1] ont donc commencé à filer la trame de leur bonheur, absolument comme leur père, leur mère et tous leurs devanciers de Grand-Pré le firent autrefois. Ils vivaient à côté l'un de l'autre, leurs familles étaient intimes, leurs relations journalières. Jacques avait à peine quatre ans de plus que sa petite voisine, et, comme il est proverbial que les garçons ont l'esprit beaucoup moins précoce que les filles, que leur mémoire ou leur tête est beaucoup plus dure — dans l'enfance, bien entendu — Jacques et Marie se trouvaient au même degré de développement moral.

NAPOLÉON BOURASSA, *Jacques et Marie, souvenir d'un peuple dispersé,* 1865.

1. Jacques et Marie: *le héros et l'héroïne du roman, séparés par la dispersion de 1755. Voir le texte 4 du présent chapitre.*

14. MALHEUR DE L'ÉCRIVAIN

Octave Crémazie (1827-1879). Voir le texte 9 du présent chapitre.

Dans tous les pays civilisés, il est admis que si le prêtre doit vivre de l'autel, l'écrivain doit vivre de sa plume. Chez tous les peuples de l'Europe, les lettres n'ont donné signe de vie que lorsqu'il s'est rencontré des princes pour protéger les auteurs. Avant la Renaissance, les couvents possédaient le monopole des travaux intellectuels, parce que les laïques qui auraient eu le goût et la capacité de cultiver les lettres ne pouvaient se livrer à un travail qui n'aurait donné du pain ni à eux ni à leurs familles.

Les moines, n'ayant pas à lutter contre les exigences de la vie matérielle, pouvaient se livrer, dans toute la sérénité de leur intelligence, aux travaux littéraires et aux spéculations scientifiques, et passer ainsi leur vie à remplir les deux plus nobles missions que puisse rêver l'esprit humain, l'étude et la prière.

Les écrivains du Canada sont placés dans les mêmes conditions que l'étaient ceux du Moyen Âge. Leur plume, à moins qu'ils ne fassent de la politique (et Dieu sait la littérature que nous devons aux tartines[1] des politiqueurs[2]), ne saurait subvenir à leurs moindres besoins. Quand un jeune homme sort du collège, sa plus haute ambition est de faire insérer sa prose ou ses vers dans un journal quelconque. Le jour où il voit son nom flamboyer pour la première fois au bas d'un article de son cru, ce jour-là il se croit appelé aux plus hautes destinées ; et il se rêve l'égal de Lamartine, s'il cultive la poésie ; de Balzac, s'il a essayé du roman. Et quand il passe sous la porte Saint-Jean[3], il a bien soin de se courber de peur de se cogner la tête. Ces folles vanités du jeune homme s'évanouissent bientôt devant les soucis quotidiens de la vie. Peut-être pendant un an, deux ans, continuera-t-il à travailler ; puis un beau jour sa voix se taira. Le besoin de gagner le pain du corps lui imposera la dure nécessité de consacrer sa vie à quelques occupations arides, qui étoufferont en lui les fleurs suaves de l'imagination et briseront les fibres intimes et délicates de la sensibilité poétique. Que de jeunes talents parmi nous ont produit des fleurs qui promettaient des fruits magnifiques ; mais il en a été pour eux comme, dans certaines années, pour les fruits de la terre. La gelée est venue qui a refroidi pour toujours le feu de leur intelligence. Ce vent d'hiver qui glace les esprits étincelants, c'est le *res angusta domi*[4] dont parle Horace[5], c'est le pain quotidien.

Dans de pareilles conditions, c'est un malheur d'avoir reçu du ciel une parcelle du feu sacré. Comme on ne peut gagner sa vie avec les idées qui bouil-

1. Tartines : *tirades.*
2. Politiqueurs : *politicards, politiciens arrivistes. Le mot est familier.*
3. La porte Saint Jean : *l'une des portes de la ville de Québec.*

4. Res angusta domi : *les maigres revenus du foyer.*
5. Horace : *ce n'est pas Horace, mais Juvénal, un autre poète latin, dans ses* Satires.

6. Mauvais marchand: *il fait allusion ici à ses malversations financières qu l'obligèrent à quitter Québec pour la France.*

lonnent dans le cerveau, il faut chercher un emploi, qui est presque toujours contraire à ses goûts. Il arrive le plus souvent qu'on devient un mauvais employé et un mauvais écrivain. Permettez de me citer comme exemple. Si je n'avais reçu en naissant, sinon le talent, du moins le goût de la poésie, je n'aurais pas eu la tête farcie de rêveries qui me faisaient prendre le commerce comme un moyen de vivre, jamais comme un but sérieux de la vie. Je me serais brisé tout entier aux affaires, et j'aurais aujourd'hui l'avenir assuré. Au lieu de cela, qu'est-il arrivé? J'ai été un mauvais marchand[6] et un médiocre poète.

OCTAVE CRÉMAZIE, *Lettre,* 1866.

BIBLIOGRAPHIE SOMMAIRE

1. Collection des « Classiques Canadiens », Montréal et Paris, éd. Fides — quelques titres sont consacrés à des auteurs de la période 1840-1867.

2. Barthe (Joseph-Guillaume), *Le Canada reconquis par la France*. Paris, Librairie Le Doyen, 1855.

3. Bisson (Lawrence), *Le Romantisme littéraire au Canada français*, Paris, Droz, 1932.

4. Brunet (Ludovic), *La Province du Canada. Histoire politique de 1840 à 1867*, Québec, Laflamme, 1908.

5. Brunet (Michel), *Canadians et Canadiens : étude sur l'histoire de la pensée des deux Canadas*, Montréal et Paris, Fides, 1954.

6. David (Laurent-O), *L'Union des deux Canadas*, 1841-1867. Montréal, Sénécal, 1898.

7. Gérin-Lajoie (Antoine), *Dix ans au Canada de 1840 à 1850 : histoire de l'établissement du gouvernement responsable*, Québec, Demers et Frère, 1888.

8. Groulx (Lionel), *Nos luttes constitutionnelles*, Montréal, Le Devoir, 1916.

9. Huston (James), *Le Répertoire National*, Montréal, Lowel et Gibson, 1848-50, [principalement les tomes II, III et IV].

10. Marion (Séraphin), *Les Lettres canadiennes d'autrefois*, Ottawa, éditions de l'Université d'Ottawa, 1939-58, [en particulier les tomes IV et V].

11. Turcotte (Louis-P.), *Le Canada sous l'Union, 1841-1867*, Québec, Le Canadien, 1871-72, 2 vol.

12. Vaugeois (Denis), *L'Union des deux Canadas : nouvelle conquête ?* Trois-Rivières, Éditions du Bien Public, 1962.

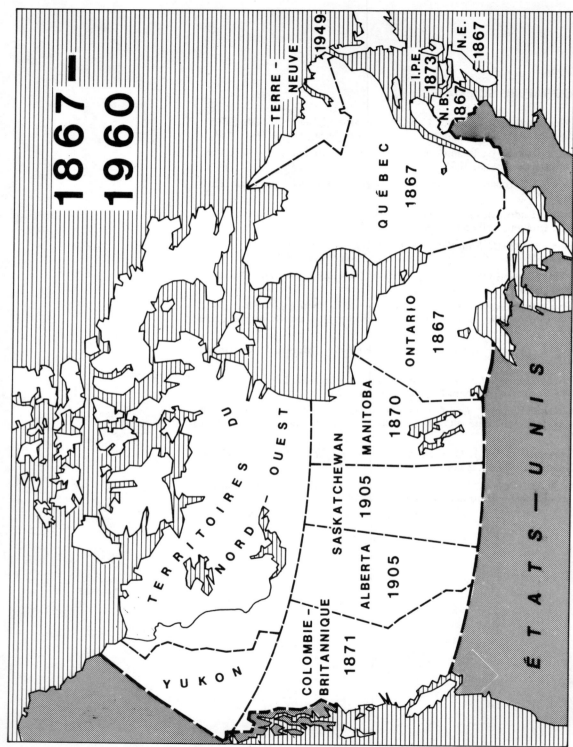

1867—1960

TERRE-NEUVE 1949

QUÉBEC 1867

ONTARIO 1867

MANITOBA 1870

SASKATCHEWAN 1905

ALBERTA 1905

COLOMBIE-BRITANNIQUE 1871

YUKON

TERRITOIRES DU NORD-OUEST

I.P.E. 1873

N.B. 1867

N.E. 1867

É T A T S — U N I S

I.P.E. = Ile du Prince Edouard ; N.B. = Nouveau Brunswick ; N.E. = Nouvelle Écosse ;

Chapitre 4

La province de Québec 1867-1960

INTRODUCTION

La Confédération de 1867 réunit quatre provinces : le Québec et l'Ontario, qui firent jus-que-là l'essentiel de l'histoire du pays ; on leur adjoint deux autres colonies britanniques : le Nouveau-Brunswick et la Nouvelle-Écosse (elles-mêmes nées de l'ancienne Acadie du régime français).

Les Français, déjà minorisés sous le régime de l'Union, le sont cette fois bien davantage, et définitivement, noyés qu'ils sont dans un grand tout qui cherche à s'agrandir. Entre 1867 et 1949, six autres colonies britanniques, peuplés quasi totalement d'Anglais, deviendront des provinces du Canada au sein de la Confédération : ce sont par ordre d'entrée : le Manitoba (1870), la Colombie britannique (1871) l'Ile du Prince-Edouard (1873), la Saskatchewan et l'Alberta (1905), enfin Terre-Neuve (1949).

Dès l'aube du nouveau régime, le poète le plus considérable de son temps s'insurge et prophétise sur l'avenir (texte 1), cependant que les visions contradictoires que les écrivains se font de leur pays s'accumulent, surtout autour de la question linguistique et culturelle (textes 2 et 3). Ces contradictions formeront l'essentiel de tout le siècle qui suivra, l'analyse des romanciers et des essayistes oscillant entre l'exaltation des valeurs du présent, du passé ou de l'avenir (textes 9, 14, 20, 22, 29) et la critique parfois virulente d'un présent dérisoire et inaccep-table (textes 5, 7, 12, 19).

Certains se penchent sur le sort de la civilisation rurale en voie de dissolution, (textes 4, 16, 18, 24), tandis que d'autres dénoncent l'exploitation à laquelle sont soumises les nouvelles victimes de l'urbanisation (textes 10 et 25). C'est au tournant du 20e siècle, en effet, que se situe le passage de l'une à l'autre, entraînant des bouleversements considérables dans les mentalités et la société.

Les poètes, abandonnant la voix patriotique, se font de plus en plus intimistes et per-sonnels (textes 6, 13, 21, 23), lorsqu'ils n'associent pas cette nouvelle intimité à l'histoire col-lective (textes 15 et 17), parfois jusqu'à la définition d'une véritable poétique (texte 34). Les voix politiques continuent néanmoins de se faire entendre à travers une certaine définition de l'avenir et du pays (textes 5, 11, 27). Les voix de l'exil aussi, déchirées entre l'identification à la francité d'hier et l'infinie difficulté à définir un être nouveau (textes 25, 27 et 30) : cela va de l'ironique au tragique. À travers cette diversité assumée, la littérature demeure néanmoins comme en véritable «service national» (texte 14), alors que commence à se manifester l'émer-gence d'une individualité qui veut devoir davantage à la présence et au souvenir intimes qu'à l'histoire de la collectivité (textes 28 et 33).

L'apparition d'un homme nouveau dans ses aspirations semble être la dominante de ce siècle de littérature où la grande diversité interdit, toutefois, qu'on le réduise à ce seul déno-minateur. Car aussi bien, est-ce à travers cette diversité désormais assurée que l'homme est autorisé à se renouveler à travers les images de prose et de vers qu'il se fait de lui-même. Cent ans d'écriture, c'est peu dans l'histoire d'une communauté humaine ; c'est néanmoins cette centaine d'années-là qui s'est trouvée à fonder les assises de la littérature du Québec plus immédiatement contemporain qui s'y dessine déjà...

1. L'HEURE

Louis-Honoré Fréchette (1839-1908). Né à Lévis, poète, dramaturge, conteur et journaliste. Il travaille d'abord au *Journal de Québec*, puis comme traducteur au Parlement de Québec. Reçu avocat en 1854, il pratique le droit dans sa ville natale où il fonde les journaux *Le Drapeau de Lévis* et *La Tribune de Lévis*. Il est élu député du comté de Lévis au Parlement d'Ottawa en 1874, puis nommé greffier du Conseil législatif du Québec en 1889. Participe aux *Soirées Canadiennes* (revue littéraire) et à l'École littéraire dite «de Montréal».
Considéré comme l'homme de lettres le plus important de Québec à la fin du 19.ᵉ siècle, il reçoit le Prix Montyon de l'Académie française (1880). Membre fondateur et président de la Société Royale du Canada. Son œuvre poétique comprend notamment: *La Légende d'un peuple* (1867), *Les Fleurs boréales*. *Les Oiseaux de neige* (1879); son œuvre dramatique comprend entre autres titres: *Félix Poutré* (1866) et *Le Retour de l'exilé* (1880); il a aussi écrit plusieurs contes et portraits dont *Originaux et détraqués* (1892) et *Mémoires intimes* (1900). Le poème *La Voix d'un exilé* (1868) rappelle la participation de Fréchette aux campagnes menées contre le projet de Confédération de 1867.

Canada, Canada! dans cette nuit funeste,
Qui fera resplendir le lambeau qui te reste
De cette ardente foi qui pourrait te sauver?
Sur tant d'abaissement et sur tant de souffrance,
Quand donc pourrais-je voir, ô jour de délivrance!
      L'astre des peuples se lever?

Ô peuple, les crachats ont maculé ta joue;
Un bouffon te harcelle, un pierrot te bafoue;
On te hue, on te berne, on te pique, on te mord;
On t'arrache du front le bandeau de ta gloire...
Debout, peuple, debout! vas-tu leur laisser croire
      Que le patriotisme est mort?

Ah! montre qu'en dépit de tant d'apostasie[1],
Le courage des preux chantés par Crémazie[2]
Dans l'âme de leurs fils n'est pas encore éteint!

1. Apostasie: *renie-ment.*
2. *voir chapitre 3 texte n° 9.*

Montre-leur ce que c'est qu'un peuple qui s'éveille...
Mais quel fracas soudain vient frapper mon oreille?
        Qui gronde ainsi dans le lointain?

Plein de sombres éclats, de fanfares sublimes,
Fort comme l'ouragan roulant sur les abîmes,
Tonnant comme la voix des vagues en rumeur,
Confus comme les vents dans les grandes ramées,
Quel est ce bruit puissant comme les chocs d'armée,
        Quelle est cette immense clameur?

Bravo! c'est un sauveur que la patrie acclame,
C'est un fils de Chénier[3] qui dresse une oriflamme
Où le mot LIBERTÉ s'écrit avec du sang!
Suivi d'un escadron de hardis sans-culottes,
C'est l'archange vengeur qui chasse les despotes
        Devant son glaive éblouissant!

Un rayon fulminant a percé les ténèbres;
Le monde a tressailli jusque dans ses vertèbres;
Un souffle impétueux dans les airs a passé;
La Liberté paraît, sublime et grandiose,
Paix! victoire! hosanna! son pied d'airain se pose
        Sur un cadavre terrassé.

Traîtres, ils sont comptés les jours de votre empire!
Car l'esprit du Seigneur sur tout ce qui respire
Semble souffler le vent des révolutions.
C'est l'heure solennelle où tombent les entraves,
C'est l'heure des tyrans et c'est l'heure des braves,
        L'heure des rétributions!

LOUIS-HONORÉ FRÉCHETTE, *La Voix d'un exilé,* 1868.

3. Chénier: *l'un des principaux héros de la rébellion de 1837.*

DOCUMENT 1

LES GRANDES DATES DE LA CONFÉDÉRATION

1867   : Sanction royale de l'Acte de l'Amérique du Nord britannique unissant quatre colonies anglaises: le Québec, l'Ontario, la Nouvelle-Écosse et le Nouveau-Brunswick.

1870   : Entrée du Manitoba dans la Confédération (5e province)

1871   : Entrée de la Colombie Britannique dans la Confédération (6e province).

1873   : Entrée de l'Île du Prince Édouard dans la Confédération (7e province).

1885   : Soulèvement des Métis de l'Ouest: pendaison de Louis Riel, chef de la rébellion.

1886   : Inauguration du chemin de fer transcontinental.

1905   : Création de deux nouvelles provinces: la Saskatchewan et l'Alberta (8e et 9e provinces).

1914-1918: Participation du Canada à la Première Guerre mondiale.

1931   : Statut de Westminster faisant du Canada un État indépendant au sein du Commonwealth britannique.

1939-1945: Participation du Canada à la Seconde Guerre mondiale. Le Québec refuse la conscription par référendum mais Ottawa l'impose.

1949   : Entrée de Terre-Neuve dans la Confédération (10e province).

1944-1959: Maurice Duplessis, chef du parti de l'Union Nationale, règne sur le Québec avec sa politique d'autonomie provinciale.

2. MISÈRE DE NOTRE LITTÉRATURE

Benjamin Sulte (1841-1923). Né aux Trois-Rivières, poète, critique, journaliste et historien. Ayant eu une enfance difficile, il dut d'abord travailler en autodidacte puis entra à l'École militaire où il obtint le brevet de capitaine au 6ᶜ régiment des carabiniers royaux. Il devint ensuite fonctionnaire comme traducteur à la Chambre des Communes puis comme chef de section au ministère de la Milice.

Membre fondateur de la Société Royale du Canada (1882), il en devint président en 1904. Il agit un temps comme rédacteur au *Canada* à Ottawa, collabora à plusieurs journaux et revues: *La Sentinelle*, *La Minerve*, la *Revue Canadienne*, etc. Auteur prolifique, il laissa entre autres titres: *Histoire des Canadiens français* publiée en huit volumes (1882-1885), *Historiettes et Fantaisies* publiées en 21 volumes (1918-1934) et *Des contes* (1925).

Où est la langue littéraire? Qui est-ce qui la parle dans notre jeune pays? Dans quel milieu nous placerez-vous pour nous former au bon langage? Sera-ce dans les salons? — il ne s'y colporte que des banalités dites pitoyablement, sans verve ni couleur, sans soin, sans le moindre souci des règles élémentaires de la conversation. À la tribune? Au parlement? — il ne s'échappe pas une phrase qui soutienne l'analyse. Au palais? — c'est un piège où l'esprit tombe tout vif et d'où il ne sort que nourri de barbarismes, de solécismes et de périodes à trente-six queues. Partout la négligence, l'oubli de la grammaire, l'ignorance de la valeur des mots — conséquemment, pas de respect de la langue, rien de sa grâce habituelle et indispensable, aucune correction, point de littérature.

Par correction, nous n'entendons pas le purisme. Tout homme peut arriver à la correction — c'est une affaire de surveillance, avec l'aide de la grammaire — en soignant surtout la syntaxe. Le purisme est toujours le privilège d'un très petit nombre.

Nous ne prétendons pas non plus que nous parlons Iroquois! Sauf les anglicismes, les mots dont nous faisons usage se retrouvent dans le dictionnaire — mais ce n'est pas tout que de les connaître. Si nos gens n'emploient que des mots français, comme chez les autres peuples, leur langue manque de littérature. Ce qui nous fait défaut, c'est une classe plus élevée, une caste de l'intelligence où l'étude, le savoir, le goût, l'épuration règnent aisément.

Prenez deux écrivains de talents égaux, l'un habite la France, l'autre le Canada. Le premier a dans son entourage un ressort puissant dont il se sert sans en soupçonner en quelque sorte l'existence; l'autre, isolé, sans point d'appui, sans conseillers, se débat dans la médiocrité. Influence des milieux.

Il en résulte que, pour acquérir la force et le poids que donnent la connaissance de la langue, le poète, le prosateur canadien doit fuir toute compagnie et faire bande à bande, se réfugier uniquement dans ses livres, puiser dans ces amis muets la science de bien écrire — et nous allions dire de bien parler. De quel secours ne serait pas pour lui la fréquentation d'un monde familier avec la souplesse, la propriété et le poli de la langue française! Le maniement d'un outil comme la langue s'apprend beaucoup par l'exemple et par l'épreuve de tous les instants. Nous sommes privés de ces deux ressources.

Chez nous, les hommes doués extraordinairement sous le rapport des facultés intellectuelles, les natures d'élite arrivent seuls à une certaine mesure dans l'art d'écrire ou de s'exprimer verbalement.

Éloignés de France, foyer de notre langue; mêlés à des races étrangères, faisant usage d'un mécanisme administratif public souvent en désaccord avec le génie français; peuple qui sort à peine de ses langes, nous n'avons pas encore développé suffisamment les dons naturels qui existent parmi nous et qui renferment en germes toute une littérature.

Nous le répétons, le moment n'est pas venu de donner ses coudées franches à la critique sévère. Il est encore plus nécessaire d'encourager que de tracer nos écrivains, car la plupart sont très jeunes et susceptibles d'atteindre à un haut degré de perfectionnement; tous sont animés du désir de bien faire; tous travaillent pour le pays.

Si écrire des livres ou collaborer aux revues constituait un métier parmi nous, c'est-à-dire si ces travaux amenaient des recettes dans la bourse de ceux qui s'y livrent, ah! nous pourrions être exigeants, inflexibles, sans merci — mais il n'en est rien. Ne blâmons pas trop ce que nous payons si peu.

Règle presque absolue, nos écrivains produisent en amateurs — c'est-à-dire qu'ils ne vivent pas de leur plume. C'est donc après les heures de bureau, le soir seulement qu'ils peuvent se livrer à la culture des lettres. Trois ou quatre font exception.

On ne saurait dire que les journalistes en activité, servant plutôt la politique que les lettres, touchent un traitement de ces dernières.

Tant que nous travaillerons par pur amour de l'étude et pour doter le Canada des éléments d'une littérature; tant qu'il n'existera pas ici un public payant — la critique littéraire, celle qui porte son examen sur l'art de bien dire, sera prématurée, hors de place. Non pas qu'il faille s'abstenir de tout commentaire! Ce serait tout permettre. Mais, en règle générale, ne passons qu'à la légère sur les écarts de plume. N'effrayons pas ceux qui commencent. Ne pourchassons pas ceux qui ont péché sous le rapport de la forme — jugeons plutôt de leur fond. Un jour viendra où ceux qui auront eu le feu sacré seront choisis pour rester et faire leur marque; ceux qui auront été privés de ce don précieux disparaîtront — ils seront assez punis.

Ce qui fait défaut, croyons-nous, c'est une entreprise de librairie nationale pour imprimer les livres à meilleur marché et les répandre partout à la fois. Jusqu'ici, chacun a publié pour son compte, avec risques et périls, mais la situation qui se dessine tous les jours davantage n'est plus compatible avec ce système.

Il y a la place de Paris qui commence à s'ouvrir pour nous. Les éditeurs français demandent des nouveautés. Nous n'en manquons pas. Notre caractère si profondément canadien est une originalité en soi, et pour peu que nos écrivains veuillent soigner leur style, ils rencontreront au loin autant de lecteurs sympathiques que de bons rapports.

BENJAMIN SULTE, *La Poésie française en Canada*, 1881.

DOCUMENT 2

LE FRANÇAIS AU CANADA

Quelle est donc, au juste, la qualité du français tel qu'on le parle au Canada? Les opinions sont, à ce sujet, des plus diverses et les jugements émis, souvent contradictoires.

Certains Canadiens, parmi les intellectuels, prétendent assez volontiers que leur langue est meilleure que la nôtre[1], parce qu'ils ont su conserver de vieux mots qu'on ne retrouve plus que dans Rabelais, des formes que nous qualifions de désuètes et qui étaient cependant en honneur au grand siècle.

Dans leur ensemble, toutefois, nos frères de Québec ne manquent point de bon sens et ne croient pas aussi naïvement qu'ils parlent tous « la langue de Bossuet ». « La langue de Bossuet! » me disait l'un deux avec un malicieux sourire, « mais, Brunetière l'a dit, dans son siècle, Bossuet n'était-il pas le seul à la parler? »

Par politique, autant et plus que par ignorance, les Anglais ont, par contre, au siècle dernier, répandu partout le préjugé du « patois » canadien, dans l'intention évidente de dégoûter le Français de sa langue maternelle et de parvenir par ce moyen oblique à une assimilation qu'ils n'avaient pu réaliser jusque-là par la force brutale. Si habile fut cette propagande que les Canadiens anglais d'aujourd'hui, même dans la classe instruite, même ceux qui protestent de leur largeur de vues, ont à peine à se défaire d'un préjugé qui flatte leur amour-propre de race et les entretient dans l'espoir secret de voir un jour le Dominion enfin unifié à l'ombre du drapeau britannique. En somme, s'il n'est plus question depuis quelques temps de bannir la langue française des documents officiels, beaucoup n'ont pas perdu tout espoir de la faire mourir à petit feu, en l'anémiant par l'indifférence et le mépris.

(Ernest Martin[1], **Le français des Canadiens est-il un patois? Ateliers de « l'Action catholique »**, Québec, 1934, pp. 8-9.)

---

1. L'auteur est Français, ancien professeur à l'université de Poitiers.

3. QUÉBEC

Sylva Clapin (1853-1928). Né à Saint-Hyacinthe, près de Montréal. Libraire, historien, journaliste, traducteur, il s'intéressa particulièrement à la langue française au Québec dont il composa le premier *Dictionnaire* (1894); fit un voyage en Europe dont il rapporta des *Souvenirs et impressions* (1880); publia à Paris *La France transatlantique: le Canada* (1885) pour expliquer son pays aux Français. Il écrivit, entre autres, une *Histoire des États-Unis* (1903).

De longtemps je n'oublierai l'impression profonde que je ressentis, il y a de cela plusieurs années déjà, lorsque j'eus l'occasion de voir Québec pour la première fois. Et de fait il est bien peu de touristes qui ne se soient laissé prendre comme moi au charme de cette vieille ville étrange, et qui n'aient consacré à faire son éloge maintes pages de leurs calepins de voyage.

Imaginez un roc abrupt et colossal, entouré de remparts à créneaux, et que domine une citadelle géante, une citadelle, cette chose si rare en Amérique. Jetez sur ce roc, à profusion, les lourds et bizarres édifices, à pignons antédiluviens[1], particuliers à une place de garnison, avec, çà et là, la flèche scintillante d'une église ou les murs sévères et trapus de quelque monastère. Faites grimper tout autour les maisons de la ville basse, des maisons d'un aspect de vétusté incroyable pour une ville du nouveau monde, des maisons branlantes, vermoulues et moussues, parfois hydropiques et ventrues, parfois maigres et efflanquées, et qui toutes se lézardent, se fendillent, se crevassent, s'effritent, s'émiettent peu à peu sous l'action lente du temps. Quelque chose comme la reproduction du célèbre quartier, aujourd'hui modernisé, des Tanneurs à Genève. Sur tout cela, un ciel presque toujours d'une pureté admirable, et à l'horizon, par delà le Saint-Laurent, des paysages montagneux, aux tons bleuâtres d'une exquise finesse. Voilà Québec.

Ô ma chère vieille cité canadienne! Ville éminemment fantasque, puisque, par ce temps de «progrès moderne» où tout s'embellit, se nivelle et s'uniformise, tu t'obstines quand même à conserver avec un soin jaloux le pittoresque labyrinthe de tes rues effroyablement pavées avec les trottoirs casse-cou et la calèche de nos aïeux! Ville étonnante et extraordinaire où, quand autour de toi tout s'agite avec rage après la fortune, on voit encore des gens au cœur simple pour qui l'*aurea mediocritas*[2] du poète est le rêve désiré! où l'on rencontre même — ô prodige! — des poètes à longs cheveux et à coudes râpés, en quête de rimes et d'idéal! Ville bienveillante et hospitalière, aux femmes

1. *D'avant le Déluge.*

2. *Expression du poète latin Horace, signifiant:* médiocrité dorée.

126

justement renommées pour leur grâce et leur beauté, surtout ville de chercheurs et de lettrés, où il fait si bon se laisser vivre dans une béate et placide somnolence ! Puissé-je inspirer à beaucoup d'entre ces Français de France, qui me font l'honneur de me lire, le désir et la curiosité d'aller au plus tôt faire connaissance avec ces autres Français qui ont établi leur séjour dans tes vieux murs : les Français de la plus ancienne ville française d'Amérique.

Le Canadien des rives du Saint-Laurent n'a jamais parlé autre chose que la langue de Racine, sa seule et vraie langue maternelle, à lui léguée par ses ancêtres venus de la vieille France, et qu'il conserve avec un soin jaloux comme un joyau d'un prix inestimable.

Il y a plus encore. Cette langue française, le Canadien s'est toujours efforcé de la parler le plus purement possible, et si l'on en excepte certaines expressions du cru, inévitables dans un pays d'aspect si différent des contrées européennes — expressions pour la plupart, du reste, empreintes d'un pittoresque chatoyant ou d'une délicieuse poésie, — on est certes bien forcé d'avouer qu'il s'est acquitté jusqu'ici avec le plus grand honneur de sa tâche. Les salons de Québec, surtout, ont de tout temps tenu, au Canada, à être le foyer où sont venus tour à tour se recruter et se retremper les adeptes dans l'art de bien dire, et pas n'est besoin d'ajouter que, plus que jamais aujourd'hui, ils gardent haut et ferme, parmi la jeune société française américaine, le sceptre de cette supériorité. N'était un léger puritanisme britannique, conséquence du contact continuel avec les Anglais, et qui est cause qu'on trouverait là-bas d'un goût plus que douteux les mille et un petits traits, épicés de sel gaulois, qui forment en France la menue monnaie de la conversation courante ; n'était, dis-je, ce puritanisme, ce serait à se croire soudainement transporté, dès le seuil d'un salon de Québec, dans l'un des plus aristocratiques hôtels du faubourg Saint-Germain, c'est-à-dire au sein même de toutes les élégances, de tous les raffinements de la civilisation, de toutes les bienséances de langage, qui constituent ce qu'on appelle communément le « grand genre », ce qui ne veut guère dire, on le sait fort bien, que ni la simplicité ni la bonne humeur en soient exclues.

SYLVA CLAPIN, *La France transatlantique :*
Le Canada, 1885.

4. LE DÉFRICHEUR

Joseph-Marie-Arthur Buies (1840-1901). Né à Montréal, essayiste et journaliste. Il étudie dans plusieurs collèges du Québec et au lycée Saint-Louis (1857-1861) à Paris. Après avoir fait la campagne de Sicile dans l'armée de Garibaldi, il rentre au Canada en 1862 et est reçu avocat en 1866. Fondateur de *La Lanterne* (1868) et de *L'Indépendant* (1870), il collabore à divers journaux et revues : *Nouvelles soirées canadiennes, Le Monde Illustré, La Revue nationale, La Minerve, Le Pays,* etc.; il prononce également de nombreuses conférences à l'Institut Canadien dont il est un membre actif.
Ses chroniques et discours ont provoqué plusieurs scandales et ont fait de Buies une figure révolutionnaire. Il a notamment publié: *Chroniques, humeurs et caprices* (1873), *Chroniques, voyages, etc. etc.* (1875), *Le Saguenay et la Vallée du Lac Saint-Jean* (1896), *Sur le parcours du chemin de fer du Lac Saint-Jean* (1886), *Récits de voyages sur les Grands-Lacs — À travers les Laurentides — Promenades dans le vieux Québec* (1890).

Arrêtons-nous, je vous prie, un instant à ce mot simple et humble de défricheur qui éveille en nous, habitants du Canada, tout un monde de pensées généreuses, de souvenirs séculaires, d'espérances fortifiantes pour l'avenir. Un défrichement ne saurait être un spectacle indifférent pour nous, car c'est là notre berceau; arrêtons un instant nos yeux sur l'image de ce qui fut notre patrie à ses premiers jours. Ceux qui, comme moi, ont pu pénétrer dans ces pauvres huttes où s'abritent tant de courages patients, tant d'héroïques résignations; ceux qui ont contemplé comme moi, comment, sur des théâtres effacés, à force de labeurs, à force de dévouement, se sont faites de grandes choses ignorées, inspirées en haut par je ne sais quelle vertu surhumaine, soutenues en bas par tout ce que notre nature renferme en elle de forces prodigieuses, révélées seulement dans les temps les plus difficiles; ceux qui ont vu ce que peuvent accomplir ces défricheurs uniques, race d'hommes véritablement à part, que rien ne rebute, que la fatigue de tous les jours accable, mais ne décourage pas, que la privation endurcit et fortifie, qui voient d'année en année leur famille et leur vigueur grandir à la fois, qui travaillent sans relâche et qui se nourrissent, s'habillent, se logent on ne sait comment; qui arrivent dans les bois assez souvent sans les instruments les plus nécessaires, sans les choses indispensables, et qui cependant abattent la forêt, inventent des ressources et trouvent un pain ignoré des autres hommes; qui vivent, eux et leurs petits, là où la terre refuse en quelque sorte tout aliment, qui n'ont avec tout cela aucun soutien du dehors, puisant toute leur force dans une sorte d'appui mystérieux, pionniers inspirés, sans le savoir, qui sèment aujourd'hui dans le désert ce que tout un peuple recueillera demain dans l'abondance, ceux dis-je, qui ont pu comme moi contempler ce spectacle mille fois attachant, savent tout ce qui est contenu dans ce mot de défricheur si commun, si indifférent en apparence, si banal dans le langage ministériel, et si humble qu'il n'éveille que l'idée vague d'une cabane au fond des bois et d'un abattis d'arbres fumants fait tout autour d'elle, en attendant que quelques touffes de blé poussent au milieu des souches noircies par le feu. Cela n'est pas tout; il y a bien plus que cela dans un défrichement, et nous allons tâcher d'y arrêter notre pensée pour nous en convaincre.

Il faut voir ces forêts s'étendant à perte de vue, au milieu de pays montagneux, durs, en quelque sorte inhabitables, jusqu'à des limites encore inconnues ou que l'imagination ne se représente que dans un lointain inaccessible, pour se faire une idée de ce que c'est que l'homme seul, au milieu de cette immensité qui ne lui présente que des obstacles, des privations de toute sorte, une misère affreuse, d'appui en rien, ni d'aucun côté, et la lutte partout, un combat continuel contre la nature et pour la nature, des découragements semés à chaque pas, des travaux souvent rendus inutiles par le temps et les contre-

temps multipliés, des accidents sous vingt formes diverses, de maigres récoltes perdues, des attentes de secours trompés, des difficultés partout et à chaque instant et de consolations nulle part ni jamais, si ce n'est dans l'infinie bonté divine où s'abîme tout entier le malheureux, voilà, voilà ce que c'est que la vie de défricheur, de ce colon solitaire, infatiguable, invincible et héroïque à qui nous devons d'être ce que nous sommes, à qui le Canada tout entier doit son existence, et cela depuis trois cents ans !

Que le soldat expose sa vie tous les jours s'il le faut, dans une longue campagne semée de périls, de privations, d'horreurs et de hasards tous plus effrayants les uns que les autres, c'est beau, c'est grand ; mais, au moins, lui, le soldat, est entouré de ses camarades ; ils s'encouragent et se soutiennent mutuellement, ils combattent ensemble ; ensemble ils ont un même trépas, la même gloire ou la même récompense ; ils ont l'ambition, l'honneur, le patriotisme, tous ces admirables stimulants qui rendent l'homme capable de tout oser et de tout vouloir ; pour le soldat, du moins, la patrie est reconnaissante ; mais le défricheur, lui, il est seul, ou plutôt je me trompe, il a une femme que la misère et le travail accablent, et qui, tous les jours recommence ; il a des enfants qui mangent on ne sait quoi et qui ne sont vêtus de rien, même au milieu des plus terribles hivers ; le défricheur, lui, est ignoré, souvent dédaigné, personne ne le connaît, personne ne le voit, et cependant il marche en avant de nous tous ; il est le pionnier, il est le premier qui affronte l'énorme et impénétrable rangée en bataille de la forêt ; il marche sans que personne le suive, seul à lutter, seul à souffrir, seul à mourir ; il marche sans arrière-garde, si ce n'est celle qui le suivra, dans dix, dans quinze ou vingt ans, mais il aura montré le chemin et sa conquête sera sûre ; il aura donné à son pays de nouveaux espaces et ses sueurs auront été bien plus fécondes que le sang !

ARTHUR BUIES, *Sur le parcours du chemin de fer du Lac Saint-Jean,* 1886.

DOCUMENT 3

LES ORIGINES ÉCONOMIQUES DE LA CONFÉDÉRATION

Parmi les causes économiques de la naissance de la Confédération, la plus importante et la plus décisive fut sans doute le besoin de développer le système ferroviaire des colonies britanniques en Amérique et de renflouer financièrement ses propriétaires en construisant le chemin de fer intercolonial. Aussi, un historien de la construction de nos chemins de fer a-t-il pu dire que ceux-ci avaient fait du Canada une nation.

Les partisans de la Confédération eux-mêmes ne niaient pas que la construction de l'Intercolonial et la Confédération étaient intimement liées. John A. Macdonald[1] déclarait, en 1865, que «le projet même de la construction de l'Intercolonial était une des conditions auxquelles les provinces d'en bas ont consenti à se joindre à nous dans les changements constitutionnels projetés.»

Bref, il s'avéra que le projet de construction de l'Intercolonial ne pouvait se réaliser par des colonies demeurant séparées et ce fut par conséquent une des raisons profondes de la naissance du nouveau régime.

(Jean-Charles Bonenfant, «Les origines économiques et les dispositions financières de l'Acte de l'Amérique du Nord britannique de 1857», **Économie Québécoise**, Les Presses de l'Université du Québec, 1969, pp. 90-91-92.)

1. Père de la Confédération et Premier ministre du Canada en 1867.

5. L'INDÉPENDANCE... DÉJÀ

Jules-Paul Tardivel (1851-1905). Né aux États-Unis d'un père originaire d'Auvergne et d'une mère anglaise, il vient faire ses études au Québec où il arrive parlant à peine le français. Il devient journaliste, fonde *La Vérité* (1881) où il mènera jusqu'à sa mort son combat de nationaliste intransigeant et d'ardent défenseur de la qualité de la langue française au Québec. Il laisse, outre son œuvre de journaliste, de nombreux pamphlets, dont *L'Anglicisme, voilà l'ennemi* (1880) et ses *Mélanges d'études religieuses, sociales, politiques et littéraires,* 3 tomes (1887, 1901, 1903). Il a écrit un roman, *Pour la patrie* (1895), où s'exprime son nationalisme messianique. Il fut l'un des plus grands journalistes de son époque.

Il serait peut-être à propos de bien s'entendre sur le sens précis de cette expression: l'indépendance du Canada.

Que les Canadiens français aspirent vers la création, à l'heure voulue par la divine Providence, d'un État français, libre, indépendant, autonome; État qui embrassera toute la partie nord-est du continent américain, nous le croyons bien. Cet espoir doit être au fond de tout cœur canadien-français vraiment patriote. S'il n'y était pas, les efforts que nous faisons pour garder notre langue, nos institutions, notre nationalité, n'auraient aucun sens. Pourquoi nous donner tant de mal pour conserver notre existence propre, si nous ne comptons pas, qu'un jour, connu de Dieu seul, cette existence recevra son plein développement? La lutte pour préserver intacte la nationalité canadienne-française, au milieu des vicissitudes politiques par lesquelles notre peuple a passé, suppose nécessairement l'intention de former, un jour, une nation canadienne-française.

La formation, à l'heure providentielle, de cet État franco-américain, nous l'appelons de tous nos vœux.

Cet état se nommera peut-être le Canada. Il aura certainement des limites beaucoup plus étendues que les limites actuelles de la province de Québec.

Si c'est là ce que l'on entend par l'indépendance du Canada, nous en sommes de tout cœur, pourvu que l'on sache attendre les événements et l'heure de Dieu.

Mais si par indépendance du Canada, on entend l'indépendance du Canada tel qu'il est; la rupture pure et simple du lien colonial, du lien qui nous unit à l'Angleterre, et le maintien des liens qui enchaînent les provinces les unes aux autres, nous n'en sommes pas du tout.

Nous n'aurions rien à gagner à une semblable indépendance ; car nous ne cesserions pas d'être la minorité dans ce Canada indépendant. Nous aurions au contraire, tout à y perdre ; car la majorité anglaise du Canada, qui nous est certainement plus hostile que le peuple et le parlement anglais, libre désormais de toute contrainte, tenterait sérieusement de mettre à exécution ses projets d'anglicisation universelle. Ce serait ou l'écrasement de notre race, ou la guerre civile, deux choses à éviter.

L'idéal, pour nous, serait de dégager la province de Québec de la Confédération, tout en restant encore colonie anglaise. Nous retournerions ainsi à la position relativement avantageuse où nous étions avant la néfaste Union des deux Canadas.

Et si ce projet est jugé impossible — nous avouons que la réalisation en serait difficile — faisons tous nos efforts pour maintenir le statu quo jusqu'à ce que notre élément soit numériquement assez fort pour faire face à toutes les éventualités, à toutes les situations.

Pour cela, fortifions-nous de toutes manières. Agrandissons notre territoire par l'occupation du sol, par la colonisation ; attachons-nous de plus en plus fortement à ce sol par l'amélioration de notre agriculture.

Dans cinquante ans, peut-être, notre race serait prête à prendre sa place parmi les nations de la terre.

Voilà l'indépendance vers laquelle il faut tendre.

Jules-Paul Tardivel, *La Vérité*, 1901.

DOCUMENT 4

ORGANISATION POLITIQUE DE LA CONFÉDÉRATION

En gros la division des pouvoirs est la suivante. Le gouvernement central, qui siège à Ottawa, s'occupe de tout ce qui est commun aux provinces et des domaines d'intérêt général. Quant aux gouvernements provinciaux, ils reçoivent les pouvoirs de légiférer dans les domaines touchant la vie sociale et culturelle: municipalités, instruction publique, organisation sociale et familiale.

Toutefois deux privilèges que se réserve le gouvernement central pèsent lourd dans la balance: Ottawa contrôle presque tous les revenus et il se réserve un droit de désaveu sur toute loi adoptée par une législature provinciale. L'autonomie des provinces, dans cette optique, n'est pas très grande.

(Jean-Claude Robert, **Du Canada français au Québec libre**, Paris, Flammarion, 1975 pp. 142-143.)

6. POÈMES

Émile Nelligan (1879-1941). Né à Montréal d'une mère québécoise et d'un père irlandais. Jeune prodige, il rédige son œuvre entre quinze et vingt ans, puis sombre dans la mélancolie, passant le reste de sa vie dans les asiles de Montréal. Le critique Louis Dantin a rassemblé ses poèmes et les a publiés en volume en 1904, révélant ainsi au Québec le premier de ses grands poètes maudits et le plus illustre des membres de l'École dite « de Montréal. »

1. Soir d'hiver

Ah! comme la neige a neigé!
Ma vitre est un jardin de givre.
Ah! comme la neige a neigé!
Qu'est-ce que le spasme de vivre
À la douleur que j'ai, que j'ai!

Tous les étangs gisent gelés,
Mon âme est noire: Où vis-je? où vais-je?
Tous ses espoirs gisent gelés:
Je suis la nouvelle Norvège
D'où les blonds ciels s'en sont allés.

Pleurez, oiseaux de février,
Au sinistre frisson des choses,
Pleurez, oiseaux de février,
Pleurez mes pleurs, pleurez mes roses,
Aux branches du genévrier.

Ah! comme la neige a neigé!
Ma vitre est un jardin de givre.
Ah! comme la neige a neigé!
Qu'est-ce que le spasme de vivre
A tout l'ennui que j'ai, que j'ai!...

2. Sérénade triste

Comme des larmes d'or qui de mon cœur s'égouttent,
Feuilles de mes bonheurs, vous tombez toutes, toutes.

Vous tombez au jardin de rêve où je m'en vais,
Où je vais, les cheveux au vent des jours mauvais.

Vous tombez de l'intime arbre blanc, abattues
Çà et là, n'importe où, dans l'allée aux statues.

Couleur des jours anciens, de mes robes d'enfant,
Quand les grands vents d'automne ont sonné l'olifant,

Et vous tombez toujours, mêlant vos agonies,
Vous tombez, mariant, pâles, vos harmonies.

Vous avez chu dans l'aube au sillon des chemins ;
Vous pleurez de mes yeux, vous tombez de mes mains.

Comme des larmes d'or qui de mon cœur s'égouttent,
Dans mes vingt ans déserts vous tombez toutes, toutes.

3. Berceuse

Quelqu'un pleure dans le silence
Morne des nuits d'avril ;
Quelqu'un pleure la somnolence
Longue de son exil.
Quelqu'un pleure sa douleur
Et c'est mon cœur...

4. Prélude triste

Je vous ouvrais mon cœur comme une basilique ;
Vos mains y balançaient jadis leurs encensoirs
Aux jours où je vêtais des chasubles d'espoirs
Jouant près de ma mère en ma chambre angélique.

Maintenant oh ! combien je suis mélancolique
Et comme les ennuis m'ont fait des joujoux noirs !
Je m'en vais sans personne et j'erre dans les soirs
Et les jours, on m'a dit : Va. Je vais sans réplique.

J'ai la douceur, j'ai la tristesse et je suis seul
Et le monde est pour moi comme quelque linceul
Immense d'où soudain par des causes étranges

J'aurai surgi mal mort dans un vertige fou
Pour murmurer tout bas des musiques aux Anges
Pour après m'en aller puis mourir dans mon trou.

5. Je sens voler

Je sens voler en moi les oiseaux du génie
Mais j'ai tendu si mal mon piège qu'ils ont pris
Dans l'azur cérébral leurs vols blancs, bruns et gris,
Et que mon cœur brisé râle son agonie.

ÉMILE NELLIGAN, *Œuvre*, 1904.

7. DÉSOLATION

Rodolphe Girard (1879-1956). Né aux Trois-Rivières, romancier, dramaturge et journaliste. Il fait ses études chez les Frères des Écoles chrétiennes et à l'Académie commerciale catholique de Montréal. Journaliste à *La Presse,* il est forcé de quitter son emploi lors de la parution de *Marie Calumet* (1904), roman condamné par le clergé. Il devient alors fonctionnaire à Ottawa. Officier de l'armée canadienne pendant la Première Guerre mondiale, il est fait chevalier de la Légion d'honneur et reçoit la Croix de guerre.

Outre *Marie Calumet* considéré aujourd'hui comme un jalon important dans l'évolution de roman québécois, son œuvre comprend une légende: *Florence* (1900), trois romans: *Mosaïque* (1902), *Rédemption* (1906), *L'Algonquine* (1910), un recueil de *Contes de chez nous* (1912) et une pièce de théâtre *Les Ailes cassées* (1921).

À sa toilette très sommaire, il venait de mettre la dernière main, quand retentirent les premiers sons de cloche, appelant les villageois à la messe basse. Il prit son chapeau et sortit. Un quart d'arpent séparait l'église du presbytère.

Durant l'office divin, le saint homme n'avait pu chasser de son esprit la hantise de ses lugubres préoccupations. Que de distractions impardonnables chez un si haut personnage! Il allait lire l'Évangile avant le Graduel, lorsque son servant de messe, un gosse pas bête du tout, l'en prévint très humblement en le tirant par son aube. Se retournant vers les fidèles, quelques minutes plus tard, au lieu de leur accorder la paix du Seigneur («*Dominus vobiscum*»), il leur donnait, à voix presque haute, leur congé au beau milieu de la cérémonie («*Ite missa est*»).

1. Soupane: *gruau.*

Après son déjeuner: de la soupane[1] noyée dans de la crème, une tranche de lard salé, deux œufs à la coque, une cuillerée de miel et du café d'orge brûlé qu'il se prépara lui-même, sa nièce s'étant attardée dans la chaleur du lit, le curé bourra sa grosse pipe d'écume de mer. Mettant ses deux mains dans ses poches de pantalon, par les ouvertures faites exprès dans sa soutane, il arpenta sa galerie. Puis, il descendit dans son jardin, enclos entre le presby-

2. Gravois: *gravats.*

tère et le trottoir en gravois[2].

Son pauvre jardinet, il avait vu de meilleurs jours. Les géraniums aux pétales rares et ratatinés penchaient leurs têtes mélancoliquement vers la terre; jadis veloutées et fraîches comme des gouttelettes de rosée, les pensées ne pensaient plus qu'à trépasser; près de la clôture en fil de fer barbelé, les pois d'odeur au rose estompé avaient perdu leur parfum délicat; la rose n'était plus la reine des fleurs; tout près, quatre ou cinq œillets, étoilés et brûlés par le soleil, se regardaient avec un serrement de cœur en se disant comme les Trappistes: «Frères, il faut mourir»; à quelques pas plus loin, les boules-de-neige dégonflées n'étaient plus de ce monde; ici, la mignonnette odorante venait de décéder, et sa tête retombait péniblement sur sa tige; là, la jacinthe aux clochettes d'argent faisait pénitence de sa splendeur d'antan; et, tout le long de la galerie, les concombres sauvages élevaient vers le ciel leurs longs bras décharnés en demandant grâce.

Ému jusqu'aux larmes, le curé Flavel dirigea ses pas vers la basse-cour. Là encore règnait la désolation. Les poules picoraient avec ennui, en roulant tristement leurs yeux ronds chargés de paillettes d'or; les coqs même avaient perdu leurs antiques ardeurs, oubliant leurs amours; perchée sur une clôture, une dinde glougloutait lugubrement, et, tout près dans le champ d'à côté, les vaches, réunies en chœur, faisaient entendre une cacophonie qu'on eût dit une marche funèbre de toute la basse-cour.

Le curé Flavel, poursuivant sa voie douloureuse, arriva à la laiterie blanchie à la chaux. Tout y était à l'abandon. Assiettes, écuelles, plats, bidons, couloirs traînaient sans dessus dessous.

Ici, une soucoupe remplie de miel naviguait dans une jatte de lait; là, une botte d'ail était tombée dans une assiette à soupe remplie de crème; sur la tablette d'en bas, la grosse chatte noire et blanc du presbytère, Fifine, après s'être glissée sournoisement par la porte laissée entr'ouverte, s'emplissait la panse plus que jamais. La coquine venait de voir le fond d'un plat de lait, et pour se reposer, léchait de sa petite langue rose ses babines et ses moustaches, auxquelles pendaient encore quelques gouttes lactées.

— Veux-tu ben déguerpir, salope! lui cria le maître en s'élançant en avant pour la frapper.

Mais la chatte, avec sa nature féline, avait prévu le coup et filé comme une flèche en essuyant son museau sur la soutane de Monsieur le Curé.

Par le tambour, il entra dans la cuisine en poussant un soupir. Le poêle en fonte à deux ponts disparaissait sous une couche de rouille, de graisse et de poussière. Dans l'évier et sur la table recouverte d'une toile cirée, la vaisselle sale.

Chaudrons, marmites, casseroles, bassines, bouilloires, théières, cafetières, lèchefrites, gobelets erraient çà et là à la bonne aventure. Sous la table, le chien de la maison, un épagneul tout crotté, défendait bravement sa pitance contre la chatte. Le dos rond et la queue grosse, celle-ci se vengeait sur le chien d'avoir été surprise en flagrant délit par le curé. En plein milieu de la cuisine, les quatre fers en l'air, une chaise gisait lamentablement sur le plancher malpropre, portant l'empreinte des pieds boueux. Le pasteur passa successivement dans la salle à manger et dans son bureau de travail. De la poussière sur tous les meubles. Les rideaux de cretonne pendaient comme des crêpes, un jour d'enterrement; les rubans retenant ces rideaux au mur étaient enroulés comme des queues de matou. Ouvrant ses livres de compte, le curé fut effrayé de l'état de ses affaires.

Avec des chiffres fous comme ceux-là, le budget pour l'année courante serait désespérant, même si les dîmes rapportaient bien.

8. L'AGNEAU NATIONAL

Olivar Asselin (1847-1937). Né dans le comté de Charlevoix; avec sa famille, il émigre très tôt aux États-Unis où il travaille d'abord comme ouvrier du textile. En 1900, il rentre au Canada pour devenir journaliste. Il devient vite l'un des chefs de file de la pensée nationaliste. Disciple d'Henri Bourassa, c'est avec lui qu'il fonde *Le Devoir* (1910). Pamphlétaire et polémiste redoutable, il est emprisonné à deux reprises pour outrage à magistrature. Ardent partisan de la France, il s'enrôle dans l'armée canadienne pendant la Première Guerre mondiale et participe à la célèbre bataille de Vimy où il est fait chevalier de la Légion d'honneur française. Il revient au journalisme en 1930 pour fonder *L'Ordre* (1934) et *La Renaissance* (1935). Son œuvre est principalement constituée de ses textes de journaliste dont certains ont été publiés après sa mort: *Pensée française* (1937) et *Trois textes sur la liberté* (1970). Il est l'une des plus éminentes figures du nationalisme de gauche de la première moitié du 20e siècle.

1. *Le 24 juin.*

La Saint-Jean[1], fête nationale canadienne-française, n'avait jamais, depuis longtemps, donné lieu à la moindre manifestation pratique de l'esprit, de la pensée française; les processions qu'on faisait par les chemins, les feux qu'on allumait sur les collines, les messes mêmes qu'on allait entendre dans les temples ou sur les places publiques, étaient devenus autant de rites machinaux, dont le croissant éclat coïncidait avec l'affaiblissement de la conscience, de la dignité, de la volonté nationale.

2. Laborum: *étendard.*
3. Constantin: *Premier empereur romain qui fit du christianisme la religion de l'État.*
4. À ce signe, tu vaincras: *inscription de l'étendard de Constantin; le signe était la croix.*

Il y a dans les Écritures et dans la liturgie catholique des passages où le Messie-Rédempteur est comparé à l'agneau sacré des sacrifices; partir de là pour prétendre que la suppression de l'agneau dans nos processions serait un acte d'anticatholicisme, c'est un peu forcer la note. Les premiers chrétiens se reconnaissaient au signe du poisson: s'ensuit-il qu'on ne pourra plus, sans manquer de respect à l'Église, dire du mal du maquereau? Faudra-t-il désormais éviter de qualifier de requin un usurier et de petit poisson un malhonnête homme? On peut vouloir le maintien de la tradition chrétienne dans nos sociétés nationales et souhaiter que le glorieux labarum[2] de Constantin[3]: *In hoc signo vinces*[4], remplace un jour l'agneau devenu chez nous, bien moins qu'un symbole religieux, l'emblème de la soumission passive et stupide à toutes les tyrannies.

142

Même un enfant et un agneau peuvent faire un joli effet héraldique[5]; et si cela peut arranger les choses, je consens à repousser comme sujet de bannière le labarum inspirateur de victoires pour l'agneau inspirateur de sacrifices. Mais quand, pour satisfaire la volonté philistine[6], on promène toute une matinée sous un soleil brûlant, au risque de le rendre idiot pour la vie, un joli petit enfant[7] qui n'a fait de mal à personne et à qui, neuf fois sur dix, la tête tournera de toute manière; quand, à cet enfant, l'on adjoint un agneau qui, se fichant de son rôle comme le poisson, en pareille occurrence, se ficherait du sien, lève la queue, se soulage et fait *bê!*; et que, derrière cet enfant et cet agneau, on permet à un papa bouffi d'orgueil d'étaler sa gloire d'engendreur en ayant l'air de dire à chaque coup de chapeau: «L'agneau, le voilà; mais le bélier c'est moi!» — si je veux bien ne pas mettre en doute la sincérité de ceux qui m'invitent à saluer, au nom du patriotisme, ce triste et bouffon spectacle, je veux aussi, sans manquer de respect ni à la Religion ni à la Patrie, pouvoir m'écrier: ce gosse qui fourre nerveusement ses doigts dans son nez et qui, pour des raisons faciles à deviner, ne demande qu'à retourner au plus tôt à la maison, ce n'est pas saint Jean, c'est l'enfant d'un épicier de Sainte-Cunégonde[8]!

OLIVAR ASSELIN, *Pensée française*, 1913.

5. Héraldique: *Relatif aux emblèmes.*

6. Philistine: *grossière, vulgaire.*

7. *Avant 1968, la Parade de la Saint-Jean, à Montréal, à laquelle assistait toute la population, montrait un enfant figurant saint Jean-Baptiste. Depuis, à cause d'incidents politiques survenus en 1968, la célèbre Parade a été interdite.*

8. Sainte-Cunégonde: *paroisse ouvrière du sud-ouest de Montréal.*

DOCUMENT 5

LA PROVINCE DE QUÉBEC

Les Canadiens français se trouvaient en minorité dans l'organisme fédéral, tout entier ou à peu près aux mains des Britanniques; ils allaient se trouver désormais des citoyens de seconde zone, en fait sinon en droit.

La Confédération du moins avait un grand avantage: les Canadiens français allaient être les maîtres chez eux, pour tout ce qui n'était pas du ressort du gouvernement fédéral. La Province avait désormais son Parlement, presque entièrement composé de Français; son ministère, son administration. Les Canadiens possédaient ainsi un réduit où ils étaient chez eux, entre eux (ce qui ne les empêchait pas d'émigrer). Il y avait donc un Canada français, où l'élément britannique était restreint (au moins en quantité) et allait tenir de moins en moins de place. Dans cette patrie canadienne française, l'Église catholique tenait un rôle majeur, depuis le superbe rétablissement d'influence qu'elle avait effectué à partir du milieu du XIXe siècle.

Cependant, comme dans tous les États confédérés, le pouvoir central a grignoté depuis cent ans les droits des États; l'influence des deux guerres mondiales a d'ailleurs largement précipité cette tendance. Or la Province de Québec a témoigné devant ces empiétements du pouvoir fédéral beaucoup de mauvaise humeur, fort excusable puisquelle est le seul État à majorité française et que les aspirations fédérales sont inspirées par une majorité britannique.

(RAOUL BLANCHARD, **Le Canada français**, Paris, P.U.F. «Que sais-je?» (N° 1098), 1970, pp. 99-100.)

9. LES VOIX

Louis Hémon (1880-1913). Né à Brest (Bretagne), romancier. Il fait ses études à Paris où il obtint de la Sorbonne une licence en droit et un diplôme de langues orientales vivantes. Juste après son séjour londonien (1902-1911), il s'installe à Montréal, où il travaille comme sténographe bilingue. En 1912, il habite à Saint-Gédéon et à Péribonka, dans la région du lac Saint-Jean. Il y rédige *Maria Chapdelaine* (1914), l'un des romans les plus marquants au Québec. Il meurt tragiquement dans un accident de chemin de fer à Chapleau (Ontario) à l'âge de 33 ans. Proclamé «docteur honoris causa post mortem» de l'Université de Montréal en 1939.

Œuvres: *La Belle que voilà* (1923), *Collin-Maillard* (1924), *Battling Malone, pugiliste* (1925), *Monsieur Ripois et la Nimésis* (1950) et, bien sûr, *Maria Chapdelaine* (1914).

Dans les villes, il y aurait des merveilles dont Lorenzo Surprenant avait parlé, et ces autres merveilles qu'elle imaginait elle-même confusément: les larges rues illuminées, les magasins magnifiques, la vie facile, presque sans labeur, emplie de petits plaisirs. Mais peut-être se lassait-on de ce vertige à la longue, et les soirs où l'on ne désirait rien que le repos et la tranquillité, où retrouver la quiétude des champs et des bois, la caresse de la première brise fraîche, venant du nord-ouest après le coucher du soleil, et la paix infinie de la campagne s'endormant toute entière dans le silence?

«Ça doit être beau, pourtant!» se dit-elle en songeant aux grandes cités américaines. Et une autre voix s'éleva comme une réponse. Là-bas, c'était l'étranger: les gens d'une autre race parlant d'autre chose dans une autre langue, chantant d'autres chansons... Ici...

Tous les noms de son pays, ceux qu'elle entendait tous les jours, comme ceux qu'elle n'avait entendus qu'une fois, se réveillèrent dans sa mémoire: les mille noms que des paysans pieux venus de France ont donné aux lacs, aux rivières et aux villages de la contrée nouvelle qu'ils découvraient et peuplaient à mesure... lac à l'Eau-Claire... la Famine... Saint-Cœur-de-Marie... Trois-Pistoles... Sainte-Rose-du-Dégel... Pointe-aux-Outardes... Saint-André-de-l'Épouvante...

Eutrope Gagnon avait un oncle qui demeurait à Saint-André-de-l'Épouvante; Racicot, de Honfleur, parlait souvent de son fils qui était chauffeur à bord d'un bateau du Golfe, et chaque fois c'étaient encore des noms nouveaux qui venaient s'ajouter aux anciens: les noms de villages de pêcheurs ou de petits ports du Saint-Laurent, dispersés sur les rives entre lesquelles les navires d'autrefois étaient montés bravement vers l'inconnu... Pointe-Mille-Vaches... Les Escoumains... Notre-Dame-du-Portage... les Grandes-Bergeronnes... Gaspé...

Qu'il était plaisant d'entendre prononcer ces noms lorsqu'on parlait de parents ou d'amis éloignés, ou bien de longs voyages! Comme ils étaient familiers et fraternels, donnant chaque fois une sensation chaude de parenté, faisant que chacun songeait en les répétant: «Dans tout ce pays-ci, nous sommes chez nous... chez nous!»

Vers l'ouest, dès qu'on sortait de la province, vers le sud, dès qu'on avait passé la frontière, ce n'était plus partout que des noms anglais, qu'on apprenait à prononcer à la longue et qui finissaient par sembler naturels sans doute; mais où retrouver la douceur joyeuse des noms français?

Les mots d'une langue étrangère sonnant sur toute les lèvres, dans les rues, dans les magasins... De petites filles se prenant par la main pour danser une ronde et entonnant une chanson que l'on ne comprenait pas... Ici...

Maria regardait son père qui dormait toujours, le menton sur sa poitrine comme un homme accablé qui médite sur la mort, et de suite elle se souvint des cantiques et des chansons naïves qu'il apprenait aux enfants presque chaque soir:

> À la claire fontaine
> M'en allant promener...

Dans les villes des États[1], même si l'on apprenait aux enfants ces chansons-là, sûrement ils auraient vite fait de les oublier!

Les nuages épars qui tout à l'heure défilaient d'un bout à l'autre du ciel baigné de lune s'étaient fondus en une immense nappe grise, pourtant ténue, qui ne faisaient que tamiser la lumière; le sol couvert de neige mi-fondue était blafard, et entre ces deux étendues claires la lisière noire de la forêt s'allongeait comme le front d'une armée.

Maria frissonna; l'attendrissement qui était venu baigner son cœur s'évanouit; elle se dit une fois de plus:

«Tout de même... c'est un pays dur, icitte. Pourquoi rester?»

Alors, une troisième voix plus grande que les autres s'éleva dans le silence: la voix du pays de Québec, qui était à moitié un chant de femme et à moitié un sermon de prêtre.

Elle vint comme un son de cloche, comme la clameur auguste des orgues dans les églises, comme une complainte naïve et comme le cri perçant et prolongé par lequel les bûcherons s'appellent dans les bois. Car en vérité tout ce qui fait l'âme de la province tenait dans cette voix: la solennité chère du vieux culte, la douceur de la vieille langue jalousement gardée, la splendeur et la force barbare du pays neuf où une racine ancienne a retrouvé son adolescence.

Elle disait:

«Nous sommes venus il y a trois cents ans, et nous sommes restés... Ceux qui nous ont menés pourraient revenir parmi nous sans amertume et sans chagrin, car s'il est vrai que nous ayons guère appris, assurément nous n'avons rien oublié.

«Nous avions apporté d'outre-mer nos prières et nos chansons: elles sont toujours les mêmes. Nous avions apporté dans nos poitrines le cœur des hommes de notre pays, vaillant et vif, aussi prompt à la pitié qu'au rire, le cœur le plus humain de tous les cœurs humains: il n'a pas changé. Nous avons marqué un plan du continent nouveau, de Gaspé à Montréal, de Saint-Jean-d'Iberville à l'Ungava[2], en disant: ici toutes les choses que nous avons apportées avec nous, notre culte, notre langue, nos vertus et jusqu'à nos faiblesses deviennent des choses sacrées intangibles et qui devront demeurer jusqu'à la fin.

«Autour de nous, des étrangers sont venus, qu'il nous plaît d'appeler des barbares; ils ont pris tout le pouvoir; ils ont acquis presque tout l'argent; mais au pays du Québec, rien n'a changé. Rien ne changera, parce que nous sommes un témoignage. De nous-mêmes et de nos destinées nous n'avons compris clairement que ce soir-là: persister... nous maintenir... Et nous nous sommes maintenus, peut-être afin que dans plusieurs siècles encore le monde se tourne vers nous et dise: «Ces gens sont d'une race qui ne sait pas mourir...» Nous sommes un témoignage.

«C'est pourquoi il faut rester dans la province où nos pères sont restés, et vivre comme ils ont vécu, pour obéir au commandement inexprimé qui s'est formé dans leur cœur, qui a passé dans les nôtres et que nous devons transmettre à notre tour à de nombreux enfants: Au pays de Québec rien ne doit mourir et rien ne doit changer...»

LOUIS HÉMON, *Maria Chapdelaine*, 1914.

2. Ungava: *région très peu peuplée au nord du Québec.*

10. RUE DES ESPIONS

Albert Laberge (1871-1960), pseudonyme de *Adrien Clamer*. Né à Beauharnois (près de Montréal). Romancier, conteur et journaliste. Il commence son cours classique au collège Sainte-Marie (Montréal) d'où il est renvoyé quatre ans plus tard, puis passe la majeure partie de sa vie (1896-1932) à travailler au quotidien *La Presse* comme chroniqueur sportif et parfois comme collaborateur à la section des arts et des lettres.
Publie de très nombreux textes: contes, critiques, poèmes en prose, notices biographiques dans *Le Samedi, Les Débats, Le Terroir, L'Autorité, La Presse, La Patrie, Liaison.* Membre de l'École littéraire de Montréal, Laberge est l'auteur de *La Scouine* (1918), premier roman naturaliste des lettres québécoises.

1. Huis: *porte de la maison.*

2. Alpaga: *tissu à base de laine d'alpaga. L'alpaga est un animal qui ressemble au lama.*
3. Scouine: *surnom du personnage principal, Paulima Deschamps, fille d'Urgèle.*

Le dimanche après la messe, les jeunes gens allaient au bureau de poste chercher les journaux, qui *La Minerve,* qui *Le Nouveau Monde.* Toujours pressés, ils semblaient chaque fois vouloir prendre la place d'assaut, heurtant l'huis [1] à coups de pieds, se bousculant pour avoir leur tour les premiers. Le cou et le menton encerclés dans un haut faux-col droit dans les pointes lui entraient dans les joues vineuses, le vieux fonctionnaire passait par la porte privée et, lorsqu'il ouvrait, la foule s'engouffrait dans la pièce. Trois ou quatre noms étaient lancés en même temps au bonhomme qui, après s'être coiffé d'une calotte en alpage [2] mettait ses lunettes. Il se fâchait alors.
— Un seul à la fois, ou je ferme le guichet, criait-il d'un ton menaçant.
La Scouine [3] se frayait un chemin dans cette cohue, rendant généreusement les coups de coude et d'épaule, et disputant son tour aux garçons.
Un dimanche, les premiers arrivants à la distribution reçurent avec leur gazette une enveloppe jaune. Ceux qui vinrent ensuite en retirèrent également. Presque tout le monde eut la sienne. La Scouine en emporta une.
C'était les Linche, les propriétaires du grand magasin général qui envoyaient leurs comptes annuels aux fermiers. Celui d'Urgèle Deschamps se montait à soixante-quinze piastres. L'état détaillé comportait entre autres articles quatre paires de bottes, un moule à chandelle, un fanal, cinq gallons de mélasse et un rabot, toutes choses que Deschamps était certain de ne pas avoir achetées et surtout, de ne pas avoir obtenues à crédit. Les autres cultivateurs qui avaient reçu des lettres avaient la même surprise. Ils trouvaient sur leur facture l'énumération de quantité de marchandises qu'ils n'avaient jamais eues. La demande de paiement se terminait par l'avis que si le compte n'était pas acquitté dans une semaine, des procédures seraient prises contre le débiteur.

Deschamps déchira la feuille en jurant et ne s'en occupa pas davantage.

Huit jours plus tard, il était à battre son orge, lorsque Mâço vit tout à coup arriver une voiture qui s'arrêta devant la porte.

— Le bailli! s'exclama-t-elle, en reconnaissant Étienne St-Onge qui descendait de sa barouche[4]. C'était en effet l'huissier qui parcourait la paroisse, distribuant toute une fournée de papiers judiciaires. Les Linche tenaient leur promesse.

Le pays allait avoir des procès.

La Scouine alla en courant chercher son père qui arriva la figure et les vêtements couverts de poussière. St-Onge lui remit les documents par lesquels les Linche lui réclamaient leur dette. Deschamps ne put contenir son indignation et les traita de voleurs et de canailles. Inquiet, l'huissier se hâta de déguerpir, craignant que Deschamps ne fît passer sa colère sur lui.

Le soir, le souper au pain sûr et amer, marqué d'une croix, fut d'une morne tristesse.

4. Barouche: *voiture à cheval.*

Deschamps dut faire plusieurs voyages au village pour consulter un avocat. Lorsque la cause fut entendue, les Linche produisirent leurs livres, établissant le bien-fondé de leur réclamation. Deschamps fut condamné à payer le compte et les frais. Presque toute sa récolte d'orge y passa.

Jugement fut aussi rendu contre une centaine d'autres habitants dans des causes identiques.

Ils durent payer. Plusieurs furent obliger d'hypothéquer leur terre. D'autres ne purent faire leurs paiements annuels.

Des années plus tard, un commis des Linche, payé huit piastres par mois, s'étant vu refuser une augmentation de salaire, déclara que la plupart des comptes apparaissant dans les livres du magasin étaient simplement des fraudes. Pendant six ans, ses patrons l'avaient tenu posté à une fenêtre de l'établissement. Comme il connaissait tous les gens de la paroisse, lorsqu'un fermier passait, vite il le signalait, et un secrétaire enregistrait son nom et l'inscrivait comme ayant acheté ce jour-là toute une série d'articles.

L'employé fut congédié, mais comme il avait proféré ses accusations devant plusieurs témoins, il fut arrêté et traduit devant la justice.

Le commis indiscret fit trois mois de prison pour avoir, dit le juge, diffamé ses patrons.

Quant à la rue, elle porte depuis, le nom de Rue des Espions, et personne n'y passe.

ALBERT LABERGE, *La Scouine,* 1918.
Montréal, Éd. L'Actuelle, 1972, pp. 27 à 29.

11. LA PATRIE

Adjutor Rivard (1868-1945). Né à Saint-Grégoire (près de Nicolet), avocat, linguiste et écrivain. Co-fondateur de la Société du Parler français au Canada dont il est le secrétaire pendant dix ans et co-fondateur en 1907 du journal *L'Action sociale catholique* — qui devient *l'Action catholique* (1915), *L'Action* (1962) et *L'Action-Québec* (1972). Il est nommé bâtonnier de la province de Québec en 1919 et juge à la Cour d'appel.
Membre de la Société Royale du Canada, chevalier de l'Ordre de Saint-Grégoire-le-Grand, Prix Devaine de l'Académie française (1920) pour son recueil *Chez nous* (1914), médaille Lorne Pierce (1931) pour l'ensemble de son œuvre qui comprend notamment: *Études sur les parlers de France au Canada* (1914), *Chez nos gens* (1918), *De la liberté de la presse* (1923), *Contes et propos divers* (1944).

Oncle Jean, que pensez-vous de la patrie? On parle beaucoup de patrie et de patriotisme; les orateurs ont souvent ces mots dans la bouche, les écrivains au bout de leurs plumes. Qu'est-ce que la patrie, oncle Jean?

L'oncle Jean, assis sur le pas de sa porte, fumait tranquillement sa pipe. Devant lui, s'étendait, tout en longueur, son domaine, des blés, des orges, des avoines, puis du foin, et plus loin un champ de sarrasin, plus loin encore une friche, et au-delà une sucrerie[1], qui fermait l'horizon. Le soleil était tombé, et le vieillard regardait son bien entrer dans l'ombre.

— Oncle Jean, qu'est-ce que la patrie?

Silencieux, il tira de sa pipe quelques touches[2] encore; puis, sans détourner le regard qui allait là-bas vers la forêt, et d'un geste montrant les champs, les prés, les bois:

— La patrie, c'est ça.

J'attendis que l'oncle expliquât ce geste et ce mot trop vagues. Un silence, et, lentement, avec des pauses, il continua:

— La patrie, mon fieu[3], ça date du temps des Français. Le premier de notre nom qui vint ici par la mer fut d'abord soldat; dans l'armoire de la grand'chambre, il y a des papiers où c'est marqué qu'il fut soldat. Mais il faut croire que, dans les vieux pays[4] — il venait du Perche; c'est comme qui dirait un about[5] de la Normandie — il faut croire que là-bas, ses gens[6] étaient cultiveux[7], et qu'il avait ça dans le sang, parce qu'aussitôt qu'il put, il prit une hache et s'attaqua à la forêt comme un vrai terre-neuvien[8]. Or, c'est ici, où nous sommes, qu'il abattit son premier arbre: la terre à l'ancêtre Nicolas, c'est la mienne!

1. Sucrerie: *érablière*.

2. Touches: *bouffées*.

3. Mon fieu: *mon filleul*.
4. Les vieux pays: *la France*.
5. About: *territoire adjacent*.
6. Ses gens: *ses ancêtres*.
7. Cultiveux: *cultivateurs*.
8. Terre-neuvien: *habitant du Nouveau Monde*.

9. Qui botte: *qui colle.*

La glaise qui botte[9] à mes talons s'est attachée aussi à ses sabots. Après lui, son fils aîné, Julien, et son petit-fils, Jean-Baptiste, son arrière-petit-fils, François, et le fils de François, Benjamin, mon père, tous, l'un après l'autre, ont vécu de la terre qui me fait vivre; c'est ici que, tous, ils sont nés, qu'ils ont travaillé et qu'ils sont morts. Souvent, cette idée me vient, et je me dis: «Jean, c'est pour toi qu'ils ont peiné, pour toi et pour tous ceux de ta race qui viendront après toi.» Vois-tu, mon fieu, au bout de la grange, ce quartier de roc? Autrefois, ce cailloux-là devait être plus au sud, juste où se trouve le chemin qui monte aux champs; eh! bien, ils l'ont roulé là où tu le vois, pour que j'aie de

10. De l'arce: *de l'espace.*

l'arce[10] à passer au nord du ruisseau. Ç'a dû être un rude coup de collier. J'y ai souvent pensé, et je crois que c'est Julien, le deuxième du nom, qui a fait cela; on conte qu'il était fort comme un bœuf, et il pouvait se faire aider, ses douze premiers enfants étant tous des garçons. Et la maison, ils l'ont logée sur la

11. Solage: *fondation.*

butte, où elle est encore — c'est le même solage[11] — pour que de la porte je puisse voir jusqu'à la sucrerie. Ils ont pensé à tout: pour que dans les grandes chaleurs, mes bêtes aient un peu d'ombre, ils ont laissé là cet orme... Je reconnais partout leur ouvrage. Chacun d'eux a fait ici sa marque, et l'effort de ses bras rend aujourd'hui ma tâche moins dure. Sous ma bêche le sol se retourne mieux, parce que l'un après l'autre ils l'ont remué; dans le pain que je mange, et qui vient de mon blé, il y a la sueur de leurs fronts; dans chaque motte que ma charrue renverse, ils ont laissé quelque chose d'eux-mêmes. La patrie, c'est ça... Et je voudrais bien voir l'Américain qui viendrait prendre ma terre!

Il faut savoir que, pour l'oncle Jean, l'ennemi, quel qu'il fût, c'était l'Américain.

— Je vous entends, oncle Jean. C'est ici votre bien, un bien de famille, et que vous aimez. Mais les livres disent que la patrie est bien plus grande que votre terre, qu'elle embrasse toute une contrée...

L'oncle hocha la tête.

— En général, faut se méfier des livres, dit-il; il y a des mots qu'on ne comprend pas et qui brouillent les idées. Les livres n'ont rien à faire ici. Écoute.

12. Au sorouêt: *au sud-ouest.*
13. Au nordêt: *au nord-est.*
14. Apertement: *précisément.*

Au sorouêt[12], il y a François le Terrien, et puis Pierre à Denis, puis d'autres voisins, et encore d'autres voisins; au nordêt[13], il y a le grand Guillaume, puis les deux garçons du père Ambroise, puis d'autres voisins, et d'autres voisins, jusqu'au bout du rang et jusqu'au bout de la paroisse. Disons — je ne sais pas apertement[14] si c'est comme ça partout, mais ça doit — disons que chaque habitant est, comme moi, sur le bien de ses gens; ça fait toute une paroisse attachée à la terre, pas vrai? Puis, au milieu, il y a l'église; à côté, le cimetière; tout près, le presbytère, avec le curé dedans. Et après notre paroisse, il y a une autre paroisse, puis une autre, toutes pareilles, et chacune avec son clocher, son curé, ses morts, son vieux sol travaillé par les pères, et qu'on aime plus que soi-même... C'est ça, la patrie!

L'oncle Jean s'était levé, et cette fois je vis bien que son geste, déployé dans la nuit venue, embrassait tout le pays hérité des ancêtres, avec les souvenirs, les traditions, les croyances...

ADJUTOR RIVARD, *Chez nos gens,* 1918.
Extrait de *Chez nous...,* Montréal, Bibliothèque de l'Action française, 1924; pp. 123-127.

12. DIAGNOSTIC

Jules Fournier (1884-1918). Né au Côteau-du-Lac près de Montréal, il devient tôt, avec Olivar Asselin et Jules-Paul Tardivel, l'un des trois grands journalistes de son époque. Polémiste redoutable, il attaque le gouvernement, ce qui lui vaut la prison où il écrit ses *Souvenirs de prison* (1910). Après avoir été correspondant de *La Patrie* en Europe, lassé du journalisme, il finit ses jours comme traducteur au Sénat. L'essentiel de son œuvre de combat a été publié sous le titre de *Mon encrier* (2 vol. 1922). C'est un impitoyable défenseur de la qualité de la langue française au Québec.

De toutes les circonstances qui contribuèrent à transformer de corps et d'âme et de toutes les façons, le type français transplanté en terre canadienne, la première et la plus importante me paraît être incontestablement le climat. Tel climat, en effet, tel peuple. Écrivant pour des personnes cultivées, je n'ai pas besoin, je pense, d'insister sur cette vérité, depuis longtemps banale, que le climat change tout ce qu'il touche d'étranger, les hommes aussi bien que les plantes. Au Siam et en Cochinchine, le Français en peu de temps dégénère. Au Canada, il s'empâte, tout simplement. C'est là d'abord une conséquence directe du climat. Et c'en est ensuite une conséquence indirecte. Outre l'action que par lui-même il produit sur les hommes, le climat en effet a cet inconvénient encore, en notre beau pays, de leur imposer comme on sait des conditions de vie aussi défavorables que possible au développement d'une véritable civilisation. Une de ces conditions est l'isolement auquel sont condamnés, six mois sur douze, les habitants de nos campagnes — et qui de nous ne vient de la campagne? Une autre est cette oisiveté à laquelle de même la longueur et la rigueur de l'hiver donnent occasion, et que dénonçait, précisément en ces termes, le bon intendant Hocquart[1] dès l'an de grâce 1757. Isolement, oisiveté: faut-il s'étonner que ces deux causes aient eu sur nous les effets qu'elles ont toujours eus sur tous les hommes dans tous les pays, et n'est-il pas au contraire naturel que, condamnés par la force des choses à vivre sous leur influence, nous soyons devenus les êtres amortis, nonchalants et relâchés que nous sommes?... Joignez-y, s'il vous plaît, un fait bien à tort négligé, selon moi, par toutes les solutions qu'on a jusqu'ici proposées de l'énigme canadienne, — c'est à savoir l'absence à peu près complète de tout service militaire en notre pays, pendant un siècle et demi. Circonstance d'une portée incalculable, en effet, et dont on ne saurait s'exagérer l'importance, si rien, comme je le crois, n'est plus incontestable que l'influence du physique sur le moral et de l'attitude sur le caractère, s'il n'est pour

1. Hocquart: *intendant de la Nouvelle-France*.

153

ainsi dire pas un trait de notre mentalité que n'annonce et que ne prépare un trait semblable de notre démarche ou de notre maintien. — Joignez encore, avec les conséquences infinies qui en découlent, notre éloignement de la mère-patrie... — Joignez enfin, en donnant à ce mot son sens le plus large, l'éducation, œuvre chez nous, depuis toujours et exclusivement, d'un clergé tout-puissant, qui, pour les fins de sa domination s'accommodant à merveille de notre paresse et de notre inertie, et d'ailleurs lui-même incliné par les mêmes circonstances aux mêmes habitudes, loin de songer à nous en tirer ne demanda toujours qu'à nous y pousser davantage encore et le plus profondément possible. Que ce calcul, pour inhumain qu'il paraisse dès l'abord, n'ait pas moins servi, en définitive, l'intérêt de la nationalité que l'intérêt du clergé lui-même ; que nous n'ayons précisément échappé à la conquête totale que pour être ainsi devenus des êtres passifs et en quelque sorte paralysés sous la main de nos pasteurs ; que ceux-ci, enfin, avec raison, n'aient vu d'autre moyen d'assurer la survivance du nom français en ce pays que d'immoler ainsi à la race une dizaine de générations, il se peut... Le fait que je constate n'en est pas plus niable pour cela, je pense.

JULES FOURNIER, *Mon encrier*, 1922.
Montréal-Paris, Éd. Fides, 1965, pp. 329-330.

13. MA LOINTAINE AÏEULE

Nérée Beauchemin (1890-1931). Né à Yamachiche (près des Trois-Rivières). Il étudie au séminaire de Nicolet et à l'Université Laval où il obtient en 1874 une licence en médecine. Collabore pendant une vingtaine d'années au journal *La Patrie*. La Société Royale du Canada lui décerne un «diplôme de jeune auteur» et l'admet parmi ses membres en 1896, sous le parrainage de Louis Fréchette. Médaille de l'Académie française (1930).
Oeuvres: *Les Floraisons matutinales* (1897) et *Patrie intime* (1928).

Par un temps de demoiselle,
Sur la frêle caravelle,
Mon aïeule maternelle,
Pour l'autre côté de l'Eau,
Prit la mer à Saint-Malo.

Son chapelet dans sa poche,
Quelques sous dans la sacoche,
Elle arrivait, par le coche,
Sans parure et sans bijou,
D'un petit bourg de l'Anjou.

Devant l'autel de la Vierge,
Ayant fait brûler le cierge
Que la Chandeleur asperge,
Sans que le cœur lui manquât,
La terrienne s'embarqua.

Femme de par Dieu voulue,
Par le Roy première élue,
Au couchant, elle salue
Ce lointain mystérieux,
Qui n'est plus terre ni cieux.

Et tandis que son œil plonge
Dans l'azur vague, elle songe
Au bon ami de Saintonge,
Qui, depuis un siècle, attend
La blonde qu'il aime tant.

De la partie angevine,
Où la menthe et l'aubépine
Embaumant val et colline,
La brise emporte un brin
De l'amoureux romarin.

Par un temps de demoiselle,
Un matin dans la chapelle,
Sous le poêle de dentelle,
Au balustre des époux,
On vit le couple à genoux.

Depuis cent et cent années,
Sur la tige des lignées,
Aux branches nouvelles nées,
Fleurit, comme au premier jour,
Fleur de France, fleur d'amour.

Ô mon cœur, jamais n'oublie
Le cher lien qui te lie,
Par-dessus la mer jolie,
Aux bons pays, aux doux liens,
D'où sont venus les Aïeux.

NÉRÉE BEAUCHEMIN, *Patrie intime*, 1928.

14. NOTRE LITTÉRATURE EN SERVICE NATIONAL

Camille Roy (1870-1943), pseudonymes: *Louis de Maizeret* et *Viator*. Né à Berthier-en-Bas (près de Montmagny), homme de lettres. Il fait ses études au petit séminaire de Québec, à l'Université Laval où il obtient un doctorat en philosophie, à l'Institut catholique de Paris et à la Sorbonne où il prépare une licence de lettres (1900). Occupe la chaire de littérature française à l'Université Laval où il est nommé recteur (1924-1927 et 1932-1938). Protonotaire apostolique et chevalier de la Légion d'honneur (1925). Membre et président (1928) de la Société Royale du Canada, président de la Société du Parler français au Canada, Mgr Roy est le fondateur des revues *L'Enseignement secondaire au Canada* (1915) et *Le Canada français* (1918). Prix David en 1924, il mérite une Médaille d'or de l'Académie française (1927). Auteur d'un nombre considérable d'essais, d'études et de discours, il a publié notamment *Essais sur la littérature canadienne* (1907), *Nos origines littéraires* (1909), *Propos canadiens* (1912), *La Critique littéraire au 19ᵉ siècle de Mme de Staël à Émile Faguet* (1918), *Manuel d'histoire de la littérature canadienne-française* (1918), *À l'ombre des érables* (1924), *Histoire de la littérature canadienne* (1930), *Pour conserver notre héritage français* (1937), *Pour former des hommes nouveaux* (1941).

Servir: telle doit être la mission d'un écrivain, et telle est la mission d'une littérature.

C'est pourquoi l'écrivain doit rester en contact étroit avec son pays et, si l'on peut dire, exister en fonction de sa race.

L'écrivain qui n'est pas enraciné au sol de son pays, ou dans son histoire, peut bien s'élever vers quelques sommets de l'art, monter vers les étoiles... ou dans la lune, mais il court le risque de n'être qu'un rêveur, un joueur de flûte, ou d'être inutile à sa patrie. Certes, je ne dis pas que seule la littérature patriotique, ou la littérature régionaliste, ou la littérature de terroir puisse servir la nation à laquelle appartiennent le poète ou le prosateur. Non! la littérature peut chercher son objet plus loin que l'horizon du pays où est né l'écrivain, et plus haut que les choses de ce pays ou les monuments de son histoire: elle peut aller même jusqu'aux étoiles; elle peut être, elle doit être encore et au besoin, humaine, c'est-à-dire qu'elle peut et doit dépasser toutes frontières, s'étendre à tout ce qui est digne de la pensée et de la destinée de l'homme. Servir l'humanité, n'est-ce pas, et d'une façon supérieure, servir son pays?

Seulement, alors même que l'écrivain porte sa pensée sur des sujets supérieurs à tout intérêt national, ou extérieurs à son pays, il ne peut pas, s'il est fortement original et sincèrement lui-même, ne pas mettre sur ces produits de sa pensée la marque de l'esprit national, et ne pas les imprégner des vertus de sa race. *Le Cid* de Corneille a beau être un sujet exotique de tragédie, il est un chef-d'œuvre français; les *Pensées* de Pascal ont beau être un sujet d'universelle philosophie, elles sont de telle sorte exprimées et mises en axiomes, qu'elles portent le sceau du génie de la France...

Il reste donc vrai de dire que la littérature pousse ses premières racines, et les plus profondes, dans la terre natale, et dans la vie spirituelle de la nation, et que, quelle que soit la fleur qu'elle produise, fleur d'humanité ou fleur du terroir, cette fleur porte en son éclat un reflet nécessaire de l'esprit qui l'a fait monter vers la lumière.

Je sais bien que chez nous l'on a reproché à nos écrivains de n'avoir pas toujours été assez eux-mêmes, et d'avoir trop souvent démarqué la littérature de France, et que ce reproche, en ce qui concerne surtout nos ouvrages d'imagination, comporte beaucoup de vérité; et que cette vérité constatée prouve soit l'insuffisance encore trop grande de nos moyens, soit une déviation de certaines disciplines intellectuelles. Mais je sais bien aussi que, malgré ce défaut d'imitation trop livresque dont peu à peu nous nous débarrasserons, notre littérature est dans une grande mesure, et dans la plus grande, canadienne. Elle a fatalement obéi à cette loi qui veut qu'une littérature, dans son ensemble, accompagne de ses œuvres et de son art les développements, les évolutions de la vie d'un peuple, et que son rôle prenne de ce fait une nécessaire valeur historique.

Depuis Étienne Parent[1] qui créa notre journalisme, et depuis Garneau[2] qui écrivit notre première histoire; depuis Crémazie[3] qui composa le poème du *Vieux Soldat*, depuis Fréchette[4] qui chanta notre héroïque *Légende*; et depuis Pamphile Le May[5] qui parfuma des odeurs du terroir ses strophes familières; depuis de Gaspé[6] qui raconta nos *Anciens Canadiens* et Arthur Buies[7] qui burina ses vives *Chroniques*; depuis tous ces pionniers de nos lettres jusqu'aux écrivains qui aujourd'hui, dans le domaine de l'histoire, de la poésie, du roman, de la philosophie et de l'éloquence, produisent une œuvre toujours meilleure, notre littérature s'est appliquée aux choses de chez nous, elle s'est alimentée principalement de substance canadienne. Malgré certaines naïves ou trop serviles imitations, elle fut, en somme, et en son fond, une littérature canadienne.

Depuis ses origines jusqu'à nos jours, notre littérature canadienne-française est en service national.

CAMILLE ROY, *Études et Croquis*, 1928.

1. **Étienne Parent**: *voir chapitre 2, texte 4.*
2. **Garneau**: *François-Xavier Garneau, voir chapitre 3, texte 4.*
3. **Crémazie**: *Octave Crémazie, voir chapitre 3, texte 14.*
4. **Fréchette**: *Louis Fréchette, voir le texte 1 du présent chapitre.*
5. **Pamphile Le May**: *poète et romancier québécois contemporain de Fréchette.*
6. **De Gaspé**: *Philippe Aubert de Gaspé, voir chapitre 3, texte 12.*
7. **Arthur Buies**: *voir le texte 4 du présent chapitre.*

15. JE SUIS UN FILS DÉCHU

Alfred Desrochers (1907-1978). Né à Saint-Élie d'Orford (près de Sherbrooke). Poète et journaliste. Après quelques années d'études au Collège séraphique des Trois-Rivières, il travaille à *La Tribune* de Sherbrooke, puis fonde *L'Étoile de l'Est* à Coaticook. Après un séjour dans les forces armées et après avoir occupé un poste de traducteur à Ottawa, il travaille à *La Presse canadienne* et à la télévision. Il est le père de Clémence Desrochers (voir chapitre 5, texte 51). Prix d'Action intellectuelle (1930) et Prix David (1932) pour son recueil *À l'ombre de l'Orford* (1930), Prix Duvernay (1964) pour l'ensemble de son œuvre qui comprend: *L'Offrande aux vierges folles* (1928), *Paragraphes* (1931), *Le Retour de Titus* (1963) et *Élégies pour l'épouse en allée* (1967).

Je suis un fils déchu de race surhumaine,
Race de violents, de forts, de hasardeux,
Et j'ai le mal du pays neuf, que je tiens d'eux,
Quand viennent les jours gris que septembre ramène.

Tout le passé brutal de ces coureurs des bois:
Chasseurs, trapeurs, scieurs de long, flotteurs de cage,
Marchands aventuriers ou travailleurs à gages,
M'ordonnent d'émigrer par en haut pour cinq mois.

Et je rêve d'aller comme allaient les ancêtres:
J'entends pleurer en moi les grands espaces blancs,
Qu'ils parcouraient, nimbés de souffles d'ouragans,
Et j'abhorre comme eux la crainte des maîtres.

Quand s'abattait sur eux l'orage des fléaux,
Ils maudissaient le val, ils maudissaient la plaine,
Ils maudissaient les loups qui les privaient de laine:
Leurs malédictions engourdissaient leurs maux.

Mais quand le souvenir de l'épouse lointaine
Secouait brusquement les sites devant eux,
Du revers de leur manche ils s'essuyaient les yeux
Et leur bouche entonnait: « À la claire fontaine »...

Ils l'ont si bien redite aux échos des forêts,
Cette chanson naïve où le rossignol chante,
Sur la plus haute branche, une chanson touchante,
Qu'elle se mêle à mes pensers les plus secrets :

Si je courbe le dos sous d'invisibles charges,
Dans l'âcre brouhaha de départs oppressants,
Et si, devant l'obstacle ou le lien, je sens
Le frisson batailleur qui crispait leurs poings larges ;

Si d'eux, qui n'ont jamais connu le désespoir,
Qui sont morts en rêvant d'asservir la nature,
Je tiens ce maladif instinct de l'aventure,
Dont je suis quelquefois tout envoûté, le soir ;

Par nos ans sans vigueur, je suis comme le hêtre
Dont la sève a tari sans qu'il soit dépouillé,
Et c'est de désirs morts que je suis enfeuillé,
Quand je rêve d'aller comme allait mon ancêtre;

Mais les mots indistincts que profère ma voix
Sont encore: un rosier, une source, un branchage,
Un chêne, un rossignol parmi le clair feuillage,
Et comme au temps de mon aïeul, coureur des bois,

Ma joie ou ma douleur chantent le paysage.

ALFRED DESROCHERS,
À l'ombre de l'Orford, 1930.

DOCUMENT 6

BILAN CULTUREL DE LA CONFÉDÉRATION

La synthèse historique établit clairement les deux attitudes prolongées du conquérant britannique à l'égard des descendants des colons français confiés à sa tutelle, en 1763. L'attitude de Londres, dès le lendemain du Traité de Paris (1763) et jusqu'à l'Union des deux Canada (1840), a toujours été celle d'une détermination à l'anéantissement culturel du petit peuple vaincu. C'est dans un effort commun d'émancipation politique (la conquête du gouvernement responsable ou de l'autonomie) que les Anglo-Canadiens, en 1848, ont consenti à inaugurer leur politique de tolérance envers la survivance de la culture française par la reconnaissance d'une « réserve française » dans le Bas-Canada. En 1867, ils ont solennellement consacré cette reconnaissance en se ralliant à la formule du « provincialisme culturel », qui, tout en accordant à la population française de l'État québécois un contrôle politique et financier sur son destin culturel distinctif, permettait à la majorité anglo-canadienne d'installer le règle exclusif de la culture anglaise dans le reste du pays.

En résumé, on peut donc affirmer que le « compromis de 1867 » compromet à la fois l'avenir culturel des deux communautés linguistiques et l'épanouissement des deux cultures, anglaise et française, à l'effort commun desquelles le Canada doit d'être aujourd'hui ce qu'il est.

(ALBERT LÉVESQUE, **La Dualité culturel au Canada**, Montréal, éd. A. Lévesque, 1959, pp. 167-168.)

16. LE PAYSAN CANADIEN-FRANÇAIS

Édouard Montpetit (1881-1954). Né à Montmagny, économiste et essayiste.
Après ses études au collège de Montréal, à la faculté de droit de l'université
Laval où il obtient un doctorat, il va à Paris, à l'École libre des sciences politiques et au Collège des sciences sociales. Reçu avocat en 1904, il occupe la
chaire d'économie politique à l'université de Montréal, puis est élu doyen et
directeur de la faculté des sciences sociales, économiques et politiques, vice-
président du comité France-Québec, rédacteur en chef de *La Revue trimes-
trielle*. Occupe également pendant plusieurs années le poste de directeur général
de l'Enseignement technique de la province de Québec. Officier de la Légion
d'honneur et de l'Instruction publique (France), chevalier de l'Ordre de Léopold
de Belgique, membre de la Société Royale du Canada et de la Société coloniale
de France. Il a donné son nom à un CEGEP de Montréal. Il publie de nombreux
essais et conférences parmi lesquels on trouve: *Au service de la tradition française* (1920), *Pour une doctrine* (1931), *La Conquête économique* (1938-1942),
Propos sur la montagne (1946).

Certes, nous n'aurons pas l'outrecuidance de nous croire supérieurs à ceux
que le sort nous a imposé de coudoyer. Nous avons nos supériorités à nous;
elles remontent assez haut pour être des titres suffisants. Elles sont des faits
que l'histoire a confirmés. Nous avons nos supériorités; les connaître nous
justifie de les admirer et de les défendre. Si nous nous comparons, nous n'avons
pas beaucoup à envier à autrui.

J'ai surpris naguère le sourire gouailleur d'une figure hautaine à la vue de
nos campagnes paisibles. Avec une morgue de nouveau riche, elle murmurait
ce dédain: «Ces gens en sont encore à cent ans en arrière; ils n'ont pas
avancé d'un pas: ils sont morts.»

Morts à quoi? Car il faut s'entendre à la fin. Ces petites gens sont rou-
tiniers; mais ils ont conservé leur rêve dans les bornes de sa beauté. Ils sont
d'une délicieuse survivance. Approchez-vous d'eux: questionnez-les; regardez-
les. Ce sont des Français. Rudesse, solidité, entêtement; tout cela mêlé à une
noblesse de cœur, à une délicatesse de sentiment que le passé leur a transmis,
car ils sont d'un lignage très pur. Ils sont aussi, eux, une civilisation; et la philosophie n'a pas encore tranché entre la leur et celle qui menace de faire de nous
des mécaniques intensives. Ils sont une barrière à l'envahissement de l'américanisme le moins enviable, celui qui n'a pas d'idée, l'américanisme hâbleur.

Ils sont d'une famille et perpétuent ce que les musées des plus riches veulent reconstituer dans des ensembles morts. Ils gardent le flambeau. Ce que d'autres recherchent dans le temps pour en parer leurs maisons d'hier, ils le portent en eux, comme une toile rare, un vieux meuble, la page résistante d'un livre que personne n'a refermé. Ils peuvent et doivent apprendre, et tous le leur conseillent; mais qu'ils restent ce qu'ils sont. Ils possèdent quelque chose que d'autres ont perdu: la race; quelque chose que toutes les fortunes ne ressusciteront jamais: la vie. Et je ne sais si c'est un tel paradoxe de prétendre que, au point de vue social, un paysan du Saint-Laurent vaut un milliardaire de New York.

ÉDOUARD MONTPETIT, *Pour une doctrine,* 1931.

17. POÈMES

Jean Narrache (1893-1970), pseudonyme d'*Émile Coderre*. Né à Montréal, pharmacien et poète. Il fait ses études au séminaire de Nicolet et à l'École de pharmacie de l'université Laval à Montréal où il obtient sa licence en 1919. Devant abandonner sa profession pour cause de maladie, il devient bibliothécaire au ministère de la Santé; il demeure cependant lié au Collège des pharmaciens du Québec en tant que secrétaire, jusqu'en 1961.

Œuvres: *Les signes sur le sable* (1922), *Quant j'parl' tout seul* (1933), *Histoire du Canada* (1937), *J'parl' pour parler* (1939), *Bonjour les gars* (1948), *J'parl' tout seul quand Jean Narrache* (1961), *Jean Narrache chez le diable* (1963), *Rêveries de Jean Narrache* (s.d.).

1. Notre fête nationale

C't'aujoud'hui la Saint-Jean-Baptiste
c'est l'jour qu'on promèn' notr' mouton[1]:
faut qu'le peupl' canayen s'réjouisse
d'avoir un Juif pour son patron.

1. Mouton: *voir le texte 8 du présent chapitre.*

L'mouton c'est notre emblèm', bondance[2]!
Ça nous ressembl' comm' deux goutt's d'eau.
Ça suit toujours, ça pas d'défense,
ça s'laiss' manger la lain' su' l'dos.

2. Bondance: *juron.*

On fait l'élog' de nos grands-pères
dans des discours patriotards.
J'crois qu'si les vieux r'venaient su' terre
Y nous flanqu'raient leu pied quequ'part.

On est tout un peupl' de mitaines;
on s'laiss' m'ner par le bout du nez.
On veut mêm' pas s'donner la peine
de défendr' c'qui nous ont donné.

3. Vingt-quatr' juin:
fête nationale des
Québécois.

On fait des discours magnifiques
pis des processions l'vingt-quatr' juin[3],
mais nos élans patriotiques
sont déjà oubliés l'lend'main.

On crie: «Encourageons les nôtres!
«Soyons des frèr's! Mercier[4] l'a dit.»
Mais les plus gueulards d'ces apôtres
s'habill'nt chez les Juifs à crédit.

4. Mercier: *Honoré*
Mercier, Premier
ministre de la
Province de Qué-
bec à la fin du
19e siècle.
5. Torvisse: *juron.*
6. Eaton: *grande*
chaîne de maga-
sins.

C'est ça notr' grand patriotisse;
des mots, du vent pis des drapeaux,
pis, mêm' ces drapeaux-là, torvisse[5]!
vienn'nt d'chez Eaton[6] de Toronto —!

JEAN NARRACHE, *Quand j'parl' tout seul,* 1932.

2. Hommage des gueux à la France

Nous autr's, les gueux qu'ont pas eu d'chance
Et qui viv'nt comment, l'bon Yeu l'sait,
On peut pas fair' des conférences
Ni des discours à tout casser
Comm' les messieurs qu'ont d'l'importance
Et qui sav'nt comment bavasser.
Mais quand on entend: «Viv' la France!»
Nos cœurs de gueux sont boul'versés.

Nous autr's, on a pas d'éloquence
Pour tourner des vers ben troussés;
Paraît qu'on exprim' mal c'qu'on pense
Et qu'notr'langag' peut offenser.
Mais ça, ça fait pas d'différence
Pourvu qu'on ait l'cœur ben placé.
Et quand on entend: «Viv' la France!»
Nos cœurs de gueux sont boul'versés.

D'puis qu'on a l'âg' de connaissance,
Depuis l'temps qu'nos mèr's nous berçaient
On gard'l'amour et la souv'nance
De nos vieux qu'étaient des Français
Et des gars d'courage et d'vaillance.
C'est pas nous autr's qu'oublient l'passé !
Et quand on entend : « Viv' la France ! »
Nos cœurs de gueux sont boul'versés.

Dans nos gaietés, dans nos souffrances,
Dans nos chansons, on rest'Français
Et quand on prie l'Dieu d'nos croyances,
C'est p't-être en mots mal prononcés ;
C'est en vieux mots qui vienn'nt de France
Et qu'les aïeux nous ont laissés.
Et quand on entend : « Viv' la France ! »
Nos cœurs de gueux sont boul'versés.

JEAN NARRACHE, *J'parl'pour parler,* 1939.

18. NOSTALGIE DU PAYSAN

Claude-Henri Grignon (1896-1975), pseudonymes: *Gaston d'Aubécourt, Claude Bâche, Caïn Marchenoir* et *Valdombre*. Né à Sainte-Adèle (près de Montréal), journaliste et romancier. Agent des douanes à Montréal et fonctionnaire pendant quelque temps, maire de Sainte-Adèle en 1941, il est surtout journaliste. Il collabore à *L'Avenir du Nord, Le Nationalisme, La Minerve, La Nation de Québec, Le Canada, Le Petit Journal, Le Bulletin des Agriculteurs*. En 1936, il fonde un périodique: *Les Pamphlets de Valdombre*. Membre de l'École littéraire de Montréal, membre de la Société Royale du Canada, Prix David en 1936, Grignon est l'auteur d'*Un homme et son péché* (1933); l'adaptation radiophonique (1939) et télévisée (années 1950-1960) de ce roman a connu un très grand succès. Son œuvre comprend aussi *Le Secret de Lingbergh* (1928), *Ombres et clameurs* (1933) et *Le Déserteur* (1934).

L'été tomba sur la ville. On respirait à peine, et la poussière des rues, s'envolant au passage des voitures, rendait l'atmosphère plus lourde et plus insalubre encore.

À l'heure du crépuscule, qu'on ne voyait, du reste, jamais, Isidore venait s'asseoir sur les marches du perron, espérant sentir un peu de brise. D'un air béat il regardait couler le flot du peuple, la troupe des travailleurs aux traits jaunes et fatigués, tous les crève-la-faim et tous les phtisiques traînant leurs pieds sur le macadam en feu. Le malheureux de fermer alors les yeux devant cette misère. Aussitôt sa nostalgie l'entraînant vers la petite ferme d'en haut, entourée d'érables et de peupliers que faisaient chanter le vent du soir. De retour des champs, fatigué il est vrai par les travaux et le soleil vertical, il trouvait cependant la fraîcheur dans la maison aux volets fermés, et sur la table la crème épaisse, les framboises mûres et le pain chaud. C'était ensuite le repos engourdissant, goûté dehors en face de la Rivière-aux-Lièvres, dont les eaux mauves coulaient sans bruit entre deux rives de sable ou de collines vertes.

Il revoyait ainsi que dans la plus nette réalité, les oiseaux crépusculaires planer au-dessus de sa tête. Le bois-pouri, surtout, décrivant de larges cercles entrelacés pour venir s'abattre ensuite sur le pignon de la grange, d'où il lançait ses trois syllabes lugubres: *bois-pour-ri, bois-pour-ri*. Et le leitmotiv allait mourir en douceur au fond de la vallée que l'ombre paraissait agrandir.

L'ancien paysan, assis sur le seuil de son logis de la rue Saint-Dominique, passait ainsi des heures à se rappeler les jours de là-bas, la richesse de la ferme avec la venue lente et formidable des troupeaux.

« Une des premières conditions de bonheur, songeait-il, c'est de jouir du ciel, de l'air pur et du soleil. C'est de voir de l'herbe mouvante comme une étendue d'eau et de regarder les bêtes heureuses manger cette herbe. »

Pas une seule fois depuis qu'il demeurait à la ville, il n'avait perçu le lever ou le coucher du soleil. Plus d'arbres, plus de fleurs, jamais une grappe de ce vert si frais à l'âme et aux yeux. Ici, il n'aspirait que la poussière des rues, la fumée des usines, seul au milieu du bruit, de l'indifférence et d'une lutte effroyable pour gagner le pain de chaque jour. Quel enfer !

Triste jusqu'à la mort, le transplanté entrait se coucher à l'heure où, à Montréal, et surtout dans ce quartier populeux, la vie de plaisirs et de fièvre commençait seulement. Toutefois, il ne se reposait pas. Il ne dormait plus et mangeait mal.

« Tu es malade et tu te fais des tracas pour rien », lui avait dit sa femme.

Isidore ne répondait pas, se contentant de soupirer dans l'atmosphère d'étuve, où l'air, la nuit, était si rare que le rideau de dentelles dans la fenêtre ouverte ne bougeait même pas. Une telle existence conduisait à l'abrutissement total. Il fallut y parer.

Vers la fin de juillet on décida d'acheter une automobile, un vieux modèle Ford, qu'on paya quand même $400. On irait se promener à la campagne; on reverrait des champs, des arbres, des fleurs et du ciel bleu, cette coupe de cristal renversée au-dessus des hommes au poing barbare.

CLAUDE-HENRI GRIGNON, *Le Déserteur et autres récits de la terre*, 1934.

19. LE BAL DU GOUVERNEUR

Jean-Charles Harvey (1891-1967). Né à La Malbaie, journaliste et écrivain. Après des études chez les Jésuites, il travaille de longues années à *La Patrie*, puis à *La Presse*, au *Star* et au *Soleil* où il est rédacteur en chef de 1925 à 1934. Collaborateur à *La Machine agricole*, il fonde un hebdomadaire politique et littéraire *Le Jour* (1934-1946).
Prix David en 1929 pour ses contes et nouvelles *L'Homme qui va,* il a publié plusieurs essais, romans, nouvelles, dont, notamment, *Marcel Faure* (1922), *Sébastien Pierre* (1935), *Art et combat* (1937), *Les grenouilles demandent un roi* (1943), *Visages du Québec* (1964) et *Des bois... des champs... des bêtes...* (1965). Harvey est également l'auteur du roman *Les Demi-Civilisés* (1934) qui a provoqué un scandale au moment de sa parution et qui lui a valu d'être renvoyé du *Soleil*.

Un soir, je dus me rendre au bal du gouverneur, à la Citadelle[1]. Ministres, sénateurs, députés, conseillers législatifs, juges, fonctionnaires, hommes de profession, commerçants et industriels défilèrent jabotés et gantés, devant Leurs Excellences. Le gouverneur était un Anglais de race, à face étroite, une tête de lévrier russe. Il souriait dignement à cette foule, devant laquelle il s'efforçait, avec succès, de passer pour le plus démocrate des hommes. Sa femme le secondait bien. Mise avec beaucoup de simplicité, elle disait un bon mot à toutes les dames qu'elle connaissait. On vit jusqu'à quel point ces nobles Anglais s'adaptent à tous les milieux, quand, à la fin de la nuit, ils donnèrent le signal des dernières danses et battirent la mesure de leurs mains pour entraîner tout le monde. Ces manières démagogiques de l'Angleterre nouvelle sont au goût surtout des coloniaux, qui se sentent rehaussés par de telles familiarités.

Du fond de la salle de danse, Lucien Joly vint vers moi. Il était en verve et faisait sur plusieurs personnes de piquantes remarques:

— Regarde-moi cet échevin Tranchemontagne! C'est lui qui, sans avoir jamais lu que l'almanach de la Mère Seigel, s'est monté une bibliothèque magnifique, où les livres, reliés en plein chagrin, portent, sur le dos, en lettres d'or, son propre nom.

— Comme s'il avait signé ces livres?

— Il faut que tu ailles chez lui pour voir ça. Tu lirais ceci, sur certain rayon: «*Oraisons funèbres*», et, au-dessus de ce titre: «Émile Tranchemon-

1. La Citadelle: *place forte militaire située à Québec.*

tagne ». Bossuet ? Connaît pas ! Il en est de même de certains mémoires célèbres, qui, au lieu de la griffe de Chateaubriand, portent celle de notre aigle municipal... Tiens, voici le député Brisefer. C'est lui qui, recevant d'Europe une copie de la Vénus de Milo, poursuivit la compagnie de transport pour avoir cassé et perdu les deux bras de la déesse. En voici un autre qui a son histoire : la semaine dernière, il demandait à mon libraire un livre de Bourget[2], en disant : « Vous comprenez, je veux encourager les auteurs canadiens. Ça fait partie de la compagne de *l'achat chez nous.* » Celui-là, qui donne la main au gouverneur, c'est le fameux Couvé. Quand il décida de se livrer à la politique, il n'avait que sa culotte et il la devait. Il « vaut » aujourd'hui un demi-million. Il est le roi du patronage. Regarde-moi ce visage de fouine, Maréchal. Il n'y a pas à dire, il n'est pas bête. Il a été élu trois fois de suite par acclamation, et il s'en vante. Il oublie de dire combien il lui en a coûté, chaque fois, pour faire retirer la candidature de son adversaire.

La procession continuait. Lucien avait un trait pour tous. Trois ou quatre seulement trouvèrent grâce. C'étaient des chefs intelligents, dévoués et sincères, qui traînent derrière eux une cohorte de médiocres, de hâbleurs, de faibles, et, dans plusieurs cas, de prévaricateurs.

— Tu crois que ce spectacle désolant me guérit de la démocratie, ajoutait Lucien. Tu te trompes. Dans la désolation des parlements apparaissent toujours quelques hommes de premier plan, qui dominent par leur jugement et leur énergie et qui régentent les imbéciles. Un homme par gouvernement, deux au plus, ça suffit. Les cancres eux-mêmes prouvent leur utilité en soignant, chacun, leur petit jardin électoral. La peur est leur maître. C'est elle qui les force à une sorte de dévouement intéressé, qui va du jour de l'an à la Saint-Sylvestre[3]. C'est pour cette raison que les démocraties sont capables de bonheur. Mais trêve de politique ! Parlons des femmes. Ce qu'elles sont jolies, ce soir !

JEAN-CHARLES HARVEY, *Les Demi-Civilisés*, 1934.
Montréal, Éd. de l'Actuelle, 1970, pp. 131-134.

2. Bourget : *Paul Bourget, écrivain français de la fin du 19e siècle.*

3. Saint-Sylvestre : *le 31 janvier.*

20. LES DRAVEURS

Félix-Antoine Savard. Né en 1896 à Québec. Romancier, poète, dramaturge, conteur et folkloriste. Ordonné prêtre en 1922, il devient professeur de rhétorique, puis nommé vicaire à Bagotville et à Sainte-Anne-de-Charlevoix. Après avoir fondé la paroisse de Saint-Philippe-de-Clermont dans le Nord du Québec, il est nommé professeur de littérature française à l'université Laval et doyen de la faculté des lettres (1950-1957).

Membre de la Société Royale du Canada et de l'Académie canadienne-française, son œuvre lui a valu une Médaille de l'Académie française (1938), le Prix David (1939), la Médaille Lorne Pierce pour *L'Abattis* (1937), le Prix du Gouverneur général pour *Le Barachois* (1959), et le Prix du Grand Jury des Lettres (1961). Son œuvre comprend notamment des romans: *La Minuit* (1948), *Martin et le Pauvre* (1959), des pièces de théâtre: *La Dalle-des-Morts* (1965) et *La Folle* (1960), des recueils de poésie: *Symphonie du Misereor* (1968) et *Le Bouscueil* (1972). *Menaud maître-draveur* (1937) est considéré comme un classique de la littérature québécoise.

Les tentes avaient été dressées une quinzaine de jours auparavant par les draveurs du «temps de glace».

On appelait ainsi, au pays du Québec, ceux qui, dès la première fonte des neiges, vont ouvrir les chenaux des rivières et préparer la grande drave[1].

C'est, de toutes, la corvée la plus dure et la plus hasardeuse.

Les hommes ont à se battre contre le froid, la neige et l'eau.

D'une étoile à l'autre, ils doivent dégager les billes encavées[2] dans la glace, courir sur le bois en mouvement, s'agripper aux branches, aux rochers de bordure quand l'eau débâcle et qu'elle veut tout emporter comme une bête en furie.

On les vit revenir à la brunante[3], trempés jusqu'aux os, grelottant dans leurs hardes[4] que le froid avait raidies.

Les deux équipes échangèrent des amitiés et se précipitèrent vers la mangeaille, sous l'appentis de toile.

Il faisait maintenant nuit.

Tout autour, les montagnes déjà noires encerclaient d'une sombre margelle le puits des étoiles claires.

Menaud s'informa des mouvements de l'eau, du bois et du travail des hommes.

1. Drave: *flottage du bois.*

2. Encavées: *prises.*

3. À la brunante: *après le crépuscule, à la nuit tombée.*

4. Hardes: *nullement péjoratif au Québec.*

Après quoi, pour se divertir un peu de toutes les misères qui s'annonçaient, les draveurs allumèrent un feu sous les épinettes.

On eût dit que la flamme réveillait le sang engourdi de cette race.

Sous les branches toutes flétries d'étincelles, dès que le Bourin eut embouché sa musique et battu des pieds, ce fut une débâcle, une poussée de gestes de délivrance et comme une revanche de ces âmes que les fatigues et le froid avaient rendues inertes.

Aussitôt qu'un danseur s'épuisait, un autre reprenait la gigue[5] : visage en flammes, cris ardents, regards perdus vers un rêve mystérieux entrevu dans l'entrelacement des branches embrasées où les génies du feu dessinaient, à la complaisance de chacun, les figures qu'il aimait revoir.

Tout cela semblait remonter de la profondeur du sang.

Tout cela rappelait que les pères avaient été, d'un océan à l'autre, et même dans tous les périls, les plus gais des hommes, les fidèles échos de ce monde sonore, les amants passionnés de cette nature aux belles images sans cesse renouvelées, à laquelle, tous, dans la plaine, sur la rivière ou la montagne, dans la

neige ou les jouailleries du printemps, ils avaient chanté une chanson d'amour et un hymne de liberté.

Personne ne parlait plus de drave maintenant.

La danse allait, légère, sur la pointe des pieds, comme pour un envol, et vêtue de feu.

Délivrés, inlassables, ils exprimaient, chacun, sa vie propre. Ils révélaient par les bras, les pieds, les yeux, les cris poussés dans la frénésie des cadences, ce qu'ils avaient reçu du passé et appris par eux-mêmes; ils animaient d'une sorte de lyrisme sauvage tout ce décor de misère.

Une brume froide, lente, étendait maintenant son apaisement sur les choses et les hommes...

On raviva les feux.

Ils se mirent à crier tous: « Alexis! Alexis!»

Il sortit son violon, qu'il avait fait lui-même dans un sapin de montagne.

Il releva les vagues de sa chevelure brune, frappa plusieurs fois la terre de son pied pour en faire sourdre un rythme.

On avait fait silence autour de lui.

Alors, il se mit à faire parler les cordes.

Dieu! si elles en savaient une chanson, puis une autre.

Repliés sur eux-mêmes et muets, les hommes complétaient, en leur songe, cette musique où passaient les images de leur vie.

Menaud, durant toute cette fête, n'avait point bougé. Il était assis à l'écart, bourrant d'innombrables pipes, moins attentif aux danseurs qu'au fond de scène que faisaient derrière eux les paroles du beau livre [6]: «Nous avions apporté dans nos poitrines le cœur des hommes de notre pays, vaillant et vif, aussi prompt à la pitié qu'au rire, le cœur le plus humain de tous les cœurs humains. Il n'a pas changé.»

Puis, alors que les hommes, lentement, semblaient s'enfoncer dans les ténèbres de la nuit, le vieux maître-draveur se leva soudain, lança quelques bûches dans le brasier et commença de parler comme s'il eût été à lui seul tout un peuple et qu'il eût vécu depuis des siècles.

Les randonnées des coureurs des bois, les portages, les rapides, tout le pays qu'on avait découvert, tout ce qu'avaient enduré, explorateurs, colons, missionnaires, il dépeignait tout cela avec ses mots, ses gestes à lui, comme si tout s'était passé dans son temps entre le rang de Mainsal et le mont Basile.

Les hommes, eux, suivaient le récit avec une sorte de regret: toutes ces belles choses ne reviendraient sans doute jamais plus!

Ainsi parla Menaud et tard dans la nuit, prenant à témoin les forêts, les plaines, les monts, le grand fleuve nourricier, que les âmes des aïeux étaient grandes et que c'était pour eux, leurs fils, qu'ils avaient fait cette terre, pour eux...

6. Le beau livre: *Maria Chapdelaine de Louis Hémon: voir le texte n° 9 du présent chapitre.*

FÉLIX-ANTOINE SAVARD,
Menaud maître-draveur, 1937.
Montréal-Paris, Fides, 1937, pp. 55 à 62.

21. POÈMES

Hector de Saint-Denys Garneau (1912-1943) Né à Montréal, arrière-petit-fils de l'historien François-Xavier Garneau. Après ses études chez les Jésuites et un court voyage à Paris, il se retire, malade, au manoir familial de Sainte-Catherine de Fossambault où il vit une aventure spirituelle d'une grande intensité. Il est trouvé mort dans le ruisseau du domaine familial. Il avait participé activement à la vie intellectuelle du groupe de *La Relève.* C'est en 1937 qu'il publie son unique recueil de poèmes, *Regards et jeux dans l'espace,* considéré depuis comme l'un des monuments de la poésie québécoise.

1. Jeux

Je ne suis pas bien du tout assis sur cette chaise
Et mon noir malaise est un fauteuil où l'on reste
Immanquablement je m'endors et j'y meurs.

Mais laissez-moi traverser le torrent sur les roches
Par bonds quitter cette chose pour celle-là
Je trouve l'équilibre impondérable entre les deux
C'est là sans appui que je me repose.

2. Faction

On a décidé de faire la nuit
Pour une petite étoile problématique
A-t-on le droit de faire la nuit
Nuit sur le monde et sur notre cœur
Pour une étincelle
Luira-t-elle
Dans le ciel immense désert

On a décidé de faire la nuit
pour sa part
De lâcher la nuit sur la terre

Quand on sait ce que c'est
Quelle bête c'est
Quand on a connu quel désert
Elle fait à nos yeux sur son passage

On a décidé de lâcher la nuit sur la terre
Quand on sait ce que c'est
Et de prendre sa faction solitaire
Pour une étoile encore qui n'est pas sûre

Qui sera peut-être une étoile filante
Ou bien le faux éclair d'une illusion
Dans la caverne que creusent en nous
Nos avides prunelles.

3.   Cage d'oiseau

Je suis une cage d'oiseau
Une cage d'os
Avec un oiseau

L'oiseau dans ma cage d'os
C'est la mort qui fait son nid

Lorsque rien n'arrive
On entend froisser ses ailes

Et quand on a ri beaucoup
Si l'on cesse tout à coup
On l'entend qui roucoule
Au fond
Comme un grelot

C'est un oiseau tenu captif
La mort dans ma cage d'os

Voudrait-il pas s'envoler
Est-ce vous qui le retiendrez
Est-ce moi
Qu'est-ce que c'est

Il ne pourra s'en aller
Qu'après avoir tout mangé

Mon cœur
La source du sang
Avec la vie dedans

Il aura mon âme au bec.

4. Accompagnement

Je marche à côté d'une joie
D'une joie qui n'est pas à moi
D'une joie à moi que je ne puis pas prendre

Je marche à côté de moi en joie
J'entends mon pas en joie qui marche à côté de moi
Mais je ne puis changer de place sur le trottoir
Je ne puis pas mettre mes pieds dans ces pas-là
              et dire voilà c'est moi

Je me contente pour le moment de cette compagnie
Mais je machine en secret des échanges
Par toutes sortes d'opérations, des alchimies,
Par des transfusions de sang
Des déménagements d'atomes
            par des jeux d'équilibre

Afin qu'un jour, transposé,
Je sois porté par la danse de ces pas de joie
Avec le bruit décroissant de mon pas à côté de moi
Avec la perte de mon pas perdu
                 s'étiolant à ma gauche
Sous les pieds d'un étranger
                 qui prend une rue transversale.

HECTOR DE SAINT-DENYS GARNEAU,
Regards et jeux dans l'espace, 1937.
Montréal, P.U.M., 1971, pp. 3, 27, 33, 34.

22. L'ATTENTE

Lionel Groulx (1878-1967). Né à Vaudreuil près de Montréal. Ordonné prêtre, il devient professeur de lettres à Valleyfield, puis professeur d'histoire à l'université de Montréal. C'est là que commence sa longue carrière d'historien national du Québec moderne. Engagé dans l'action, il participe à tous les combats sans interrompre ses activités d'intellectuel. Il peut être considéré comme le père du nationalisme moderne au Québec et le maître à penser de plusieurs générations d'intellectuels et d'hommes d'action. Son œuvre colossale comprend notamment: *Nos luttes constitutionnelles* (1916), *Lendemains de conquête* (1920), *Chez nos ancêtres* (1920), *Notre maître le passé* (1924, 1936, 1944), sa célèbre *Histoire du Canada français* (1950), *Notre grande aventure : L'Empire français en Amérique du Nord* (1958) et ses *Mémoires* posthumes publiés entre 1970 et 1974. Membre fondateur de l'Académie canadienne-française.

1. Gangue: *carcasse.*

L'important, c'est de nous arracher à notre gangue [1], de ne pas rejeter les lois profondes et essentielles de l'esprit. Et alors une chose est sûre: une civilisation jaillira de nous. Quelles en seront les œuvres? En quelles formes précises s'exprimeront la pensée et la sensibilité canadiennes-françaises? Quand naîtra l'œuvre de génie? Après combien d'épures? Une chose encore est certaine: toutes les formes artistiques, tous les signes extérieurs par lesquels se traduisent une culture ou une civilisation: littérature, architecture, musique, peinture, sculpture, langage, enseignement, mœurs, traditions, mobilier, costume, tout cela sera à l'empreinte de l'espèce d'hommes que nous serons restés, tout cela brillera des qualités de fond du génie culturel. Tout cela, par conséquent, quoique éminemment original, portera la marque d'un style authentiquement français et aura grand air. Quant au chef-d'œuvre, impatiemment souhaité, nous aurons conquis le droit de l'attendre. Et il viendra. Il ne nous manquera plus que le don d'un grand esprit, d'un grand artiste, don privilégié que la Providence ne prodigue pas à foison, même aux vieilles et grandes nations; et, l'un de ces jours, un jour fortuné, sans qu'il ait été nécessaire, de cracher notre âme, ni de prendre la fausse voix du rénégat, la joie, l'orgueil nous seront donnés, joie plus enivrante, j'imagine, pour un petit peuple, plus que pour tout autre, de saluer une forme d'art, pure et géniale, une image impérissable de nous-mêmes.

La culture, a dit Malraux, est l'héritage de la qualité du monde. Il nous resterait à demeurer une certaine espèce d'hommes: espèce qui aurait gardé à l'esprit sa primauté et qui aura aussi le culte des civilisations bien faites. En toute histoire humaine, une heure sonne : l'heure d'une grande époque. Il n'est que de la préparer et de savoir la saisir. Le siècle de Périclès[2] n'a duré que trente ans.

LIONEL GROULX, *Notre mission française*, 1941.
Montréal-Paris, Éd. Fides, 1964, pp. 150-151.

2. Périclès : *homme d'État qui fit de son règne l'époque la plus brillante de la Grèce antique (5e siècle av. J.-C.).*

23. Poèmes

Alain Grandbois (1900-1975). Né à Saint-Casimir de Portneuf près de Québec d'une riche famille. Grâce à la fortune familiale, il passe sa vie à voyager dans tous les continents du monde et publie ses premiers poèmes en Chine en 1934. Avec ses recueils, *Les Îles de la nuit* (1944), *Rivages de l'homme* (1948) et *L'Étoile pourpre* (1957), il est considéré comme le père de la poésie moderne au Québec. Il a en outre publié des ouvrages de prose: *Né à Québec* (1933), *Les Voyages de Marco Polo* (1942), *Avant le chaos* (1945). Membre fondateur de l'Académie canadienne-française (1944).

1. C'est à vous tous...

C'est à vous tous que je fais appel
Ô beaux Visages de mon passé
C'est à vous tous et à chacun de vous
Je sais que vous entendrez ma voix de pierre sourde
Je sais que ma voix ébranlera les voiles de plomb
Je sais que vous surgirez de l'ombre aux destins engloutis
Je sais que vous secouerez les cendres de vos chevelures mortes
Je sais que vous ardentes prunelles viendront incendier mes ultimes nuits

Je fais appel à vous tous du fond de mon exil
Je ne vous avais trahis que pour une nouvelle blessure
Je ne vous avais trahis qu'une fois
Je ne vous avais trahis que pour une cicatrice ancienne
Mais plus que vous j'ai saigné de mes abandons
Et cette dure faim d'un plus mortel plongeon
Je l'ai nourrie des mille mains de mon épouvante

Ô mes beaux Visages avec un sourire triste
Ô vous tous ensevelis derrière les murs des chambres vides
Vous tous qui pleuriez les larmes de ferveur
Vous avec cette musique d'ombre émerveillée
Vous séparés du jour comme l'étoile

Ô Vous tous sur ce chemin perdu de mon passé
Je fais appel à vous de toutes mes blessures ouvertes
Et même si vous ne répondiez pas
Tout votre silence se dresserait soudain comme un grand cri emplissant ma
[nuit

2. Pris et protégé

Pris et protégé et condamné par la mer
Je flotte au creux des houles

Les colonnes du ciel pressent mes épaules
Mes yeux fermés refusent l'archange bleu
Les poids des profondeurs frissonnent sous moi
Je suis seul et nu
Je suis seul et sel
Je flotte à la dérive sur la mer
J'entends l'aspiration géante des dieux noyés
J'écoute les derniers silences
Au delà des horizons morts

ALAIN GRANDBOIS, *Les Îles de la nuit*, 1944.
Montréal, Éd. Parizeau, pp. 39-41, 88-89.

24. LE SECRET

Germaine Guèvremont (1893-1968). Née à Saint-Jérôme, journaliste et romancière. Installée à Sorel, elle est courriériste de *La Gazette* de Montréal et rédactrice du *Courrier de Sorel*.
Membre de l'Académie canadienne-française et de la Société Royale du Canada, l'Université d'Ottawa lui décerne, en 1960, un doctorat honorifique pour l'ensemble de son œuvre: *En pleine terre. Paysanneries, trois contes* (1942), *Le Survenant* (1945), *Marie-Didace* (1947). *Le Survenant* qui lui a valu le Prix Sully-Olivier de Serres, a connu un énorme succès dans son adaptation télévisée. G. Guèvremont est considérée comme l'un des plus importants écrivains québécois du terroir.

1. Métayage: *bail rural qui stipule que l'exploitant doit remettre au propriétaire une partie de la récolte.*

Songeant à la parole du père Didace, au sujet des premiers Canadiens, parole qui avait dû passer de bouche en bouche non comme un message, mais simple vérité, il se perdit en réflexions: «Pour refaire sa vie et devenir son maître»; c'est ainsi que si peu de Français, par nature casaniers, sont venus s'établir au Canada, au début de la colonie, et que le métayage[1] est impossible au pays. Celui qui décide de sortir complètement du milieu qui l'étouffe est toujours un aventurier. Il ne consentira pas à reprendre ailleurs le joug qu'il a secoué d'un coup sec. Le Français, une fois Canadien, préférerait exploiter un lot de la grandeur de la main qu'un domaine seigneurial dont il ne serait encore que le vassal et que de toujours devoir à quelqu'un foi, hommage et servitude.

À son insu, il venait de penser tout haut. Didace n'en fit rien voir. Rempli d'admiration et de respect pour une si savante façon de parler, il écouta afin d'en entendre davantage, mais le Survenant se tut. Didace pensa: «Il a tout pour lui. Il est pareil à moi: fort, travaillant, adroit de ses mains, capable à l'occasion de donner une raclée, et toujours curieux de connaître la raison de chaque chose.» Le vieux se mirait secrètement dans le Survenant jusqu'en ses défauts. Ah! qu'il eût aimé retrouver en son fils Amable-Didace un tel prolongement de lui-même.

Alors, en gage d'amitié et pour mieux s'attacher le Survenant, il voulut lui apprendre un secret: «Le malheureux qui porte dans son cœur un ennui naturel, s'il croit trouver toujours plus loin sur les routes un remède à sa peine, c'est pour rien qu'il quitte sa maison, son pays, et qu'il erre de place en place. Partout, jusqu'à la tombe, il emportera avec soi son ennui.» Mais

Didace ne savait pas le tour de parler. Il chercha ses mots. S'il se fût agi de rassembler un troupeau de bêtes effrayées, sur la commune, la Saint-Michel sonnée, là, par exemple, il eût été à son aise! Mais, des mots contre lesquels on se bat dans le vide? Au moment de parler, une gêne subite le serra à la gorge. L'instruction du Survenant le dominait.

GERMAINE GUÈVREMONT, *Le Survenant*, 1945.
Montréal et Paris, Fides, 1964, pp. 135 à 137.

25. RUE SAINTE-CATHERINE

Gabrielle Roy. Née en 1909 à Saint-Boniface, Manitoba. Romancière et journaliste.

Première femme à être admise à la Société Royale du Canada (1947), elle voit l'ensemble de son œuvre couronné par la Médaille de l'Académie française (1946), le Prix du Gouverneur général (1947), la Médaille Lorne Pierce (1948), et le Prix Duvernay (1956). Ses romans, *La Petite Poule d'eau* (1950) et *Rue Deschambault* (1955), lui ont valu chacun un Prix du Gouverneur général, cependant qu'on lui décernait le Prix Fémina pour *Bonheur d'occasion* (1945). Son œuvre comprend en outre *Alexandre Chênevert* (1954), *La Montagne secrète* (1961), *La Route d'Altamont* (1966), *La Rivière sans repos* (1970), *Cet été qui chantait* (1972) et *Un jardin au bout du monde* (1975).

1. Rue Sainte-Catherine: *l'une des artères principales de Montréal.*

2. Packard: *ancienne marque d'automobile.*
3. Speed: *vitesse.*
4. Fun: *plaisir.*

5. D'iousque qu'y a: *où il y a.*

— Avez-vous déjà marché, vous autres, sur la rue Sainte-Catherine[1], pas une cenne dans vot'poche, et regardé tout ce qu'y a dans les vitrines? Oui, hein! Ben moi aussi, ça m'est arrivé. Et j'ai vu du beau, mes amis, comme pas beaucoup de monde a vu du beau. Moi, j'ai eu le temps de voir du beau: pis en masse. Tout ce que j'ai vu de beau dans ma vie, à traîner la patte su la rue Sainte-Catherine, ça pourrait quasiment pas se dire! Je ne sais pas, moi, des Packard[2], des Buicks, j'en ai vu des autos faites pour le speed[3] et pour le fun[4]. Pis après ça, j'ai vu leurs catins de cire, avec des belles robes de bal sur le dos, pis d'autres, qui sont habillées une miette. Qu'est-ce que vous voyez-t-y pas su la rue Sainte-Catherine? Des meubles, des chambres à coucher, d'aut' catins en franfreluches de soir. Pis des magasins de sport, des cannes de golf, des raquettes de tennis, des skis, des lignes de pêche. S'y a quelqu'un au monde qu'aurait le temps de s'amuser avec toutes ces affaires-là, c'est ben nous autres, hein?

Mais le seul fun qu'on a, c'est de les regarder. Pis la mangeaille à c'te heure! Je sais pas si vous avez déjà eu le ventre creux vous autres et que vous êtes passé par un restaurant d'iousque qu'y a[5] des volailles qui rôtissent à petit feu sur une broche? Mais ça, c'est pas toute, mes amis. La société nous met toute sous les yeux; tout ce qu'y a de beau sous les yeux. Mais allez pas croire qu'a fait rien que nous le mettre sous les yeux!

Ah! non, à nous conseille d'acheter aussi. On dirait qu'a peur qu'on soye pas assez tentés. Ça fait donc qu'a nous achale pour qu'on achète ses bebelles. Ouvrez la radio un petit brin; et qu'est-ce que vous entendez? Des fois, c'est un monsieur du Loan[6] qui vous propose d'emprunter cinq cents piasses. *Boy,* de quoi s'acheter une vieille Buick! D'aut'fois, c'est un qué' qu'un qui vous offre de ben nettoyer vos guenilles. Ils vous disent encore que c'est ben fou, ben bête de pas vivre à la mode pis de pas avoir un frigidaire dans vot' maison. Ouvrez la gazette à c'te heure. Achetez qu'ils vous disent aussi là-dedans; à pleines pages, messieurs. Achetez des cigarettes, du bon gin hollandais, des petites pilules pour le mal de tête, des manteaux de fourrure. Y a personne qui devrait se priver qu'ils vous chantent du matin au soir. Dans not' temps de progrès, tout le monde a droit de s'amuser... Pis vous sortez dans la rue. Et c'est en grosses lumières au-dessus de vot' tête que la société vous tente. Y en a-t-il un peu des bonnes cigarettes, pis du bon chocolat, dans ces petites lumières qui vous dansent partout su la tête, icitte, là-bas, de tous les côtés.

Il se leva, entra dans la pleine lumière de la suspension, un grand garçon maigre, aux flancs creux, les paupières rongées d'orgelets, les oreilles longues et décollées.

— Oui, des tentations, c'est ça que la société nous a donné, poursuivit-il. Des tentations d'un boutte à l'autre. Toute la saprée bastringue[7] de vie est arrangée pour nous tenter. Et c'est comme ça qu'a nous tient, la gueuse, et qu'a nous tient ben. Faites-vous pas d'idées, vous autres. On finira toutes par y passer. Ça en prend pas une grosse tentation non plus, pour qu'on se décide, nous autres, à la donner, not' petite vie de quêteux. J'ai connu un gars qu'est allé s'enrôler, savez-t'y pourquoi?...

Il fouilla dans ses poches et en sortit un cure-dent qu'il plaça entre ses lèvres.

— ...Pour avoir un manteau l'hiver. Ce gars-là, il en avait assez de s'habiller chez les juifs de la rue Craig, dans de la pénillerie[8] qui sent la sueur pis les oignons. Ce gars-là, ça l'a pris raide tout d'un coup l'envie d'avoir un manteau avec des boutons dorés. Pis je vous dis qu'il les astique puis qu'il les frotte à c'te heure, ses petits boutons dorés. Y ont coûté quand même assez cher, hein...

GABRIELLE ROY, *Bonheur d'occasion,* 1945.
Montréal, Beauchemin, 1967, pp. 51 à 53.

6. Loan: *Prêt.*

7. Saprée bastringue: *juron.*

8. Pénillerie: *guenille.*

26. ALLER-RETOUR

Pierre Baillargeon (1916-1967). Né à Montréal. Après ses études chez les Jésuites, il fonde la revue *Amérique française* qui joua un rôle considérable dans le monde littéraire québécois de 1940 à 1960. En 1949, il s'établit en France d'où il ne reviendra qu'en 1960. Il est considéré comme l'un des grands maîtres du style de sa génération. Son œuvre compte des romans: *Hasard et moi* (1940), *Les Médisances de Claude Perrin* (1945), *Commerce* (1947), *La Neige et le feu* (1948); une pièce de théâtre, *Madame Homère* (1963); et des essais-souvenirs: *Le scandale est nécessaire* (1962) et *Le Choix*, collection posthume de textes inédits (1969).

1. *Traduction:* «Vous devrez quand même payer tout le mois.»

2. Thérèse: *fiancée de Boureil.*

Boureil passait devant une agence de voyages. Il y entra et se fit retenir une place à bord de *l'Aquitania*. Sans plus de préméditation que pour pénétrer, un dimanche, dans une salle de cinéma, il partirait pour la France.

Il revint en hâte à la pension faire ses préparatifs. Quand il apprit son intention à l'hôtesse, celle-ci lui répondit sans surprise: «You'll have to pay for the whole month just the same.»[1] Deux heures plus tard, Boureil était installé sur une banquette de wagon; et le jour suivant, après une flânerie par les rues de New-York, cette grande ville sans grandeur, il s'embarquait.

Vint le moment du départ. Boureil assista froidement aux adieux des autres passagers. On démarra. Des mouchoirs s'agitèrent sur le quai. Soudain la gorge serrée, Boureil monta sur le pont supérieur cacher son émotion. De voir s'éloigner la terre, il avait l'impression de quitter Thérèse[2], à son tour. De grosses larmes se mirent à couler sur ses joues. Ainsi donc sa tête avait disposé de tout à sa guise et il était encore une fois sa victime. Maintenant le cœur avait beau protester, il était trop tard. C'était comme un enlèvement... Au loin, de plus en plus lents, les mouchoirs s'agitaient, qui n'étaient peut-être plus que des mouettes. [...]

Il souffrit du mal de mer, et quitta peu sa cabine. Son compagnon, un marchand, gros bonhomme aux lèvres si épaisses qu'il semblait toujours rester bouche bée, causa souvent avec lui; il lui répétait que les minorités juive et canadienne-française ont intérêt à s'unir contre la majorité anglo-saxonne. Boureil reçut la visite d'un Français qui colportait sur les passagers toutes sortes de potins et de médisances. Ainsi, au lieu de dresser les uns contre les autres, il les rapprochait. Il en résulta bientôt une familiarité générale sinon un esprit de famille.

Le sixième jour, quelqu'un cria: terre! et l'on se pressa contre le bastingage. Boureil monta sur une chaise: là-bas s'offrait à sa vue la première image du sol de France, qui peut-être, trois cents ans plus tôt, avait été la dernière que pût se rappeler son ancêtre français: une ligne plus bleue que le ciel et que la mer.

[La scène suivante a lieu lorsque Boureil revient au pays.]

Cet hiver-là, il passa toutes ses soirées dans une chambre obscure, sous une horloge normande ou le front contre la vitre jusqu'à vertige, tandis que la neige qui tombait dehors donnait à la fenêtre l'apparence d'un sablier.

PIERRE BAILLARGEON, *La Neige et le feu*, 1948.
Montréal, Éd. Variétés, 1948, pp. 77, 78, 82, 83, 203.

27. KAMALMOUK

Marius Barbeau (1883-1969). Né à Sainte-Marie-de-Beauce. Anthropologue et folkloriste, il est le pionnier des études sur le folklore français du Québec et sur la vie traditionnelle des Amérindiens. Professeur d'université, il est l'auteur de nombreux ouvrages savants dans les divers domaines de sa spécialité; mais il publie aussi des romans et des recueils de contes et nouvelles, notamment *Il était une fois* (1935), *Les Rêves des chasseurs* (1942), *L'Arbre des rêves* (1947), *Les Contes du Grand-Père Sept-Heures* (12 volumes, 1950-1953) et le *Rêve de Kamalmouk* où l'anthropologue se penche sur le destin de l'Amérindien aux prises avec la civilisation des Blancs. Membre fondateur de l'Académie canadienne-française.

Pour Kamalmouk, la coutume tombait en décadence; son discrédit serait bientôt complet, sans rémission. Il semblait futile de tenir plus longtemps à un affublement de peaux et de plumes fauves, à des ornements miteux tirés une fois l'an de coffres secrets d'un vieux chef, à des notions primitives, à des préceptes usés, qui n'avaient plus d'empire sur la jeunesse. Une ambition le hantait, celle de guider les siens dans la voie de l'invention et de l'imprévu. À d'autres la triste besogne de défendre une cause perdue d'avance! Quoi de plus noble que de participer au progrès d'une nouvelle génération! Le triomphe de Blancs sur les Peaux-Rouges lui inspirait une vaste émulation. En embrassant la nouvelle carrière, il ne manquerait pas de voguer lui-même sur la vague montante de l'ordre nouveau. Bientôt il se trouverait en tête de sa nation, comme l'avaient été nombre de ses ancêtres, au clan dont le blason est le Loup, depuis l'aurore des temps.

Voilà pourquoi d'un sourire méprisant, il accueillait les délégués perclus qui venaient lui prêcher la tradition. Il haussait les épaules, lorsqu'une femme ambitieuse le harcelait, aveugle comme une taupe et entêtée jusqu'à la pointe de ses mocassins! Cette femme était l'héritière d'ancêtres dont l'origine céleste remontait à Temlaham[1]. Cette Rayon-de-Soleil importune, sa femme, ne rêvait qu'à son patrimoine de lacs à saumon, de domaines de chasse, et convoitait pour son jeune aîné le rang de chef de clan à l'encontre de Nitouh, un rival rancunier et dangereux.

Cependant, bouleversé par le doute rongeur, qui le laissait troublé, affaibli, Kamalmouk redoutait les problèmes d'avenir et leurs solutions inquiétantes. L'hésitation s'emparait de sa volonté; son caractère même en souffrait. Les merveilles que les Blancs introduisaient partout comme une traînée lumi-

1. Temlaham: *premier ancêtre de l'homme d'après la mythologie amérindienne.*

190

neuse n'étaient pas toutes bienfaisantes. Il en avait vu de suspectes, comme l'eau de feu[2] qui brouille les sens et confond la pensée.

Pendant des années, à l'emploi de[3] certains Blancs chercheurs d'or et aventuriers, qui remontaient les Rocheuses du sud au nord, il avait eu l'avantage de s'associer étroitement à eux, d'apprendre bien des vérités, bonnes ou mauvaises, de profiter de nouvelles aubaines, et de succomber à des tentations auxquelles l'âme brûlante d'aucun barbare ne peut résister. Pris de remords, il lui arrivait de s'affaiser sous une ombre dense qui surgissait de tous côtés. En homme d'honneur, toujours il s'efforçait de refouler des élans qui le talonnaient des profondeurs instinctives de sa race. Chaque fois que le mirage de l'enchantement se dissipait, il sombrait dans l'ennui et la mélancolie, comme un voyageur esseulé en terre étrangère. Et il cherchait en vain une borne à l'horizon, un signe de salut, dans sa folle poursuite d'une nouvelle destinée.

MARIUS BARBEAU, *Le Rêve de Kamalmouk*, 1948.
Montréal-Paris, Éd. Fides, 1962, pp. 17-18-19.

2. Eau de feu: *nom que les Amérindiens donnèrent à l'alcool.*
3. À l'emploi de: *employé par.*

28. UN RÊVE BIEN ORDINAIRE

Gratien Gélinas. Né en 1909 à Sainte-Tite de Champlain. Comédien, dramaturge et metteur en scène. Fondateur de la Comédie canadienne (1957), metteur en scène actif pendant plusieurs années, il est actuellement président de la Société de développement de l'industrie cinématographique canadienne. Docteur honorifique de plusieurs universités québécoises et canadiennes, membre de la Société Royale du Canada, Prix Victor-Morin (1967), Médaille de l'Ordre du Canada (1969), Gélinas est l'auteur des *Fridolinades*, revues dramatiques très populaires mettant en scène le désormais légendaire Fridolin (1937); son œuvre comprend aussi *Tit-Coq* (1950), *Bousille et les justes* (1960) et *Hier les enfants dansaient* (1968). *Tit-Coq* lui a valu le Grand Prix de la Société des auteurs dramatiques en 1949.

LE PADRE

Tu n'as pas été tenté de l'épouser, ta Marie-Ange, avant de partir[1] ?

TIT-COQ

Tenté? Tous les jours de la semaine! Mais non. Épouser une fille, pour qu'elle ait un petit de moi pendant que je serais parti au diable vert? Jamais en cent ans! Si mon père était loin de ma mère quand je suis venu au monde, à la Miséricorde[2] ou ailleurs, ça le regardait. Mais moi, quand mon petit arrivera, je serai là, à côté de ma femme. Oui, monsieur! Aussi proche du lit qu'il y aura moyen.

LE PADRE

Je te comprends.

TIT-COQ

Je serai là comme une teigne! Cet enfant-là, il saura, lui, aussitôt l'œil ouvert, qui est-ce qui est son père. Je veux pouvoir lui pincer les joues et lui mordre les cuisses dès qu'il les aura nettes; pas le trouver à moitié élevé à l'âge de deux, trois ans. J'ai manqué la première partie de ma vie, tant pis, on n'en parle plus. Mais la deuxième, j'y goûterai d'un bout à l'autre, par exemple!... Et lui, il aura une vraie belle petite gueule, comme sa mère.

1. Partir: *partir pour la guerre 39-45 en Europe.*

2. Miséricorde: *hôpital de Montréal où, autrefois, on accueillait les mères célibataires.*

LE PADRE

Et un cœur à la bonne place, comme son père ?

TIT-COQ

Avec la différence que lui, il sera un enfant propre, en dehors et en dedans. Pas une trouvaille de ruelle, comme moi !

LE PADRE

Alors, c'est pour être près de ton enfant dès sa naissance que tu pars... ?

TIT-COQ

...vierge et martyr, oui.

LE PADRE

C'est une raison qui en vaut bien d'autres.

TIT-COQ

Probable.

LE PADRE

La Providence a été bonne pour toi, sais-tu ?

TIT-COQ

Oui. Elle a été loin de se forcer au commencement, mais, depuis quelques mois, elle a assez bien fait les choses. Et je ne lui en demande pas plus. *(Intensément.)* Savez-vous ce qu'il me faudrait, à moi, pour réussir ma vie cent pour cent ?

LE PADRE

Dis-moi ça.

TIT-COQ

Vous allez peut-être rire de moi : si on comprend de travers, ç'a l'air un peu enfant de chœur.

LE PADRE

Il n'y aura pas de quoi rire, j'en suis sûr.

TIT-COQ

Moi, je ne m'imagine pas sénateur dans le parlement, plus tard, ou ben millionnaire dans un château. Non ! Moi, quand je rêve, je me vois en tramway, un dimanche soir, vers sept heures et quart, avec mon petit dans les bras et, accrochée après moi, ma femme, ben propre, son sac de couches à la main. Et on s'en va veiller[3] chez mon oncle Alcide. Mon oncle par alliance, mais mon oncle quand même! Le bâtard tout seul dans la vie, ni vu ni connu. Dans le tram, il y aurait un homme comme les autres, ben ordinaire avec son chapeau gris, son foulard blanc, sa femme et son petit. Juste comme tout le monde. Pas plus, mais pas moins! Pour un autre, ce serait peut-être un ben petit avenir, mais moi, avec ça, je serais sur le pignon du monde!

GRATIEN GÉLINAS, *Tit-Coq*, 1950.
Montréal, Éd. de l'Homme, 1968, pp. 92-94.

29. AUTREFOIS

Robert de Roquebrune (1889-1978). Né à l'Assomption d'une vieille famille de la noblesse canadienne-française. Il a passé presque toute sa vie à Paris comme archiviste, puis directeur des Archives canadiennes. Il a écrit des romans: *Les Habits rouges* (1923); *D'un océan à l'autre* (1924); *Les Dames Le Marchand* (1927), où perce l'archiviste historien. Il a aussi rédigé des mémoires: *Testament de mon enfance* (1951), *Quartier Saint-Louis* (1966), *Cherchant mes souvenirs* (1968), où domine la vision d'un passé marqué par la noblesse.

Au manoir on attendait Thérèse pour se mettre à table. Tout le monde était déjà dans la salle à manger lorsqu'elle fit son entrée. Sa qualité de marraine valut à la petite fille d'être placée à la droite de mon père. Le jeune parrain, Roquebrune, occupait fièrement la droite de notre grand-mère Salaberry.

Roquebrune a un prénom: Paul, mais tout le monde dans la famille l'a toujours appelé Roquebrune par une sorte de droit d'aînesse. Ce vieux nom de terre de notre famille semblait lui appartenir plus qu'aux autres fils de mon père à cause de sa qualité d'aîné. Dernier vestige d'une féodalité traditionnelle que cette habitude qui lui conférait encore la seigneurie de la terre. Nous, ses cadets, l'avons toujours appelé Roquebrune et il a toujours signé ses lettres, sans prénom. Ainsi faisaient les La Roque, jadis, en Gascogne, et les La Roque, en Canada, avaient gardé cette révérence envers l'aîné. Il n'a jamais été Paul pour nous tous mais uniquement Roquebrune. Mon père et ma mère l'ont toujours appelé Roquebrune et plus tard sa femme ne l'appela pas autrement. Il y a chez les Canadiens français des transmissions qui se conservent ainsi d'âge en âge, des fidélités à une habitude qui est l'héritage des générations. Et non seulement dans les familles qui ont l'orgueil d'un passé militaire, de possessions seigneuriales et d'une noblesse oubliée, mais aussi dans des races bourgeoises et paysannes. Dans la province de Québec, tout le monde connaît sa généalogie, la possède chez soi. Les Canadiens savent tous qui fut leur premier ancêtre au Canada, de quel village de France, de quelle province il était originaire. Dans « la salle » chez les « habitants », dans le salon chez les bourgeois des villes, vous voyez sur une table, à la place d'honneur, un gros livre relié; c'est la généalogie. Comme les Montmorency et les Rohan[1], la plus humble famille de paysans canadiens connaît le nom de ses pères.

1. Montmorency et Rohan: *deux des plus anciennes familles de la noblesse française, dont l'origine remonte à Charlemagne.*

C'est que les Canadiens sont fiers de leur vieux sang français, fiers d'appartenir à une race d'aussi haute extraction. «Nous, Monsieur, disait un Canadien appelé Jean-Baptiste Sans-Quartier, nous, c'est Sa Majesté Louis XIV qui nous a envoyés au Canada.» Et Jean-Baptiste Sans-Quartier disait vrai, car il descendait d'un soldat du régiment de Chambellé envoyé par le roi en Nouvelle-France. Et son nom héroïque et guerrier rappelait que l'ancienne colonie royale a été peuplée militairement.

Au cours du déjeuner, il fut question du prénom que je porterais et qui serait mon nom de baptême. L'enfant qui dormait là-haut n'était encore désigné par aucun vocable. Tout le monde se mit à proposer quelque chose.

Mais Roquebrune trancha la question de toute son autorité de parrain: «Il se nommera Robert», déclara-t-il. Et il ajouta: «C'est le nom que maman a choisi.»

ROBERT DE ROQUEBRUNE, *Testament de mon enfance*, 1951.
Paris, Plon, pp. 29-30-31.

30. EUCLIDE LALANCETTE À PARIS

François Hertel. Né en 1905 en Gaspésie, il entre chez les Jésuites pour devenir l'un des principaux animateurs de la vie intellectuelle du Québec de l'entre-deux-guerres. Il quitte les Jésuites pour s'exiler à Paris où il vit depuis 1949; il y fonde les éditions de la Diaspora française.

Son œuvre est abondante et diverse: des romans, *Le Beau Risque* (1939), *Anatole Laplante curieux homme* (1944); des recueils de poésie, *Les Voix de mon rêve* (1934), *Strophes et catastrophes* (1943); des essais, *Leur inquiétude* (1942), *Cent ans d'injustice* (1967), *Du métalangage* (1968) où perce surtout le philosophe et l'éducateur. Membre fondateur de l'Académie canadienne-française.

Lorsqu'Euclide Lalancette quitta Sainte-Euphrosine, village de la Province de Québec, dont il était par la grâce de Dieu et de l'électorat local, maire et marguillier en charge, il décida, avant d'aller s'établir définitivement à Montréal, de venir à Rome pour l'année sainte. Toutefois, avant de se rendre à la ville de toutes les saintetés, il fallait passer par la France et surtout par Paris, la cité des perditions.

À Paris, il irait d'abord aux Folies-Bergères. Il ne l'avait pas dit à son curé, mais celui-ci savait bien que, de toutes manières, Lalancette s'y rendrait, comme tous les Canadiens de passage à Paname[1]. C'est pourquoi le brave homme d'ecclésiastique n'avait même pas fait allusion à l'antre de la corruption et du nudisme — auquel il était lui-même allé, incognito, lors de son voyage d'études à Paris. Il l'avait par contre mis en garde contre toutes sortes d'imprimés et contre les musées, «remplis d'indécences». D'ailleurs, Lalancette n'avait pas mis les musées sur son programme de voyage.

Au fond, Euclide Lalancette ne détestait pas de venir rendre visite aux mânes de ses ancêtres. Homme simple et fruste, ancien bûcheron, devenu marchand de bois, puis industriel dans les «portes et châssis», il n'avait pas de préjugés personnels contre la France et les Français. Ça lui était venu sur le tard, les préjugés, à mesure qu'il montait dans l'échelle sociale. Dieu sait s'il en avait franchi des échelons de cette fameuse échelle. Sachant à peine lire et écrire, il était devenu successivement un homme qui a du bien, un homme à l'aise, un notable, un homme riche, un millionnaire; en dollars, s'il vous plaît. Enfin, il en était rendu, à Sainte-Euphrosine, gros bourg industriel, à la Présidence du Club Richelieu et des Cercles Lacordaire (cercles

1. Paname: *nom argotique de Paris.*

197

anti-alcooliques, dont Lalancette faisait partie à titre d'ancien ivrogne repenti). Il était même propriétaire de l'unique journal local, un hebdomadaire assez épais, où l'on pouvait lire en page du sport, au chapitre des parties de hockey sur glace, des titres aussi étonnants que celui-ci: «Le Sacré-Cœur administre une raclée au Christ-Roi». Inutile de dire qu'il s'agit de deux clubs de ces noms respectifs.

FRANÇOIS HERTEL, *Un Canadien errant*, 1953.
Paris, Éd. de l'Ermite, pp. 21-22-23.

31. UNE CAMPAGNE ÉLECTORALE

Bertrand Vac, pseudonyme d'*Aimé Pelletier.* Né en 1916 à Saint-Ambroise-de-Kildare (près de Joliette), médecin et romancier. Études au séminaire de Joliette, à l'université Laval et à Paris.
Trois fois lauréat du Prix du Cercle du Livre de France pour son roman *Louise Genest* (1950), pour un autre roman *Deux portes... une adresse* (1952) et pour un recueil de nouvelles *Histoires galantes* (1965). Son œuvre comprend également un recueil d'aphorismes *Mes pensées «profondes»* (1967), des romans: *Saint-Pépin P.Q.* (1955), *La Favorite et le conquérant* (1963) et *Le Carrefour des géants* (1974), et une pièce de théâtre *Appelez-moi Amédée* (1967).

Quant à Latulipe, sa campagne éclipsait celles de Granger et de Gadoury. Lui, personne n'osait l'attaquer de front — ou même indirectement —, ce n'était pas lui qu'on craignait, mais les supporteurs qui le protégeaient. Malgré tout ce qu'il aurait pu trouver contre le beau Latulipe, qu'il était célibataire, qu'il n'était pas honnête, qu'il n'était pas abonné au «Bavoir», etc., Jos réservait ses attaques pour Gadoury. On se chuchotait que les discours de Latulipe étaient écrits par nul autre que le vicaire de la paroisse. Madame Lagacé l'affirmait. Comme présidente des dames de Ste-Anne, elle avait l'autorité nécessaire pour le dire et se faire croire.

La cabale du vicaire se faisait sentir dans tout le comté: jusqu'au fond des rangs, les femmes avaient pris un air surnois qu'on ne leur connaissait pas; elles sortaient du confessionnal avec des mines absorbées; les plus délurées protestaient:

— Je n'aurais jamais cru ça de Monsieur Granger. Un homme qui vend de si bonnes boîtes à conserves!...

Ce qu'on leur disait? Secret.

Toutes les femmes, les vieilles filles, les ennuques, les impuissants, les calotins et les bonnes gens se faisaient un devoir d'aller entendre le candidat du vicaire. Les dévotes se signaient quand passait la voiture rouge de Latulipe — la voiture que les cinq cents dollars de Polydor avait aidé à payer et qui avait été bénite publiquement par le vicaire au début de la campagne. Sachant très bien qu'en Amérique, on se donne l'importance de sa voiture, il s'en était donné beaucoup en achetant une voiture énorme. On ne riait pas.

Sur sa nouvelle voiture, Latulipe avait fait installer quatre klaxons différents: le premier meuglait; un autre aboyait; le troisième, c'était pour ses

1. Orignal *ou orignac: Élan du Canada.*

voyages à Montréal; enfin, son préféré imitait à s'y méprendre, l'appel de la vache orignal[1] en rut. Comme on était en pleine saison de chasse, c'est à ce dernier que Latulipe avait recours, surtout dans les campagnes reculées: ce qui lui valut d'arriver un jour sur la place de Saint-Ildevert, poursuivi, sans s'en douter, par un énorme orignal, couronné d'un panache comme on n'en avait jamais vu. En apercevant la fameuse voiture rouge du candidat, les partisans s'étaient mis à crier et à agiter des drapeaux du pape. Mais quand apparut l'animal qui descendait la rue comme un tonnerre à ses trousses, ce fut un sauve-qui-peut général: des femmes qui s'étaient toujours bien condui-tes, sautaient par-dessus les clôtures; des hommes d'âge mur étaient agrippés aux arbres, les enfants au clocher; le curé qui lisait tranquillement son bré-viaire en attendant l'assemblée, se retrouva dans la sacristie sans savoir com-ment; quatre vieilles filles particulièrement charitables faillirent s'entretuer pour entrer dans le magasin général qui était fermé ce jour-là. Ce fut effroya-ble! Latulipe? Jamais voiture ne traversa le village plus vite que la sienne, et sans klaxon. Trois poules, un veau, deux chiens, et une dinde y perdirent la santé. Heureusement, une dizaine de larrons troquèrent vite les clés de Saint-Pierre contre des carabines et poivrèrent la bête de partout à la fois. La partie de chasse improvisée tourna en bagarre générale, chacun des chas-seurs s'attribuant la mort de l'animal et voulant s'en approprier les fesses[2]. Latulipe leur avait fourni un sujet de querelle pour cinquante ans à venir, mais avait gagné le vote unanime du village d'un coup de klaxon.

2. Les fesses: *Les meilleurs mor-ceaux.*

BERTRAND VAC, *St-Pépin P.Q.*, 1955.
Montréal, Cercle du Livre de France, 1955, pp. 169-170.

DOCUMENT 7

NATURE POLITIQUE DE LA CONFÉDÉRATION

L'Acte de l'Amérique britannique du Nord fut signé par la reine Victoria le 1ᵉʳ juillet 1867. Il fut le produit d'une simple loi du Parlement de Westminster et, jusqu'à ce jour, en vertu du principe juridique de l'«acte contraire», il ne peut être amendé que par l'organe législatif qui l'a créée. Deux théories se sont affrontées sur la nature de la Confédération: celle du «Pacte» entre les deux peuples fondateurs, impliquant un mode de révision impossible, sous peine d'inconstitutionnalité, sans leur commun accord; celle de la «Loi» ordinaire, ne comportant pas cette rigidité, puisque l'amendement peut être adopté par la procédure d'une autre loi ordinaire. Autonomistes provinciaux et centralisateurs fédéraux n'ont pas manqué d'arguments ni d'arguties pour étayer leurs thèses dont on devine aisément la portée polémique. On peut les renvoyer dos à dos puisque les tenants de chaque thèse ont raison sur le plan où il se situent: quant à la forme, la constitution écrite du Canada est une simple «Loi»; quant à la matière ou au fond, elle est un «pacte» ou une «charte» constituante. Quoi qu'il en soit, l'antinomie des principes fédéralistes et unitaristes a permis au système, en durant, d'évoluer tantôt selon une force centrifuge, tantôt selon une force centripète. Nous sommes maintenant dans une phase de crise aiguë où les provinces fédérées (en tête et de façon plus agressive, le Québec, mais non pas seul) mettent en contestation les compétences, jugées maintenant par certaines d'elles comme abusives que le gouvernement central s'était fait octroyer, souvent à la suite de pressions provinciales ou qu'il s'était appropriées à la faveur de la guerre. C'est la plus grave des crises que traverse le Canada depuis sa naissance, mettant en péril son existence même.

(GÉRARD BERGERON, **Le Canada français après deux siècles de patience**, Paris, éd. du Seuil, 1967, pp. 97-98.)

32. MONTRÉAL

Ringuet (1895-1960). Né aux Trois-Rivières, de son vrai nom Philippe Panneton. Devenu médecin, il consacre de nombreuses et patientes années à la rédaction de son roman *Trente arpents* (1938) qui marque une date importante dans l'évolution du genre romanesque au Québec. À partir de 1946, il entre dans la carrière diplomatique, d'abord au Brésil, comme attaché culturel, puis au Portugal où il est ambassadeur de 1956 à sa mort. Outre son roman capital, il a publié *L'Héritage et autres contes* (1946), *Fausse Monnaie* (1947), *Le Poids du Jour* (1949) et des souvenirs posthumes sous le titre de *Confidences*. Membre fondateur de l'Académie canadienne-française.

Le visage de Montréal? Aux yeux de qui arrive de France, Montréal est une ville nettement américaine. Mais à qui vient des États-Unis — remarquez que je ne dis point, comme trop souvent en France: pour qui vient d'Amérique, ce qui est un non-sens — à qui donc vient des États-Unis, Montréal se montre indubitablement ville française. Du moins dans sa moitié orientale, celle qui justement est plus rapprochée de quelques kilomètres de la côte française. Suivant que vous serez dans cette moitié canadienne-française ou dans la moitié anglophone, vous, Français, vous sentirez plus ou moins chez vous. Les affiches seront rédigées ou en anglais ou en français. Il s'en trouve même qui sont à la fois les deux. Non qu'elles soient doubles. Mais il en est d'elles comme de certains Canadiens français dont un journaliste taquin disait qu'ils étaient parfaitement bilingues, parlant en même temps français et anglais! Ce sont ceux-là que les Français comprennent difficilement durant les premières semaines de leur séjour parmi nous. Tout cela n'empêche que, la statistique l'affirme, Montréal ne soit la deuxième ville française du monde par le nombre. La majorité y parle français. Qu'il y ait là un certain nombre de gens qui n'entendent que peu cette langue ne saurait lui faire perdre un titre auquel elle tient fort. Tout le monde à Marseille parle-t-il la langue d'oïl[1]?

Montréal s'étale toujours autour du Mont Royal, parc municipal. Et il y a le fleuve, puisqu'il s'agit d'une île. Un fleuve qui joue son rôle de grand fleuve: tout chargé de bateaux quand, pendant quatre mois, les glaces ne le tiennent point en hibernation. Ce même fleuve canalisé conduit les océaniques jusqu'au cœur du continent. Vers les manufactures de Toronto, les usines de Chicago, les silos de Fort William. En attendant, Montréal grandit.

1. Langue d'oïl: *langue du Nord de la France, par opposition à la langue d'oc qui est la langue du Midi.*

202

Sa banlieue se peuple des pavillons de petits propriétaires: fonctionnaires et ouvriers.

Montréal a retrouvé quelques théâtres; des salles de cinéma dont on a craint un moment qu'elles eussent à jamais tué l'art dramatique. D'ailleurs il y a des films canadiens. Les troupes, naguère de seuls amateurs, sont devenues professionnelles. Paris d'ailleurs n'a-t-il pas eu un échantillon de nos comédiens il y a cinq ans et ne les a-t-il pas trouvés fort bons? Nos écrivains publient et sont sortis de l'ornière provinciale. Et, ce qui n'est pas à dédaigner, je ne crois pas qu'il existe en Amérique du Nord une autre ville où l'on puisse manger un coq au vin parfait arrosé d'un excellent bourgogne. Vous aurez même le choix entre une douzaine d'excellents traiteurs.

La radio vous fera entendre des voix françaises. Le conducteur d'autobus vous annoncera avec l'accent normand la rue Lagauchetière et la rue des Carrières. Aussi bien Montréal n'a pas oublié qu'elle est d'un pays qui s'appelle la Nouvelle-France; et d'une province dont la devise est: JE ME SOUVIENS.

RINGUET, *Confidences*. Texte écrit vers 1956.
Montréal-Paris, Éd. Fides, 1965, pp. 194-195.

33.   LA MORT DE MON PÈRE

Paul Toupin. Né en 1918 à Montréal, il étudie chez les Jésuites, puis à Paris et aux États-Unis. D'abord journaliste, il devient professeur de littérature à Sherbrooke puis à Montréal. Dramaturge, il écrit *Brutus* (1952), *Le Mensonge* (1960) et *Chacun son amour* (1961); essayiste de grand style, il publie *Souvenirs pour demain* (1960), *L'Écrivain et son théâtre* (1964), *Mon mal vient de plus loin* (1969) et *Au commencement était le souvenir* (1973). Membre de l'Académie canadienne-française.

1. *Donc, en 1940.*

L'actualité d'alors ne nous intéressait pas. Pourtant, de graves événements se déroulaient. C'était la guerre et la déroute alliée[1]. La France capitulait, Londres était bombardée. Des milliers de gens mouraient. Mais ces catastrophes ne nous atteignaient pas. Il n'y avait qu'une mort pour nous et c'était celle de mon père. C'était bien la seule qui échappait à la folie collective d'extermination qui s'était emparée des peuples. Faut-il croire que les guerres donnent un destin à ceux qui sans elles n'en auraient pas? On meurt pour la patrie et sur le champ de bataille. Mais on tremble de mourir dans son lit et d'un cancer. Mon père, lui, mourait pour rien, ni pour la patrie, ni pour la famille, ni pour sa foi, ni pour la médecine. Il mourait, vidé de tout idéal, dans des souffrances qu'il endurait pour rien, et auxquelles il avait cessé de résister. Il mourait sans tambour ni trompette, sans coups de canon, sans discours prononcé, entouré de sa famille qui lui était devenue étrangère, sous la garde inutile de médecins. Il n'avait pas été brave. Il s'était plaint, il avait pleuré, il avait crié. Il s'était découragé de ne pas se voir guérir, il s'était désespéré quand on lui avait annoncé sa mort.

Quelque chose venait de mourir en moi et c'était la part hostile, la part revêche de mes sentiments. Mais quelque chose venait aussi de naître et que je n'avais jamais ressenti. La mort pouvait chanter et danser. Son triomphe n'était pas complet, car si elle emportait sa dépouille, elle oubliait d'en emporter le souvenir. Et c'était finalement le souvenir qui donnait la victoire à la vie puisque mon père vivait en moi avec un corps qui n'était pas mutilé, un visage qui n'était pas pourri. Sa vie ne fut plus un conte de fée que moi qui en parle, je ne suis prince charmant. Pour savoir s'il fut plus heureux que malheureux, il me faudra attendre d'avoir l'âge qu'il avait quand il est mort. Alors, je saurai s'il eut regret de quitter la vie. Je sais pourtant qu'il m'a devancé dans un univers de souffrance que j'aurai peut-être à traverser, tout comme je sais qu'il a exploré un inconnu où j'irai sûrement le rejoindre.

C'est à quoi je songe devant sa pierre tombale. Il ne faut pas beaucoup d'imagination, il me suffit simplement de vieillir de quelque dix ans pour que mon nom s'inscrive sous le sien. Ainsi, ensemble sur une même pierre, ensemble sous une même pierre, ensemble dans la poussière du temps...

PAUL TOUPIN, *Souvenirs pour demain*, 1960.
Montréal, Éd. Cercle du Livre de France, pp. 88-89, 99-100.

34. LA MALEMER

Rina Lasnier. Née en 1915 à Saint-Grégoire d'Iberville près de Montréal, elle étudie à Montréal, puis en Angleterre. Elle fait de nombreux séjours en France. Sa vie est toute entière consacrée à la poésie. Son œuvre comprend entre autres: *Images et proses* (1941), *Le Chant de la Montée* (1947), *Escales* (1950), *Présence de l'absence* (1956) *Mémoires sans jours* (1960), *Les Gisants* (1963), *L'Arbre blanc* (1965), *La Salle des rêves* (1971), *Le Rêve du quart-jour* (1973). Membre fondateur de l'Académie canadienne-française.

Naissance obscure du poème

Comme l'amante endormie, dans l'ardente captivité — immobile dans la pourpre muette de l'amant,

fluente et nocturne à la base du désir — obscurcie de sommeil et travestie d'innocence,

ses cheveux ouverts à la confidence — telles les algues du songe dans la mer écoutante,

la femme omniprésente dans la fabulation de la chair — la femme fugitive dans la fabulation de la mort,

et l'amant pris au sillage étroit du souffle — loin de l'usage viril des astres courant sur des ruines de feu,

elle dort près de l'arbre polypier[1] des mots médusés — par l'étreinte de l'homme à la cassure du dieu en lui,

par cette lame dure et droite de la conscience — voici l'homme dédoublé de douleur,

voici la seule intimité de la blessure — l'impasse blonde de la chair sans parité;

voici l'évocatrice de ta nuit fondamentale, malemer — la nuit vivante et soustraite aux essaims des signes,

malemer, mer réciproque à ton équivoque profondeur — mer inchangée entre les herbes amères de tes pâques closes,

toute l'argile des mots est vénitienne et mariée au limon vert — tout poème est obscur au limon de la mémoire;

1. Polypier: *fossilisé.*

malemer, lent conseil d'ombre — efface les images ô grande nuit icono-
claste !

Rina Lasnier, *Mémoires sans jours*, 1960.
Montréal-Paris, Éd. Fides, pp. 15-16.

BIBLIOGRAPHIE SOMMAIRE

1. Collection des Classiques canadiens (Fides): une vingtaine de titres consacrés aux auteurs de la période 1867-1960.

2. Angers (Pierre), *Problèmes de culture au Canada français*, Montréal, Beauchemin, 1960.

3. Bonenfant (Jean-Charles), *Les institutions politiques canadiennes*, Québec, Les Presses de l'Université Laval, 1953.

4. Falardeau (J.-Ch.), *Essais sur le Québec contemporain*, Québec, Les Presses de l'Université Laval, 1953.

5. Giraud (Marcel), *Le Métis canadien: son rôle dans l'histoire des provinces de l'Ouest*, Paris, Institut d'Étiologie, 1945.

6. Groulx (Lionel), *La Confédération canadienne: ses origines*, Montréal, Le Devoir, 1918.

7. Hamelin (Jean), *Le Théâtre au Canada français*, Québec, Ministère des Affaires Culturelles, 1964.

8. Harvey (Vincent), *L'Église et le Québec*, Montréal, éd. du Jour 1961.

9. Laurendeau (André), *La Crise de la conscription, 1942*, Montréal, éd. du Jour, 1962.

10. Raynauld (André), *Croissance et structure économiques de la province de Québec*, Québec, Ministère de l'Industrie et du Commerce, 1961.

11. En collaboration: *La Dualité canadienne*, Québec, Les Presses de l'Université Laval, 1960, [ensemble d'études touchant les divers aspects de la vie de la Confédération].

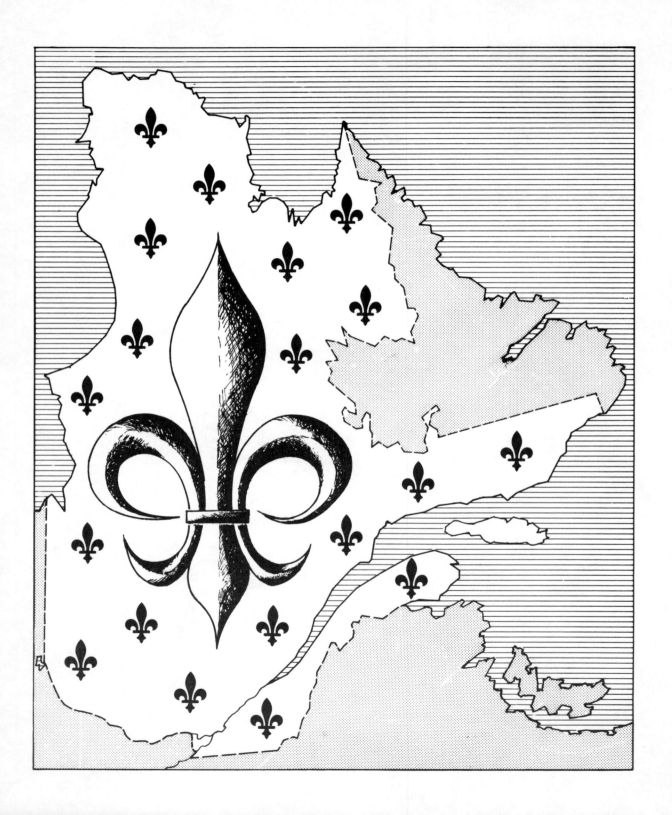

Chapitre 5

Le Québec
1960-1979

25. TERRE À VOUS-MÊMES
Nicole Brossard

26. LES SUCRES
Madeleine Ferron

27. LES GENS DE MON PAYS
Gilles Vigneault

28. REQUIEM
Claude Gauvreau

29. L'AMOUR
Jean Tétreau

30. CANTOUQUE MENTEUR
Gérald Godin

31. PRINTEMPS DANS MA VILLE
Jacques Poulin

32. BOZO-LES-CULOTTES
Raymond Lévesque

33. AU PENSIONNAT
Marie-Claire Blais

34. SPEAK WHITE
Michèle Lalonde

35. LA MÉTROPOLE
Jean Éthier-Blais

36. HÉRITAGE
Claude Jasmin

37. L'INTERROGATOIRE
Guy Dufresne

38. L'ÉDUCATION SENTIMENTALE
Marcel Godin

39. L'HOMME RAPAILLÉ
Gaston Miron

40. DÉSESPOIR
Anne Hébert

41. LE TEMPS DES VIVANTS
Gilbert Langevin

42. PARLER
Victor-Lévy Beaulieu

43. POUVOIR
Pierre Vadeboncœur

44. LE RENVOI
Marc Doré

45. L'HISTOIRE DU CANADA
Yvon Deschamps

46. LE CANADIEN FRANÇAIS
Jean Bouthillette

47. RANCŒUR
Michel Tremblay

48. LE RECENSEMENT
Antonine Maillet

49. NOTRE CAMPAGNE À L'HOSPICE
Pierre Morency

50. POÈMES
Paul-Marie Lapointe

51. VOYAGE AUX VIEUX PAYS
Clémence Desrochers

52. POUVOIR DU NOIR
Roland Giguère

53. LA DEMANDE EN MARIAGE
Roch Carrier

54. LES FEMMES
Pauline Julien

55. LES CADEAUX
Sol

56. LES MYSTÈRES DE MON FILS
Jean-Pierre Guay

57. UNE FILLE À MARIER
Roland Lepage

58. LE PLUS BEAU VOYAGE
Claude Gauthier

59. L'ILLUMINATION
Michel Garneau

60. RUE SAINTE-CATHERINE
Roger Fournier

61. EN VACANCES
Robert Gurik

62. CHANSON
Pierre Perrault

INTRODUCTION

Vers 1960, sous le coup d'une lente et sourde évolution qui plongeait ses racines dans le plus lointain de l'histoire, et plus particulièrement à l'occasion de la prise du pouvoir, en juin 60, par une équipe du Parti libéral qui allait donner son expression politique à la fameuse Révolution tranquille, l'édifice du vieux Québec se lézarde de toutes parts. Des forces neuves se mettent à composer le visage d'un pays nouveau. Il suffit aujourd'hui de faire allusion à quelque fait antérieur à 1960 pour avoir l'air d'évoquer une époque qui fait déjà figure d'une vieille strate archéologique. La «Province de Québec» devient «l'État du Québec»; l'Église perd son vieux privilège de gérance de la société; le nom même de «Canadien français» fait peu à peu place à la simple dénomination de «Québécois».

Il n'est pas exagéré d'affirmer que dans le cours de cette évolution et de cette «révolution», la voix de ceux qui accordent quelque importance à la parole écrite s'est fait entendre de façon prépondérante. Non point que toute la littérature ait été, comme on dit, «engagée», mais il n'est pas jusqu'au silence qui n'eut alors sa signification politique. Tout concourait en ces temps d'effervescence à accompagner aussi bien qu'à cristalliser le destin d'une collectivité.

Le foisonnement qui s'ensuivit fut tel, qu'il devient impossible de regrouper, comme ce fut le cas pour les autres chapitres, autour d'une même marque l'abondance des thématiques nouvelles et l'intense diversité de nouveaux modes stylistiques. C'est là le fruit le plus visible à quoi se reconnaît le Québec de nos jours où se dessine déjà celui de demain.

Au moment où nous achevons cet ouvrage, le Parti Québécois a pris le pouvoir depuis moins d'une semaine.

1. COLÈRE

Gilles Leclerc. Essayiste, né à Saint-Rosaire d'Arthabaska en 1928. D'abord rédacteur sportif à Radio-Canada, il devient ensuite l'un des pionniers de l'Office de la langue française où il dirige le service de néologie. Penseur fortement marqué par Spengler et Nietzsche, et devient un virulent prosateur lorsqu'il se met à analyser son propre pays. Publie d'abord des poèmes, *La Chair abolie* (1957), du théâtre, *L'Invisible Occident* (1958) et le fameux *Journal d'un Inquisiteur* (1960) qui marqua les premiers mois de la Révolution tranquille.

Toute l'histoire du Canada est un gigantesque sous-entendu. Elle a été et elle est une mosaïque, une Babel d'équivoques et de quiproquos spirituels et politiques qui se survit uniquement grâce au soin que mettent les impresarii à déifier la médiocrité nationale, à la grande satisfaction d'ailleurs des bailleurs de fonds du vaudeville où le prix d'admission est fixe et usuraire: l'approbation filiale muette du travail des cabotins en scène. Le prix est exorbitant; je regrette d'avouer que je n'ai ni les moyens ni le goût de le payer. L'histoire du Canada est une absurdité quasi métaphysique; en tout cas, institutionnelle et votive, et comme toute entreprise d'étranglement, elle doit être dénoncée par un cri. Je dénonce l'histoire du Canada, je ME dénonce. Je me pardonnerais tout sauf la mauvaise foi, résidu de la peur ou de la vanité, que l'une soit religieuse et l'autre raciale, peu importe. L'individu, sénateur, évêque, professeur ou médecin, qui a l'audace éhontée de croire que la vérité et la dignité humaine lui sont acquises, emploiera son temps, sa fonction et son honneur à détruire l'une et l'autre chez ceux que le hasard place sous sa tutelle. JE ME DÉNONCE. Rien de plus universel que le JE et, en même temps, rien de moins politique. Au rappel de ce détail élémentaire, les missionnaires du mythe du Bien Commun vont en concevoir une grande amertume, grincer des dents ou jouer du fouet, toutes ces sueurs pour arriver à se prouver l'impeccabilité originelle de leur MOI. Les incohérences de la vanité sont tout simplement géniales! Mais les Canadiens français n'en sont pas à une équivoque près et dans leurs sublimes efforts de réformer, restaurer, renouveler, transfigurer la condition humaine, sortie infirme, grossière et laide des mains de Dieu, ils ont découvert que la duplicité de conscience était l'acte par excellence du salut temporel et de l'autre! La situation est presque maintenant trop grotesque pour être tragique, mais elle reste un drame qui, à mesure qu'on explore son ventre, perd de son importance et de sa signification historiques.

Mon bras de chirurgien est exténué. Je lègue volontiers la tâche d'ablation du chancre à mes confrères qui ont souvent fait devant moi profession de penser, même s'ils ont toujours eu de l'esprit humain une notion assez vénérable pour ne jamais voler à son secours quand ils l'ont mainte fois vu tomber aux mains des voleurs.

GILLES LECLERC, *Journal d'un Inquisiteur*, 1960.
Montréal, Éd. du jour, 1974, pp. 326-327.

DOCUMENT 1

LES GRANDES DATES DU QUÉBEC CONTEMPORAIN

1960   :   Début de la « Révolution tranquille ».
Élections : victoire du Parti libéral, dirigé par Jean Lesage.

1961   :   Le Québec ouvre une « délégation » à Paris et à New York.

Fondation du Rassemblement pour l'indépendance nationale (R.I.N.)

1962   :   Le Québec ouvre une « délégation » à Londres.

1962-1963 :   Nationalisation des réseaux d'électricité.

1963   Premières bombes du F.L.Q. (Front de Libération du Québec).

1964   :   Création du Ministère de l'Éducation.

1965   :   Le Québec ouvre une « délégation » à Milan.

1966   :   Fin de la « Révolution tranquille ».
Élections : victoire de l'Union Nationale, dirigée par Daniel Johnson, avec le slogan : Égalité ou indépendance.

1967   :   Exposition universelle à Montréal.
Visite du général de Gaulle qui lance le désormais célèbre : « Vive le Québec libre ! »

1968   :   Abolition du Conseil législatif et création de l'Assemblée nationale du Québec.
Jean-Jacques Bertrand succède à Daniel Johnson comme Premier ministre du Québec.
Fondation du Parti Québécois, formation indépendantiste dirigée par René Lévesque.
Élections fédérales : Pierre Elliott Trudeau est élu Premier ministre du Canada.

1969   :   La loi 63 reconnaît la liberté de choix de la langue d'enseignement : violentes réactions à Québec et à Montréal contre cette législation.

1970   :   Élections : victoire du Parti libéral dirigé par Robert Bourassa.
L'affaire du F.L.Q. (Front de Libération du Québec) : un diplomate britannique et un ministre libéral sont enlevés ; ce dernier est mis à mort. Loi martiale proclamée par le gouvernement du Canada et arrestations massives.

1972   :   Grève générale dans le secteur public ; emprisonnement des chefs syndicaux.

1974	:	La loi 22 proclame le français comme langue officielle mais maintient le libre choix de la langue d'enseignement. Vives protestations contre cette loi.
1976	:	Élections: victoire du Parti Québécois dirigé par René Lévesque.

2. DUR COMME PIERRE

Yves Thériault. Romancier, conteur et dramaturge né à Québec en 1915. Lauréat du Prix de la Province de Québec pour *Aaron* (1954) et du Prix France-Canada pour *Ashini* (1960), Thériault est l'un des auteurs les plus lus au Québec, surtout à cause de son populaire *Agaguk* (1958). Dans sa production romanesque qui s'étend de 1944 à aujourd'hui, on trouve notamment: *Contes pour un homme seul* (1944), *La Fille laide* (1950), *Le Dompteur d'ours* (1951), *Les Vendeurs du temple* (1951), *Cul-de-sac* (1961) *Les Commettants de Caridad* (1961), *Le Rû d'Ikoué* (1963), *Les Temps du Carcajou* (1965), *L'Oppulante* (1967), *Kesten* (1968), *La Mort d'eau* (1968), *Mahigan* (1968), *N'Tsuk* (1968), *Tayaout, fils d'Agaguk* (1969), *La Passe-au-crackhin* (1972), *Le Haut Pays* (1973) et *Agoak, l'héritage d'Agaguk* (1975). Thériault a également écrit des nouvelles, des essais, quelques pièces de théâtre et une dizaine de romans pour les jeunes. Membre de la Société royale du Canada.

J'allais être un homme quand j'appris la vérité.

— Il ne faut pas, me dit mon père en m'instruisant, que tu ailles chasser là où le mont Uapeleo — le mont de la Perdrix Blanche — se dresse contre le plus Grand des Lacs. En haut de ce mont, c'est le Pays des Bonnes Chasses où ne vont que les morts élus. À l'ouest du lac, c'est le pays des Blancs où le saumon des rivières est interdit aux gens de ta race, où la fourrure des bosquets n'est qu'aux Blancs, où si tu chasses, tu ne sera plus un Indien mais un Blanc. Veux-tu être un Blanc?

Je ne répondais pas, même en ce temps, aux questions comme celles-là. Il est des utilités plus logiques à la parole.

Être Blanc, moi?

Moi, Ashini, dur comme pierre, fils d'Uapekelo, le Hibou Blanc qui sait planer au-dessus des forêts comme un nuage de printemps?

Il est des langues pures que l'usage aux colonies déforme. Je comprends qu'il existe là un phénomène d'accord. Aux peuples d'éloignement qui ont fait de la langue mère une douceur et une joie appartiennent le cœur doux et la pitié sereine.

Aux usurpateurs, aux intolérants, la rêcheur d'une langue enlaidie et corrompue.

« Va-t'en, maudit sauvage ! »

Il n'est point de langue douce qui sache prononcer de tels mots envers ceux mêmes qui montrèrent durant des millénaires la figure de l'homme aux forces instinctives de la nature, qui parcoururent en maîtres bienveillants ces forêts sans jamais en décimer la faune, sans jamais en incendier les arbres, sans jamais en violer les versants d'eau. Maîtres bons, adaptés à la nature, incapables d'en déséquilibrer le rythme.

En ma langue, si étonnant que cela puisse paraître, il n'est pas de mot pour crier aux intrus: « Va-t'en, maudit Blanc ! » Peut-être aurait-il fallu inventer ces mots avant qu'il ne soit trop tard ?

Je ne les ai pas inventés, ni mes frères, et mes fils pas davantage.

Nous avons vécu en notre cage immense, contenus tout en nous imaginant être libres.

YVES THÉRIAULT. *Ashini*, 1960.
Montréal, Éd. Fides, 1960, pp. 42 à 46.

3. LE GRAND DÉPART

Marcel Dubé. Dramaturge né à Montréal en 1930. Études au Collège Sainte-Marie. Co-fondateur de la troupe «La Jeune Scène» qui joue sa première pièce *Le Bal triste* (1951). Première œuvre dramatique de la télévision canadienne, *De l'autre côté du mur* (1952) mérite le prix de la meilleure pièce canadienne et *Zone* (1953) remporte le même prix l'année suivante. Dubé a rédigé quarante-deux textes pour Radio-Canada dont trente pour la télévision. Il signe aussi des téléromans populaires tels *La Côte de sable* (1960-1962) et *De 9 à 5* (1963-1966). Membre de l'Académie canadienne-française et de la Société Royale du Canada. L'ensemble de son œuvre lui mérite le Prix Victor-Morin en 1966 et le Prix David en 1973.

Auteur de deux essais: *Textes et documents* (1968) et *La tragédie est un acte de foi* (1973), et d'un photo-roman *Hold-Up* (1969), il a publié plus de vingt pièces dramatiques dont *Le Temps des lilas* suivi de *Un simple soldat* (1958), *Florence* (1960), *Bilan* (1968), *Les Beaux Dimanches* (1968), *Au retour des oies blanches* (1969), *Entre midi et soir* (1971), *Le Naufragé* (1971), *Médée* (1973) et *L'été s'appelle Julie* (1975).

FLORENCE

Papa, j'aurais envie de m'en aller vivre en chambre.

ANTOINETTE

Jamais, ma p'tite fille, jamais! Je sais ce qui se passe chez les filles qui vivent en chambre!

GASTON

Laisse-la parler, Toinette, veux-tu?

ANTOINETTE

Tu deviens trop tendre, Gaston! Plus ça va, plus tu te laisses manger la laine sur le dos.

GASTON

Je vieillis... En vieillissant, on apprend à être tolérant... On ne l'a peut-être pas été assez quand on était jeune... Pourquoi tu voudrais rester en chambre ?

FLORENCE

Parce que j'en ai assez de ma p'tite vie plate, parce que j'en ai plein le dos de la maison.

PIERRE

C'est toi qui me traitais d'égoïste, tout à l'heure ? Tu pourrais te regarder ! Tu ne penses toujours rien qu'à toi.

GASTON

Te mêle pas de ça, Pierrot.

FLORENCE

Tu sauras, mon petit garçon, que si ce n'était pas de moi, que si je n'apportais pas une pension chaque mois, tu ne pourrais pas le continuer ton cours secondaire ! Pourtant, j'aurais aimé étudier, moi aussi, j'aurais aimé être instruite, mais la chance n'était pas pour moi. J'ai vécu toute ma vie avec cinq frères. Parce que j'étais toute seule de fille, je n'ai jamais eu de considération de personne. Pas plus que de la poussière sur un meuble.

GASTON

Aujourd'hui encore, t'as l'impression de ne pas être plus que de la poussière sur un meuble ? Aujourd'hui encore, Florence ?

FLORENCE

Aujourd'hui, je veux avoir ma vie à moi, je veux être libre, indépendante.

GASTON

Je ne t'empêche pas. Mais dis-moi, par exemple, ce que tu peux trouver ailleurs que tu ne trouves pas ici.

ANTOINETTE

T'imagine donc pas qu'ailleurs c'est mieux qu'ici.

FLORENCE

Tu parles sans savoir, maman, parce que tu vis dans la même p'tite routine depuis trente ans. Pour toi, le monde s'arrête sur le perron de la porte, tout ce qui peut se passer ailleurs, ça te laisse froide. Non, ça ne te laisse pas froide, ça te fait peur. Tout ce qu'il y a en dehors de ta vie te fait peur, ça ne peut pas être beau, ça ne peut pas être bon.

ANTOINETTE

Continue, attaque-moi... Je me suis dévouée pendant trente ans de ma vie pour tout donner à mes enfants et c'est la récompense que je reçois.

FLORENCE

C'est pas ta faute, maman, je le sais, mais ce que je dis, je le pense. Traite-moi d'ingrate si tu veux, ça m'est égal.

GASTON

On sait, ta mère et moi, que tu n'es pas une ingrate. T'as accusé ta mère, maintenant je veux que tu m'accuses.

FLORENCE

Regarde papa, regarde tout ce qu'il y a autour de nous. Regarde les meubles, les murs, la maison: c'est laid, c'est vieux, c'est une maison d'ennui. Ça fait trente ans que tu vis dans les mêmes chambres, dans la même cuisine, dans le même «living-room». Trente ans que tu payes le loyer mois après mois. T'as pas réussi à être propriétaire de ta propre maison en trente ans. T'es toujours resté ce que tu étais: un p'tit employé de Compagnie qui reçoit une augmentation de salaire tous les cinq ans. T'as rien donné à ta femme, t'as rien donné à tes enfants que le strict nécessaire. Jamais de plaisirs, jamais de joies en dehors de la vie de chaque jour. Seulement Pierre qui a eu la chance de s'instruire: c'est lui qui le méritait le moins. Les autres, après la p'tite école, c'était le travail; la même vie que t'as eue qui les attendait. Ils se sont mariés à des filles de rien pour s'installer dans des maisons comme la nôtre, grises, pauvres, des maisons d'ennui. Et pour moi aussi, ce sera la même chose si je me laisse faire. Mais je ne veux pas me laisser faire, tu comprends papa! La vie que t'as donnée à maman ne me dit rien, je n'en veux pas! Je veux mieux que ça, je veux plus que ça. Je ne veux pas d'un homme qui se laissera bafouer toute sa vie, qui ne fera jamais de progrès, sous prétexte qu'il est honnête; ça ne vaut pas la peine d'être honnête si c'est tout ce qu'on en tire... Je préfère mourir plutôt que de vivre en esclavage toute ma vie.

ANTOINETTE

Tu ne sais plus ce que tu dis. Tu ne sais plus ce que tu dis parce que tu ne connais rien de la vie. Mais moi je vais t'apprendre ce que c'est. Pour avoir parlé de ton père comme tu viens de le faire, faut pas que tu l'aimes beaucoup, faut pas que tu le connaisses. Je vais te dire ce qu'il est ton père, moi !

GASTON

Je ne te demande pas de me défendre, ma vieille. Ce que Florence a dit de moi est vrai.

ANTOINETTE

C'est peut-être vrai dans un sens, mais ça ne l'est pas dans l'autre... Ton père, Florence, est d'une génération qui va s'éteindre avec lui... Pas un jeune d'aujourd'hui pourrait endurer ce qu'il a enduré. À vingt ans, c'était un homme qui avait déjà pris tous les risques qu'un homme peut prendre. Avoir une situation stable, sais-tu ce que ça représentait alors ? T'en doutes-tu ? Ça représentait le repos, la tranquillité, le droit de s'installer et de vivre en paix. Ton père, Florence... c'est pas un grand homme. Jamais été riche mais toujours resté honnête. Trois fois au cours des années, il aurait pu gagner beaucoup d'argent à travailler pour un député rouge[1]. Deux fois pour un député bleu[2]. Il l'aurait acheté sa maison s'il l'avait voulu, mais il a refusé... Tu peux lui en vouloir pour ça, tu peux encore lui faire des reproches ?... Parle ! Réponds !

GASTON

Florence... T'as eu la franchise d'exprimer ce que tu pensais tout à l'heure, si tu veux continuer, je suis toujours prêt à t'entendre.

FLORENCE

Je n'ai plus rien à dire... j'ai trop parlé maintenant... je suis allée trop loin... t'aurais pas dû me laisser faire aussi ! (*Elle court vers le couloir d'entrée, décroche son manteau et sort en courant.*)

MARCEL DUBÉ, *Florence*, 1960.
Montréal, Leméac, 1970, pp. 79 à 81 et 84 à 86.

1. Député rouge: *député du Parti libéral.*
2. Député bleu: *député du Parti conservateur (Ottawa) ou de l'Union nationale (Québec.)*

4. LAÏCITÉ

Jacques Godbout. Romancier et cinéaste né à Montréal en 1933. Après des études de littérature à l'Université de Montréal (1954), il enseigne trois ans en Éthiopie, puis entre à l'Office national du film comme scénariste et réalisateur. Il fonde la revue *Liberté*, qu'il dirige avant de mettre sur pied le Mouvement laïque de langue française.
Prix France-Canada pour son roman *L'Aquarium* (1962). Prix du Gouverneur général pour *Salut Galarneau* (1967). Prix Dupau de l'Académie française pour *D'Amour P.Q.* (1972). Prix Duvernay pour l'ensemble de son œuvre en 1973. Outre ces romans, il a également fait paraître des poèmes: *Carton-pâte* (1956), *Les Pavés secs* (1958), *C'est la chaude loi des hommes* (1960), *La Grande Muraille de Chine* (1969), une pièce de théâtre *L'Interview* (1973), et d'autres textes, dont *Le Couteau sur la table* (1965), *Le Réformiste. Textes tranquilles* (1975) et *L'Île au dragon* (1976). Premier président de l'Union des écrivains québécois (1977).

Nous sommes des littéraires. Mais il y a des moments dans la vie d'une nation — et je crois que nous respirons ces moments à pleine poitrine — où littéraires comme scientifiques, étudiants et ouvriers, sont appelés à autre chose que leur métier: une mobilisation générale. Pour l'éducation, par exemple. Et la fierté. Tout à l'heure nous retournerons à nos poèmes, à nos romans, à nos essais.

Mais nous voulions dire que l'école nous intéresse autant qu'elle intéresse les instituteurs. L'école. La grande misère de notre pensée nationale y naît tous les jours à l'école. Dans ce que nous n'y enseignons pas, par démission, par peur, par pauvreté d'esprit.

Mais il y a pire encore: où sont ces milliers d'instituteurs, nerfs d'une nation? On les a, dit une thèse à Laval[1], proprement liquidés. Puis on les a remplacés par des nouilles, les unes en uniforme, les autres sans. Mais nouilles quand même.

Notre pays est pauvre parce que nos instituteurs n'ont aucune pensée politique, ne sont pas engagés dans le social. Tout juste s'ils peuvent obtenir le droit de parler métier.

Or ce n'est que lorsque les instituteurs du pays seront responsables à la nation et non à Rome que nous commencerons de vivre la démocratie. Ce n'est que lorsque les instituteurs sauront autant de règlements du Code civil que du droit canon que nos enfants deviendront citoyens.

1. Laval: *l'université Laval à Québec.*

Nègres blancs d'Amérique, il faudrait quand même que nous nous accordions les institutions nécessaires. C'est très bien de crier que l'ennemi nous étrangle : mais peut-être sommes-nous à nous suicider avant qu'il n'ait eu même le temps de nous lyncher. Et le préalable à tout premier pas reste l'idée laïque.

Il y a cent ans l'idée laïque triomphait. Puis ce fut, dans tous les villages, la lutte entre le curé et l'instituteur, celui-ci appuyé par les journalistes que les curés faisaient emprisonner par les Anglais (trop heureux d'éviter des soulèvements), celui-là appuyé par les mandements. En dix ans tout fut perdu. Il y a de cela cent ans. Depuis nous avons connu l'urbanisation (on pourrait dire la montréalisation, puisque les forces de la nation sont en ce réservoir), nous avons connu les guerres ; nos portes, fermées dès 1910, se sont ouvertes en 1945.

Et nous avons connu les moyens de diffusion. L'idée laïque a un an. Et elle en a cent. L'on nous reprochera de vouloir briser les traditions ? Nous voulons en renouer plutôt. Car pour une nation, hors la tradition civique, il n'est que le désordre. Ce désordre peut être mou, soyeux de guimauve comme celui des cinquante dernières années. Ce désordre : une sainte poisse.

Si encore l'enseignement catholique canadien-français s'était installé dans la tradition française. Mais non ; la peur dans le dos, on choisit le vide. En effet une tradition demande des têtes, des maîtres, des luttes : des écoles supérieures les unes aux autres qui font que l'enfant n'a qu'un rêve : étudier ici plutôt que là. Sous tel maître. Notre enseignement fut inaccessible parce que trop cher, mais surtout parce qu'inexistant.

L'université, par exemple, serait la mère de toute tradition ? Dans un pays honnête et intelligent ; mais ici on a préféré la sécurité à l'intelligence, on s'est assuré que l'université serait le dernier coup de chapeau à l'ignorance. Les étudiants de l'Université de Montréal devraient rêver, manger, parler d'universités étrangères. Ils ne devraient avoir qu'un but : se faire admettre à l'École normale supérieure ou à l'X. Ces écoles ne sont-elles pas les plus hautes institutions en pays de langue française ? N'y rêve-t-on pas à Madagascar et à Djibouti ? Peut-être rêve-t-on de la Sorbonne ailleurs : ici, non. Car, entendez bien : le Canadien français est un homme d'Amérique. Il n'a rien de français en lui.

Et c'est quoi un homme d'Amérique ? La plus belle entourloupette que nous ait servie l'Église romaine : La France c'est péché, vous êtes d'Amérique. Un peu comme les Allemands qui croyaient, en conquérant Paris, racheter le Christ.

En somme l'Église de France a trompé Jeanne d'Arc, l'Église du Canada lui sera fidèle. L'École de France a trahi l'Inquisition, l'École canadienne-française sauvera l'Opus Dei[2]. Nous sommes des Français améliorés ! Nous n'avons pas de putains en carte, et si nous en avons, elles vont à la messe. Nous sommes des Français améliorés : nous n'avons jamais cédé à la tentation de réfléchir et d'imaginer.

Ah ! nous lui devons une fière chandelle au père Combes. Grâce à lui, nous sommes devenus l'œuvre de la goutte de lait aux instituteurs en fuite. Grâce à lui, nous avons hérité de la tradition la plus bretonne que l'on puisse inventer : celle qui est au fond de toute pauvreté. Grâce aux lois françaises du début du siècle, nous sommes devenus des parents améliorés : nous fûmes le premier peuple inséminé artificiellement.

2. Opus Dei : *organisation catholique de droite, particulièrement active en Espagne.*

Alors pour tous ceux qui, nés ici, se sentent quand même un besoin d'espace il reste une solution: la laïcité. C'est pour moi synonyme de démocratie, de respect, de qualité. C'est un mot clef auquel nous devons attacher tout un bagage affectif. La laïcité, c'est un renouveau: quand on aura bien compris qu'être homme d'Amérique c'est être aussi européen (Bon Dieu, lisez Miller!) quand on aura compris que les vaches canadiennes sont des vaches améliorées, mais que pour être des Français améliorés il aurait fallu apprendre à lire et à écrire, quand on aura compris que le droit à une opinion pluraliste est un droit de toute nation, on aura alors un gouvernement laïque, un État laïque, une société laïque. C'est-à-dire neutres, c'est-à-dire non confessionnels. C'est-à-dire civiques.

Le patronage? C'est la réponse de l'esprit de paroisse à la démocratie. Formez des citoyens, et les marguilliers céderont devant les notables civils. Car il faudrait être sous-doué pour ne pas se rendre compte que la crise intellectuelle et celle de l'enseignement que nous traversons reflètent une crise à tous les paliers. La laïcité s'installera en même temps que l'instruction. À moins que nous ne soyons congénitalement idiots. Ce qui reste à prouver.

Comment dire? On parle de nationaliser les différentes exploitations de nos richesses naturelles, les services publics, etc. A-t-on songé qu'il était temps de nationaliser l'enseignement?

Et les catholiques canadiens-français, dans cinquante ans, se demanderont quel évangile lisaient leurs pères. Et les agnostiques se demanderont dans cinquante ans où nous puisions notre colère.

JACQUES GODBOUT, *Liberté*, 1961.
Montréal, Éd. Quinze, 1975, pp. 11-14.

5. LE PÉDAGOGUE

Gérard Bessette. Romancier, essayiste et professeur né à Sainte-Anne-de-Sabre-vois en 1920. Il passe par l'École normale Jacques-Cartier et à l'Université de Montréal, où il obtient un doctorat ès lettres (1950).
Successivement professeur de français à l'Université de Saskatchewan, à l'Université Duquesne de Pittsburgh (U.S.A.), au Collège militaire royal de Kingston, il enseigne la littérature québécoise à l'Université Queen's depuis 1960.

Essais: *Les Images en poésie canadienne-française* (1960), *Une littérature en ébullition* (1968) et *Histoire de la littérature canadienne-française par les textes* (1968). Romans: *La Bagarre* (1958), *Le Libraire* (1960), *Les Pédagogues* (1961), *L'Incubation* (1965), *Le Cycle* (1971), *La Commensale* (1975).
Membre de la Société Royale du Canada (1966). Prix du Gouverneur général (1965 et 1971).

À leur entrée, le prélat se leva pour leur tendre la main. C'était un homme court au cou bref et puissant, aux épaules larges, dont le masque carré au menton volontaire donnait une impression de force, de détermination. Les yeux vifs, mobiles, profondément enchâssés sous un front en butoir, le crâne chauve et luisant, il leur fit signe de prendre place.

— Je suis très heureux, messieurs, fit-il, de cette occasion de lier connaissance avec vous. Comme vous le savez, l'École Pédagogique est une institution qui nous tient à cœur. Je me promets toujours d'y faire une visite à titre privé en dehors des réceptions de fin d'année où il est difficile, n'est-ce pas, de causer en tête à tête, mais... je ne trouve jamais le temps... De quelle requête s'agit-il messieurs? Lors de notre conversation téléphonique, votre directeur n'a pas jugé bon de s'expliquer...

Pellerin tira son procès-verbal de son cartable.

— À vrai dire, il ne s'agit pas précisément d'une requête, M. le chanoine. Ce serait plutôt une... consultation sur un problème assez délicat.

En quelques mots, il le mit au courant de la création d'une nouvelle chaire en mathématiques avancées, et la difficulté de trouver un professeur compétent.

Le chanoine profita d'une pause pour féliciter les autorités de l'école ainsi que le ministère de ce projet. Il fallait avant tout, fit-il, donner à nos futurs éducateurs une solide formation morale, mais on avait peut-être trop négligé jusqu'à présent d'autres disciplines comme les sciences et les mathématiques dont l'importance croissante exigeait la plus grande attention.

Pellerin, qui feuilletait son procès-verbal, demanda au chanoine la permission d'en lire quelques extraits. L'ecclésiastique lui fit signe qu'il écoutait.

« Après avoir annoncé la création de ce nouveau poste, lut Sarto, M. Arbour pria les conseillers de lui suggérer des candidats. Un long silence suivit, qui prouvait bien la difficulté de trouver un professeur qualifié. Puis le nom de M. Stanilas Chavinski, docteur de la Sorbonne, fut proposé. Ce mathématicien, qui a professé en Pologne et en France et qui s'exprime, selon le témoignage d'un des conseillers, en un français impeccable, semblait devoir recueillir l'approbation unanime lorsqu'il fut révélé que ce professeur, qui avait été employé par la commission pendant quelques mois en qualité de suppléant, n'était pas un catholique pratiquant. Il ne fut pas précisé s'il avait été élevé ou non dans la religion catholique.

« Il s'ensuivit un débat assez long d'où il ressortit que la majorité des membres du Conseil ne voyait pas là un empêchement à sa nomination. On souligna la nature neutre du sujet qu'il enseignerait. On argua que trop souvent notre système d'éducation faisait preuve d'intransigeance et se privait ainsi des services précieux de compétences venues de l'étranger et dont les écoles ou universités protestantes s'empressaient de s'emparer. On déplora l'attitude hostile que les Canadiens français adoptaient à l'égard des Néo-Canadiens qui, même lorsqu'ils étaient de langue française, se détournaient souvent pour cette raison de notre groupe pour aller grossir les rangs de la majorité de langue anglaise. Il fut de plus révélé que souvent des immigrants francophones, trouvant l'enseignement religieux de nos écoles trop rigoriste, se voyaient contraints d'envoyer leurs enfants aux institutions anglophones.

« Ces considérations, on s'en rendait compte, dépassaient peut-être les cadres du débat, mais, de l'avis de la majorité, la nomination de M. Chavinski, lequel, fut-il souligné, n'avait jamais, ni dans son enseignement ni dans ses propos en dehors de l'école, manifesté d'hostilité à l'Église, constituerait un pas dans la bonne direction » !...

Sarto s'interrompit pour épier la réaction du chanoine. Renversé dans son fauteuil à bascule, la figure impassible, ce dernier grillait une cigarette, les yeux fixés au plafond. Mais l'abbé Béchard, lui, donnait des signes de nervosité. Ses mains fluettes jointes sur sa maigre poitrine, il hochait la tête d'un air perplexe. Il ne voulait pas mettre en doute la bonne foi de Sarto, qui avait consulté ses collègues, mais il trouvait que ce « compte rendu » ne donnait pas une impression juste de la séance. Selon lui, le rapport du secrétaire aurait dû établir une distinction nette entre la partie « délibération » et la partie « consultation ». Sarto parlait de majorité en faveur de la candidature Chavinski. Peut-être avait-il raison. Mais aucun vote n'avait été pris. D'ailleurs pourquoi M. Pellerin avait-il interrompu sa lecture ? Certainement le rapport ne devait pas s'arrêter là.

Comme le silence se prolongeait :

— Me permettrez-vous, M. Pellerin, de faire ici une observation à l'intention de M. le chanoine qui n'était pas présent ?

— Si vous voulez, dit Sarto, en détournant les yeux du prélat. Mais j'avais pensé qu'il valait peut-être mieux finir d'abord ma lecture.

Avec un soupir, l'abbé Béchard approuva de la tête.

Le secrétaire reprit:

« Cette thèse toutefois ne laissa pas de soulever plusieurs objections. Il fut maintenu que, quelque pertinents que fussent les arguments invoqués en faveur de M. Chavinski, ils ne diminuaient en rien les dangers d'un enseignement dirigé par un non-pratiquant. Cette nomination créerait un antécédent périlleux, provoquerait même peut-être un scandale chez les élèves et les parents. Fallait-il courir de tels risques même dans le but d'acquérir une science précieuse sans doute, mais vaine en comparaison des valeurs éternelles? »

Sarto s'arrêta de nouveau. Jusqu'à ce matin à son réveil, ce paragraphe concluait la partie argumentative de son compte-rendu. Toutefois, en le relisant à la dernière minute, il avait jugé que ce n'était pas suffisant. La deuxième partie semblait réfuter, réduire à néant la thèse en faveur de Chavinski et il était trop tard pour changer l'ordre d'exposition. Alors, très vite, Sarto s'était installé de nouveau à son bureau pour rédiger un paragraphe supplémentaire où il dénonçait les dangers d'une éducation en serre-chaude dont le jansénisme empêchait nos jeunes de se cultiver vraiment, de lire un grand nombre d'œuvres de la littérature française dont on se contentait de « réfuter » pour eux les idées ou les attitudes « immorales », sans leur donner la chance de porter des jugements personnels. Si bien qu'on en arrivait à ce paradoxe honteux que les étudiants canadiens-français, sauf quelques « mauvaise têtes » qui violaient la consigne, se trouvaient beaucoup moins bien renseignés sur la littérature française que les étudiants canadiens-anglais pour qui cette matière n'était pourtant qu'un sujet secondaire. Comment s'étonner ensuite que nos étudiants, une fois sortis de l'école, devinssent facilement la proie d'idées ou de théories qu'on leur avait si véhémentement appris à considérer comme fausses, s'ils se rendaient compte ensuite que ces mêmes théories contenaient quelques aspects valides? De là à passer à un scepticisme, à une méfiance universelle à l'égard de l'éducation qu'ils avaient reçue, il n'y avait qu'un pas. Et à qui la faute?...

— En ma qualité de conseiller ecclésiastique à la Commission, me permettrez-vous de vous mettre amicalement en garde contre certaines tendances... gauchistes qui se manifestent chez un certain nombre de nos intellectuels? L'Association des Instituteurs en offre une preuve alarmante. autrefois, dans notre province, on considérait l'enseignement comme une mission, un apostolat... Les choses ont bien changé.

GÉRARD BESSETTE, *Les Pédagogues*, 1961.
Montréal, Cercle du Livre de France, 1961, pp. 109 à 112 et 115.

DOCUMENT 2

L'ÉVOLUTION TAPAGEUSE

La « révolution tranquille » était doublement mal nommée. Elle n'avait rien de « révolutionnaire », étant tout au plus une évolution à un rythme qui paraissait accéléré parce qu'elle suivant une longue période de stagnation généralisée. Elle n'était pas non plus « tranquille » ou « silencieuse », puisque jamais au Québec on avait fait autant de bruit politique, jamais on avait tant parlé, causé, palabré! Cette « évolution » était tapageuse et bavarde, mais elle n'était pas non plus illusoire: évolution, elle était mouvement.

Cette « évolution tapageuse » était aussi globale: 1° les Québécois avaient nettement l'impression de passer d'un « ancien régime » à un « nouveau », s'ouvrant à un champ des possibles qu'interdisait la sclérose duplessiste; 2° tout le monde était convié à remettre d'abord « le train sur les rails », puis à faire marcher la machine, 3° la société québécoise étant ce qu'elle était, le fait de toucher à sa base même, l'enseignement en particulier, il semblait que tout bougeait d'un seul mouvement; 4° le nouveau type de relations avec les autorités fédérales développait un sentiment d'une commune appartenance non plus à une province sur dix, mais à l'« État du Québec », foyer national des Canadiens français, qui se manifestaient, en outre, sur le plan international en ouvrant des « délégations » du Québec à Paris, à Londres et à Milan; 5° enfin, la nationalisation des réseaux d'électricité (Hydro-Québec) et les premiers essais de reprise en main de l'économie et des services de bien-être social visaient des objectifs globaux, en même temps qu'ils touchaient la totalité des citoyens, consommateurs ou bénéficiaires.

(GÉRARD BERGERON, **Le Canada français après deux siècles de patience**, Paris, Seuil, 1967, pp. 164-165-166.)

6. ODE AU SAINT-LAURENT

Gatien Lapointe. Poète né à Sainte-Justine (près de Québec) en 1931. Boursier de la Société Royale du Canada, il s'inscrit pour une thèse de doctorat à la Sorbonne et séjourne dans plusieurs pays d'Europe. Il collabore à divers journaux et revues ainsi qu'à plusieurs émissions culturelles à Radio-Canada. Directeur-fondateur de la maison d'édition Des Forges, il est actuellement professeur à l'université du Québec aux Trois-Rivières. Lauréat du Prix du Club des Poètes en 1962, du Prix Du Maurier et du Prix du Gouverneur général en 1963. Son recueil *Le Premier Mot* (1967) lui mérite le prix de la Province de Québec. Il a publié, en outre, *Jour malaisé* (1953), *Otages de la joie* (1955), *Le Temps premier* suivi de *Lumière du monde* (1962), *Ode au Saint-Laurent* précédée de *J'appartiens à la terre* et du *Chevalier de neige* (1963) et *Le pari de ne pas mourir* (1967).

Mais qui a connu les combats de mon pays

A-t-on vu cet espace immense entre chaque maison
A-t-on vu dans nos yeux ce grand exil

Montrez-moi mes compagnons d'espérance
Ô mes amis de neige et de grand vent
Et ce ciel froid qui nous brûle le front
Et cette forêt vaste où s'égarent nos cris
Et ce pas aveugle des bêtes dans l'orage
Et ce signe incompréhensible des oiseaux
Comment l'homme pourrait-il vivre ici
Par quel mot prendrait-il possession de ce sol

La distance est trop grande entre chaque homme
Nous n'avons pas le temps de regarder la terre

Le froid nous oblige à courir

Mais a-t-on vu de près l'homme de mon pays
A-t-on vu ces milliers de lacs et de montagnes
Qui s'avancent à pas de bêtes dans ses paumes

A-t-on vu aussi dans ses yeux ce grand désert
Ici chacun marche sur des échasses
Nous existons dans un geste instinctif
Naîtrons-nous dans une parole
Quelle marées nous amèneront aux rives du monde

***

Ce paysage est sans mesure
Cette figure est sans mémoire

J'écris sur la terre le nom de chaque jour
J'écris chaque mot sur mon corps

Phrase qui rampe meurt au pied des côtes

J'ai refait le geste qui sauve
Et chaque fois l'éclair disparut

Tu nais seul et solitaire ô pays

GATIEN LAPOINTE, *Ode au Saint-Laurent*, 1961.
Montréal, Éd. du Jour, 1963, pp. 73-74.

7. LES BÊTES

Jean Le Moyne. Journaliste et essayiste né à Montréal en 1913. Ami de Saint-Denys-Garneau, il fut l'un des principaux animateurs de la Relève. Lors de la parution de son premier recueil d'essais, *Convergences* (1961), il obtint le Prix du Gouverneur général, le premier Prix des Concours littéraires de la Province de Québec et le Prix France-Canada. Autre publication: *Au bout de mon âge: confidences de Jean Le Moyne* (1972).

Si on n'oublie pas que les ordres ne sont pas confondus, je me sens très à l'aise pour dire que je dois autant aux fourmis qu'à Homère, aux poissons qu'à Cervantès, à la basse-cour qu'à l'École.

Mes patiences implacables d'enfant observant les fourmis m'ont fait pénétrer l'anonymat de la nature et montré le drame innombrable du risque individuel au sein des plus strictes pressions collectives et déterminations instinctives. Les fourmis m'ont enseigné l'ascèse féroce des énergies vitales et la discrétion de la marge qui garantit la réussite de l'individu et de l'espèce; elles m'ont révélé l'équivoque des certitudes et les précarités de la subsistance; elles m'ont initié à la nécessité de l'erreur et du gaspillage et au jeu de la quête et du partage.

De même les poissons, que j'ai encore mieux connus, voire étudiés, et bien plus longtemps: ils m'ont révélé une lointaine annonce de l'homme, ils m'ont fait assister à l'aube d'un rapport animal avec nous; ils m'ont appris la prodigalité des formes et des comportements; ils ont vivifié le continu de l'eau pour moi en me faisant éprouver le vivant comme la moitié de son milieu.

De même les oiseaux de la basse-cour que mon père entretenait à grands frais et au grand scandale de nos voisins, poètes élégants et maigres du tennis et du golf; à un pallier tellement plus proche de l'humain, malgré leurs vestiges reptiliens, ces oiseaux ont joué devant moi — qui allais jusqu'à lire parmi eux pour me faire oublier et les voir au plein naturel — les ébauches de la camaraderie, de la politesse, de l'humour, de l'avancement social et de la dignité; ils m'ont surpris par des pulsions instinctives si complexes, si chargées d'authentique improbabilité qu'elles annonçaient parfois le don sans réserve de certains hommes aux forces de la vie. Les coqs vaincus, les coqs glorieux, ont beaucoup dit à mes défaites et à mes victoires. Et chaque fois que je trouve telle ou telle présence amie de mon humanité, ma reconnaissance, toujours renouvelée en joie, descend en moi jusqu'au niveau de belle vie obscure de cette salutation, grave et empressée, que nos oies se donnaient, saluant du bec jusqu'à terre et trompetant, avant de manger leur grain quand nous les libérions le matin.

Ces poules, ces canards, ces oies, que j'aimais et dans l'indistinct de l'espèce et dans la distinction d'inoubliables individus, c'est moi qui les sacrifiais sur l'ordre de mon père, chirurgien au cœur trop sensible qui s'éloignait majestueux et bouleversé, une fois les condamnations prononcées, comme diagnostics. Familiers, ils se laissaient prendre, et je tenais entre mes genoux leur vie brûlante que d'un coup de canif sec et précis je faisais couler. Ils m'apprenaient la mort, et le prêt et la dette de la vie. Ce que j'en ai tué ainsi, habile et tendre, mais dépourvu de sentimentalité! Car je les ai tous mangés à la table paternelle, bien rôtis, bien farcis, bien arrosés, et de bien bon appétit.

JEAN LE MOYNE, *Convergences*, 1961.
Montréal, Éd. HMH, 1961, pp. 17, 18, 19.

8. LE TESTAMENT DU DOCTEUR COTNOIR

Jacques Ferron. Né en 1921 à Louiseville (comté de Maskinongé). Médecin, conteur, romancier, dramaturge et essayiste: l'auteur le plus prolifique de sa génération, il a publié plus d'une quarantaine de titres. Notamment, au théâtre: *L'Ogre* (1949), *Le Licou* (1951), *Le Dodu* (1953), *Le Cheval de Don Juan* (1957), *Les Grands Soleils* (1958), *L'Américaine* (1959), *La Tête du roi* (1963); dans le genre romanesque: *Cotnoir* (1961), *La Nuit* (1965), *Le Ciel de Québec* (1969), *L'Amélanchier* (1970), *Les Roses sauvages* (1971), *La Chaise du Maréchal-Ferrant* (1972) et *Les Confitures de coings* (1972). Il a aussi fait paraître plusieurs recueils de contes: *Contes anglais* (1964), *Contes du pays incertain* (1962) et des essais, dont *Du fond de mon arrière-cuisine* (1973) et *Escarmouches I et II* (1975).
Prix du Gouverneur général (1961); Prix France-Québec (1973); Prix David (1977).

Ma femme a un grand cahier. Elle écrit ce que je dis. Je ne lui ai pas encore parlé des corneilles. Du moins je ne lui en parle plus depuis qu'elles me font peur. Elle pourrait penser que je suis malade. Cela la peinerait. Elle n'a que moi sur terre. Notre maison de Longueuil est le couvent où elle s'est mise en religion, seule. Je n'ai jamais été son mari, je suis son frère convers. Chaque jour, je vais aux provisions. Elle vit de ce que je lui rapporte. Avec ça elle recrée le monde. En est-elle contente? Je la tiens au courant de tout, mais à ma façon; elle y ajoute la sienne: le drôle de monde que ce doit être! Mais il prévaudra sur l'autre, sur le vrai qui n'a pas de durée, qui se fait et se défait à chaque instant, qui s'abîme dans l'indifférence générale. Je me dis parfois que ma femme construit une arche, une arche qui flotte déjà au-dessus du déluge, où nous pataugeons tous, sur le point d'y périr. Dans cette arche j'ai fait monter beaucoup de gens et tous les animaux que j'ai rencontrés depuis vingt ans aux milles détours du faubourg, les derniers chevaux, les chèvres de la vieille Italienne, les coqs clandestins, les chiens sans licence, les perroquets qui sont tous très vieux et ne comprennent que l'anglais sans oublier le beau chevreuil, aperçu une fois par un matin d'automne, qui regardait Montréal et ne comprenait pas. Ils seront tous sauvés. Et moi aussi, bien sûr. Seulement je ne sais pas si je me reconnaîtrai. Quelle idée ma femme se fait-elle de moi? Je ne l'ai pas questionnée. J'aimerais bien quand même la connaître. Plus tard, quand je prendrai ma retraite, avant de mourir, je lirai dans son grand cahier. Toute ma vie est là, jour après jour. Je lirai et je jugerai avant le bon Dieu...

1. Viger: *l'un des Patriotes de 1837.*
2. Patriotes: *nom donné aux insurgés de 1837 et 1838 contre la présence des Britanniques.*

Moi, ça me plaisait de longer le champ de quenouilles, surtout en automne et de penser au Beau Viger[1], aux Patriotes[2], à tous les notables qui se firent une année, une année sur deux cents, une rare et belle année, qui se firent gibier de potence; de penser aussi que j'aurais été avec eux. Le beau roman que c'était là! Et facile! Aujourd'hui je ne serais pas si badaud. J'en resterais aux quenouilles, aux belles quenouilles brunissantes. Les Patriotes ont eu la gloire tandis que les mauvais garçons, les bagarreurs, les pendus du petit peuple, qui, eux, n'œuvrent pas à tous les deux siècles, mais chaque jour, bon an, mal an, ne voient jamais leur courage reconnu; ils méritent l'opprobre. Mais c'est peut-être ça, la vraie récompense. En tout cas, je pense aujourd'hui que je serais tout simplement du côté de ceux-ci. En fait, je l'ai toujours été.

Cotnoir ajouta: J'ai fait ma guerre, moi aussi, vous savez.

JACQUES FERRON, *Cotnoir*, 1962.
Montréal, Éd. du Jour, 1970, pp. 80, 81, 82.

9. VISAGE DE L'INTELLIGENCE

Ernest Gagnon (1905-1978). Né à Saint-Hyacinthe (près de Montréal). Jésuite et professeur de littérature à l'université de Montréal. Fondateur du musée des arts africains et océaniens. Il ne publiera qu'un seul livre, recueil d'études qui ont toutes eu à leur époque une influence considérable sur la formation des intellectuels québécois des années 50.

L'intelligence d'une nation, ce sont ses expériences historiques projetées dans l'universel. Or ces expériences ont été, au Canada français, très particulières et commandent la compréhension de notre âme comme elles ont conditionné son développement.

« Je me souviens » : notre devise. Le Canadien se souvient toujours, mais il ne sait plus trop de quoi. Pour beaucoup de nos intellectuels, ces trois siècles d'intelligence sont devenus des siècles de mémoire. Un passé surexalté où chaque geste « est une épopée des plus brillants exploits » [1], chaque attitude projetée dans les étoiles, ce passé, pourtant bien court, les emprisonne et les dispence de vivre dans le présent. Et tout « l'effort de leur génie » les fera inlassablement « sur notre sol... asseoir la vérité ». Une phrase comme « Au pays du Québec rien ne doit changer » [2] n'est pas aussi candide qu'elle en a l'air. Son ton de victoire peut cacher la suprême défaite, celle de l'avenir. Car le passé comme tel est mort. Comme tel, il n'existe que pour suppurer des aphorismes dangereux, paralyser au nom du sacré l'accueil vital de nos tâches actuelles. Une sédimentation de petites traditions inertes, vraiment surprenante chez un peuple aussi jeune que le nôtre, nous prive de la force essentielle du passé vivant. Car la seule fécondité du passé est dans le présent qu'elle éclaire et pousse vers l'avenir. Le passé n'est riche que de ses seules promesses réalisées dans le présent. Et ce présent n'est que la ligne irréelle où se rencontrent l'avenir et son aventure, le passé et sa sagesse. Faire du passé matière de mémoire, de l'avenir matière de rêve, c'est là une double démission de l'intelligence qui, elle, s'alimente dans le présent où se trouve le réel.

Le drame de sa survivance l'aura profondément marqué. Ses intellectuels, ce sont ses parlementaires, ses historiens, ses journalistes. Son retour dans le passé est, à cette époque, le réflexe naturel d'un peuple malheureux qui a besoin, pour reconnaître son vrai visage, de rejoindre l'origine incontestable de ses droits menacés.

Un isolé est toujours un être global.

1. *Citation du texte de l'hymne national* Ô Canada.

2. *Tiré de* Maria Chapdelaine *de Louis Hémon (voir chapitre 4, texte 9).*

239

Globalisme d'isolé, voilà, à mon sens, le problème fondamental de l'intelligence chez nous.

ERNEST GAGNON, *L'Homme d'ici*, 1963.
Montréal, Éd. HMH, pp. 157, 159, 160, 161, 164, 165, 175.

10. RITUELS D'HIVER

Jacques Languirand. Journaliste, dramaturge, metteur en scène et animateur né en 1930 à Montréal. Sa pièce *Les Insolites* (1956), jouée à Paris, lui vaut un immense succès. En 1957, Radio-Canada produit sa pièce *Les Grands Départs* (1958). Après avoir été metteur en scène et animateur culturel, Languirand poursuit maintenant des recherches en communications et anime des émissions à la radio et à la télévision de Radio-Canada.
Œuvres: *Le Gibet* (1960), *Le Dictionnaire insolite* (1962), *Les Violons de l'automne* (1962), *Tout compte fait, ou l'Eugène* (1963), *Klondyke* (1970), *De McLuhan à Pythagore* (1972) et *Grammaire ésotérique de la communication* (1976).

Dans la maison de mon enfance, l'étage était divisé en deux: le dortoir des garçons, et celui des filles. Les nuits d'hiver, avant de monter se coucher, frères et sœurs se rassemblaient en bas, autour du gros poêle de fonte, pour la prière du soir. Après quoi, tous ensemble, ils passaient leurs chemises de nuit, mais sans enfiler les manches, de manière à se dévêtir honnêtement par dessous — exercice difficile qu'on réussit après quelques années de puritanisme obstiné. On procédait alors à une seconde et avant-dernière prière du soir, — la dernière étant laissée à la discrétion de chacun dans la solitude des draps, solitude toute relative puisqu'on dormait à trois par lit. D'un geste solennel, le père ouvrait ensuite le fourneau du poêle dans lequel on avait mis des briques à chauffer. Onze en tout, autant de briques que d'enfants. Le père et la mère n'en avaient pas besoin: ils dormaient en bas, à proximité du gros poêle, presque les pieds dans le fourneau. Avec beaucoup de respect, chaque enfant allait chercher sa brique: les aînés d'abord, afin que les plus petits prissent les plus chaudes au fond du fourneau. Puis, à la file indienne, on montait à l'étage supérieur, dans le même ordre cette fois, à cause des fantômes. Le premier portait précieusement l'unique lampe à pétrole qu'il posait sur une grande table, au fond du couloir, devant une rangée de pots à eau destinés aux ablutions du matin. Remplis par la sœur aînée une dizaine de minutes plus tôt, les pots allaient se recouvrir d'une couche de glace durant la nuit: à la résistance de la glace, on saurait le lendemain si la nuit avait été froide, très froide, ou vraiment froide — car l'hiver, les nuits étaient toujours froides.

Ce ballet familial comportait alors une figure plus complexe: la file se divisait en deux groupes égaux, ou presque — à cause du onzième qui rompait le charme de la symétrie; les filles se dirigeaint du côté sud de la maison, cons-

1. Noroît: *vent du nord-ouest*.

truite par le descendant d'un navigateur sans doute obsédé par le noroît[1], et les garçons du côté nord. Pendant ce temps, aucune parole intelligible n'était prononcée, mais chacun y allait de ses onomatopées préférées, en s'agitant comme un pantin désarticulé, afin d'activer sa circulation sanguine. Parvenu près de son lit, chacun reconnaissait sa place en tâtonnant, et déposait sa brique chaude à peu près à l'endroit où, quelques instants plus tard, se trouveraient les fesses; une fois couché, chacun appliquait sa brique sur la partie la plus frileuse de sa personne — autant de parties que d'enfants, c'était affaire de personnalité.

Pour se coucher, on se lançait dans le lit, sans y penser, comme on arrache un pansement qui adhère fortement. Le plus serré possible contre son voisin, pour autant qu'il le permettait, on se faisait tout petit en regrettant que le corps ne fût pas télescopique: ah! coucher dans la boîte d'allumettes sur le réchaud du gros poêle ronronnant!... On s'endormait presque sans bouger: le moindre mouvement était considéré, avec raison, comme un gaspillage éhonté de chaleur humaine.

JACQUES LANGUIRAND, *Tout compte fait*, 1963.
Paris, Denoël, 1963, pp. 21-24.

11. MÉMOIRE

Pierre Trottier. Poète et essayiste né à Montréal en 1925. Après des études de droit, il s'oriente vers la diplomatie au ministère des Affaires extérieures. Attaché culturel à Moscou, puis à Djakarta, à Londres et à Paris, il est nommé ambassadeur au Pérou où il est en poste depuis 1974.
Oeuvres: *Le Combat contre Tristan (1951), Poèmes de Russie (1957), Les Belles au bois dormant (1960), Mon Babel (1961), Le Retour d'Œdipe (1962)*.

Mémoire, vieille compagne! Je me revois à vingt et un ans te consacrant un poème que j'intitulais «La robe longue de ma mémoire». C'était une robe à revêtir pour l'animer, non pas pour s'abîmer dans le souvenir; à revêtir pour assumer un certain poids de passé, d'ailleurs aussi indéfini que la longueur, la couleur ou la texture de la robe de mémoire. Le tissu de dates, d'événements et de souvenirs était ainsi fort lâche. En fait il était moins important que le besoin ressenti de revaloriser le «Je me souviens» national ânonné depuis l'enfance.

Le comédien antique chaussait des cothurnes pour se grandir, se servait d'un masque porte-voix et, pour accroître encore sa voix, se postait devant un pan de mur. Mes cothurnes, mon masque et mon pan de mur, j'entendais me les fabriquer avec du passé. Et le rôle de réciter, la parole à faire entendre, j'attendais de la mémoire qu'elle me les apprît l'un et l'autre. Je n'étais pas à la recherche du temps perdu. J'éprouvais plutôt le temps comme un manque, comme un trou à combler. Je croyais que l'Amérique était à redécouvrir, le voyage de Colomb à refaire, ou au moins celui de Cartier. Mais voilà, Cartier partait de Saint-Malo, Colomb de Gênes; leurs bases étaient européennes. Sans retour à une base européenne, je me sentais inexplicable, vagabond à la dérive, dans un pays à la dérive, sur un continent à la dérive. J'éprouvais le besoin d'avoir ma vision à moi du passé, d'un passé d'abord européen, puis romain, athénien, hiérosolymite, nazaréen, égyptien peut-être et même antédiluvien, en remontant assez loin sur la route de l'Ancien Testament.

Vision du passé? La Renaissance découvrit l'Antiquité, et les artistes du Quattrocento[1] la perspective spatiale. Sortant de notre Moyen Âge québécois, n'est-ce pas de perspective dans le temps que nous avons besoin? Un fleuve se découvre à son embouchure, mais il ne se laisse connaître qu'à condition de le remonter jusqu'à sa source.

1. Quattrocento: *terme par lequel on désigne le mouvement littéraire et artistique de la Renaissance italienne.*

La mémoire d'un petit peuple qui disait «Je me souviens» lui servait d'ancre dans le fleuve d'une histoire dont le contrôle lui avait échappé. Or cette mémoire me semblait pouvoir servir à remonter dans le temps assez loin, aussi loin que possible, pour retrouver la source, la base d'un nouveau départ. Opération de voyageur, d'archéologue, d'historien, de scaphandrier, de... sourcier. Interrogation de bien des morts, de bien des tombes, interrogation infinie du fini et surtout de l'inachevé. Étude de beaux et pathétiques brouillons que sont les œuvres du passé. Construction et aménagement d'un musée personnel avec une salle vide pour le dieu inconnu, le mien, fait de ce que les autres, déjà connus, n'étaient pas encore parvenus à être. Au moins, à défaut de pouvoir trouver les matériaux de ce musée personnel, au moins comprendre le sens à peu près de l'histoire, la mienne et l'autre, la grande histoire qui m'a déposé sur les bords du Saint-Laurent. Comprendre en remontant aux sources. Comprendre en démontant jusqu'aux éléments fondamentaux, jusqu'aux rouages essentiels de la machine historique.

PIERRE TROTTIER, *Mon Babel*, 1963.
Montréal, Éd. HMH, pp. 89, 90, 91.

DOCUMENT 3

LA RÉVOLUTION TRANQUILLE

Le Québec des années soixante naît dans ce qu'il a été convenu d'appeler la « révolution tranquille ». Cette expression est devenue en quelque sorte l'image de marque de la province, à travers le Canada, puis à travers le monde. Surprise au Québec d'abord. Quoi, on pouvait imaginer, penser ouvertement être ou non en accord avec les autorités? Surprise, puis agacement bientôt, à travers le Canada: la province dominée par les curés, cette *priest ridden province,* conservatrice et réactionnaire, se met à bouger. Une fois la surprise passée, le Canada anglais s'installe dans une attitude d'irritation mal contenue devant les revendications du Québec: l'interrogation **What does Quebec want?** — Que veut au juste le Québec? — devient rituelle et lancinante; la province, du temps de la domination cléricale, ne dérangeait pas et, de plus, elle permettait au Canada anglais de mesurer son «libéralisme» à l'aulne du conservatisme du Québec. Surprise aussi pour le gouvernement du Québec qui doit aller de plus en plus vite, de plus en plus loin, débordé par ses propres éléments plus radicaux.

Tout le monde s'accorde pour dire que la « révolution tranquille » est réellement une évolution accélérée, la consécration au grand jour d'une situation longtemps contenue et maintenue. Les images ne manquèrent pas dans la presse et les revues québécoises pour décrire ce phénomène: c'était la «fin du Moyen Âge», celle de la «grande noirceur», le Québec découvrait le monde, le Québec se mettait à l'heure du monde, on respirait enfin, etc. Une situation présente se juge toujours par référence au passé, et ce passé, c'étaient les «années de grande noirceur» du régime Duplessis. Jamais peut-être homme politique n'est tombé de si haut si tôt après sa mort: il en vint non seulement à représenter une image honnie du Québec, mais encore à en supporter l'entière responsabilité.

La «révolution tranquille» désigne l'ensemble des transformations subies par la province de Québec de 1960 à 1966 environ. Notons immédiatement le caractère strictement québécois de la chose; sur ce point, il y a similitude avec la situation de 1791-1837, où la province, et la province seule, vit une expérience politique déterminée. À partir de 1960, l'expression «Canada français» éveille de moins en moins le sentiment d'appartenance des citoyens de la province qui ne se désigneront désormais plus comme Canadiens français mais comme Québécois. Il est certain pourtant que, dans ce domaine comme dans bien d'autres, la génération spontanée n'existe pas. S'il y a eu «révolution tranquille» au Québec, c'est que pour une série de raisons, dont le conservatisme des élites sociales et politiques, les transformations n'avaient pas entamé le domaine institutionnel: en 1959, la province de Québec, industrialisée et urbanisée, conserve un gouvernement ruraliste, dont les opinions sur l'industrialisation n'ont guère progressé depuis le début du siècle, ce qui ne l'empêche pas de collaborer avec le grand capital américain.

(Jean-Claude Robert, **Du Canada français au Québec libre**, Paris, Flammarion, 1975, pp. 199-200-201.)

12. LANGUE, HISTOIRE ET MÉMOIRE

Fernand Ouellette. Poète et essayiste né à Montréal en 1930. Co-fondateur de la revue *Liberté* et collaborateur actif dès la fondation des éditions de l'Hexagone (1953). Rédige très tôt de nombreux textes radiophoniques pour Radio-Canada où il devient réalisateur. Son essai sur *Edgar Varèse* (1966) mérite le prix France-Québec et le Prix France-Canada lui est décerné pour *Poésie* (1971). Il refuse toutefois le Prix du Gouverneur général, qui lui est accordé pour les *Actes retrouvés* (1970). Il a fait paraître aussi: *Ces anges de sang* (1955), *Séquences de l'aile* (1958), *Le Soleil sous la mort* (1965), *Dans le sombre* suivi de *Le Poème et la poétique* (1967), un récit autobiographique: *Journal dénoué (1974)* et plusieurs textes dans diverses revues.

Nous savons, nous, que l'Amérique du Nord peut être pensée en français, puisque nous avions commencé à le faire. Nous savons qu'il n'y a pas de vocation continentale. Le Cambodge a-t-il le droit de coexister avec la Chine? Le Danemark avec l'Allemagne et la France? Nous sommes bien chez nous en Amérique du Nord et nous nous sentons solidaires de son destin. Un petit peuple, s'il a moins de puissance, n'a pas moins de qualité. Son unicité est déjà une grande richesse pour ceux qui croient à autre chose qu'au dollar. Il est donc urgent de refaire notre société; de la repenser en Français d'Amérique du Nord, en Québécois. Le français ne deviendra la langue de la vie quotidienne qu'à ce prix. Cela implique une vision totale des structures, une résurrection. Il faudra que beaucoup de stéréotypes disparaissent. Bien entendu un grand effort est nécessaire, sur le plan économique, pour nous revaloriser à nos yeux et pour accéder à un pouvoir réel; mais si nos hommes politiques, nos technocrates, nos syndicalistes et nos universitaires ne prennent pas conscience de la gravité du problème de la langue, ils risquent fort de se réveiller avec une puissance économique accrue, sans doute, mais alors ils seront les chefs d'un peuple en voie de disparition. Nos grands « humanistes » veulent tellement être réalistes et sérieux, qu'ils deviennent les agents inconscients du génocide de leur propre peuple. Notre langue est une structure sociale qui attend ses solutions d'une façon aussi urgente que la structure économique. Le problème de la langue, au Québec, doit être immédiatement politisé. Aujourd'hui, ce n'est plus le clergé qui sauvera la langue, car la langue ne préserve plus la foi. Ceux qui parlent de « racisme » ou de « dictature », n'ont aucun sens de l'existence, ni de la politique, ni de l'histoire. Y a-t-il une façon d'être plus réaliste que de refu-

ser de mourir? Or, pour plusieurs, refuser de mourir, c'est ne pas être pratique. Le défaitisme leur paraît sans doute l'attitude la plus positive. Être civi-
lisé, c'est être pratique, pragmatique comme un Anglo-Saxon. Le mot pratique
est leur contenant, la boîte du plus pur raffinement de l'esprit en conserve.
Soit, nous voulons bien être pratiques, mais en français. Notre conception du
monde est la manifestation des cultures française et nord-américaine. Nous
sentons bien l'Amérique, nous l'avons dans la chair. Et elle n'est pas allergique
à notre langue. Nous, poètes du Québec, le prouvons. Le Québec deviendra
l'image qu'il se fait de lui-même. Car ce n'est plus par le recours au passé que
nous trouverons le courage de vivre le présent. Trop longtemps notre volonté
de vivre fut supplantée par notre mémoire d'avoir été. Ce retour incessant aux
événements morts n'a déterminé chez nous qu'un désir de survivre. Or, quant
il ne s'agit plus de survivre, mais de vivre, le présent et le futur seuls sont des
forces vives. Il faut dissocier histoire et mémoire; notre histoire doit être faite

avec nos mains. Que la nation qui a vécu dans la mémoire, retourne à la mémoire. Nous sommes d'autres hommes et nous avons d'autres espoirs.

FERNAND OUELLETTE, *La lutte des langues et la dualité du langage*, 1964. Montréal, Éd. H.M.H., pp. 212-214.

13. POÈME DE L'ANTÉRÉVOLUTION

Paul Chamberland. Poète né à Longueuil (près de Montréal) en 1939. Licencé en philosophie de l'Université de Montréal, il étudie aussi la philosophie à Paris. Successivement professeur de français et de philosophie, il participe à la fondation de la revue *Parti Pris* (1963). Principal animateur de la revue littéraire *Hobo-Québec*. Prix Du Maurier pour son recueil *Terre Québec* (1964).

Œuvres: *Genèses* (1962), *L'afficheur hurle* (1965), *L'Inavouable* (1968), *Éclats de la pierre noire d'où rejaillit ma vie* (1972).

Je verrai le visage du feu s'accroître à la vaste fleur
des pavés au corps gercé de ma maison
et mordre jusqu'à les briser les amarres du froid
le Froid nous a tenus en haute trahison peuple-bedeau
aux messes d'un lent minuit blême
la roue sanglante des révoltes d'un âge à l'autre a
tourné retourné
mais ce n'était qu'au cabestan des litanies
mauvaise petite flamme que très vite un ange anglais
et romain fixait exorcisée au bleu manteau de Marie
petite étoile étouffée dans l'écrin d'encens c'était
notre cœur saigné goutte à goutte que nous regardions
attendris battre à l'unisson d'une paupière poudrée

visage trop longtemps secret aux plis creux de la peur
visage qui nous rend à la dure passion de naître
notre pays c'était si loin entre Baffin et les Grands
Lacs entre la Baie d'Hudson et les monts Notre-Dame cette
chair vive et sourde-muette d'un faible et grand oiseau
crucifié sur l'Amérique des yankees

je verrai le visage du feu sourdre du terroir de nos
jurons fendre les portes barricadées de nos nuits
je le verrai d'un coup s'abattre contre nos visages et
fouiller à fond nos veines rendre nos corps intacts à la
fougue jumelle du fleuve et de la mine
nous rendre neufs à l'Élément

nous nous reconnaîtrons de glaise et de désir
nous serons de nos armes de ce temps des christs rouges
qui vendangent les rois et tirent des prisons des nations blasonnées
aux couleurs de l'enclume
ô visage du feu d'où les peuples fiers et nus se forgent
une raison un pays du seul cri né des liens fracturés
vous aura-t-il fallu flambé de l'Asie à l'Afrique et de
l'Afrique aux nègreries latines incendier les tropiques d'une mer à l'autre
pour enfin nous tirer des mâchoires du pôle et dresser dans nos corps
ensommeillés de taupes l'incendie d'être libres
et d'épouser au long de ses mille blessures notre terre Québec

PAUL CHAMBERLAND, *Terre Québec*, 1964.
Montréal, Éd. Librairie Déom, pp. 38-39.

14. LA MANIC (chanson)

Georges Dor. Né à Drummondville en 1931. Avant de devenir chansonnier et poète, il occupe d'abord divers emplois: ouvrier dans une usine, commis de bureau, annonceur à la radio, rédacteur et réalisateur au Service des nouvelles à Radio-Canada, puis animateur et recherchiste.
Théâtre: *Le Québec aux Québécois et le paradis à la fin de vos jours* (1976).
Recueils de poèmes et chansons: *Éternelles saisons* (1954), *La Mémoire innocente* (1956), *Portes closes* (1958), *Chante-pleure* (1960), *Je chante-pleure encore* (1966), *La Grande Aventure du fer* (1970) et *Poèmes et chansons 1, 2 et 3* (1968-1970-1972).

Si tu savais comme on s'ennuie
À la Manic[1]
Tu m'écrirais bien plus souvent
À la Manicouagan
Parfois je pense à toi si fort
Je recrée ton âme et ton corps
Je te regarde et m'émerveille
Je me prolonge en toi
Comme le fleuve dans la mer
Et la fleur dans l'abeille

Que deviennent quand je suis pas là
Mon bel amour
Ton front doux comme fine soie
Et tes yeux de velours
Te tournes-tu vers la Côte Nord
Pour voir un peu pour voir encore
Ma main qui te fait signe d'attendre
Soir et matin je tends les bras
Je te rejoins où que tu sois
Et je te garde

Dis-moi c'qui s'passe à Trois-Rivières
Et à Québec
Là où la vie a tant à faire

1. **Manic**: *abréviation de Manicouagan, localité du Québec située sur la rive nord du Saint-Laurent: on y trouve les plus grandes centrales hydro-électriques du monde.*

Et tout c'qu'on fait avec
Dis-moi c'qui s'passe à Montréal
Dans les rues sales et transversales
Où tu es toujours la plus belle
Car la laideur ne t'atteint pas
Toi que j'aimerai jusqu'au trépas
Mon éternelle

Nous autres on fait les fanfarons
À cœur de jour
Mais on est tous des bons larrons
Cloués à leurs amours
Y en a qui jouent de la guitare
D'autres qui jouent d'l'accordéon
Pour passer l'temps quand i' est trop long
Mais moi je joue de mes amours
Et je danse en disant ton nom
Tellement je t'aime

Si tu savais comme on s'ennuie
À la Manic
Tu m'écrirais bien plus souvent
À la Manicouagan
Si t'as pas grand'chose à me dire
Écris cent fois les mots: « je t'aime »
Ça fera le plus beau des poèmes
Je le lirai cent fois
Cent fois cent fois c'est pas beaucoup
Pour ceux qui s'aiment

Si tu savais comme on s'ennuie
À la Manic
Tu m'écrirais bien plus souvent
À la Manicouagan.

GEORGES DOR, *La Manic*, 1964.

15. LE HÉROS

Hubert Aquin (1929-1977). Journaliste, dramaturge et romancier né à Montréal. Études au collège Sainte-Marie, à l'Université de Montréal où il obtient une licence en philosophie, et à l'Institut d'études politiques de Paris. Il est tour à tour animateur à Radio-Canada, scénariste et réalisateur à l'Office nationale du film, professeur à l'Université du Québec à Montréal et directeur littéraire des éditions de *La Presse* jusqu'en août 1976.
Aquin s'est surtout imposé avec ses romans: *Prochain Épisode* (1965), *Trou de mémoire* (1968), *L'Antiphonaire* (1969), qui lui vaut le prix du Québec (1970) et le Prix David (1973) et enfin, *Neige noire* (1974); *Point de fuite* (1971) réunit des textes d'essais, de même que *Blocs erratiques* (1977), parus peu après sa mort tragique survenue le 15 mars 1977.
Lauréat du Prix du Gouverneur général (1969), mérité pour l'ensemble de son œuvre, il refusa cette distinction pour des raisons politiques.

L'arme au flanc, toujours prêt à dégainer devant un fantôme, le geste éclair, la main morte et la mort dans l'âme, c'est moi le héros, le désintoxiqué! Chef national d'un peuple inédit! Je suis le symbole fracturé de la révolution du Québec, mais aussi son reflet désordonné et son incarnation suicidaire. Depuis l'âge de quinze ans, je n'ai pas cessé de vouloir un beau suicide. Me suicider partout et sans relâche, c'est là ma mission. En moi, déprimé explosif, toute une nation s'aplatit historiquement et raconte son enfance perdue, par bouffées de mots bégayés et de délires scripturaires et, sous le choc noir de la lucidité, se met soudain à pleurer devant l'immensité du désastre et l'envergure quasi sublime de son échec. Arrive un moment, après deux siècles de conquêtes et trente-quatre ans de tristesse confusionnelle, où l'on n'a plus la force d'aller au-delà de l'abominable vision. Encastré dans les murs de l'Institut et muni d'un dossier de terroriste à phases maniaco-spectrales, je cède au vertige d'écrire mes mémoires et j'entreprends de dresser un procès-verbal précis et minutieux d'un suicide qui n'en finit plus. Vient un temps où la fatigue effrite les projets pourtant irréductibles et où le roman qu'on a commencé d'écrire sans système se dilue dans l'équanitrate. Le salaire du guerrier défait, c'est la dépression. Le salaire de la dépression nationale, c'est mon échec; c'est mon enfance dans une banquise, c'est aussi les années d'hibernation à Paris. Le salaire de ma névrose ethnique, c'est l'impact de la monocoque et des feuilles d'acier lancées contre une tonne inébranlable d'obsta-

1. Équaniles : *adjectif néologique dérivé du nom d'un médicament employé en psychiatrie*.

cles. Désormais, je suis dispensé d'agir de façon cohérente et exempté, une fois pour toutes, de faire un succès de ma vie. Je pourrais, pour peu que j'y consente, finir mes jours dans la torpeur feutrée d'un institut anhistorique, m'asseoir indéfiniment devant dix fenêtres qui déploient devant mes yeux dix portions équaniles[1] d'un pays conquis et attendre le jugement dernier où, étant donné l'expertise psychiatrique et les circonstances atténuantes, je serai sûrement acquitté.

HUBERT AQUIN, *Prochain Épisode*, 1965.
Montréal, Cercle du Livre de France, pp. 25-26.

16. SE SOUVENIR...

Jean-Paul Desbiens. Philosophe, éducateur et essayiste né à Métabetchouan (Lac St-Jean) en 1927. Sous le pseudonyme du Frère Untel, il est l'auteur des célèbres *Insolences* (1960) qui marquent une date dans l'histoire de la réforme de l'éducation. De 1962 à 1964, il séjourne à Fribourg où il rédige sa thèse de doctorat. Après avoir été professeur dans plusieurs villes du Québec, il devient fonctionnaire au Ministère de l'Éducation où il occupe des postes de direction, puis éditorialiste en chef à *La Presse,* et enfin, directeur général du Campus Notre-Dame-de-Foy à Cap-Rouge. Outre le livre qui l'a rendu célèbre, il a publié: *Sous le soleil de la pitié* (1965), *Introduction à un examen philosophique de la psychologie de l'intelligence chez Jean Piaget* (1968) et *Dossier Untel* (1973), qui regroupe des essais, des discours et des conférences. Prix de la revue *Liberté* (1960).

Un homme qui aura bientôt 40 ans sent le besoin de faire le point. Qu'ai-je fait de ma vie? Où en suis-je dans la quête de mon unité? On naît multiple, on meurt un, paraît-il. Encore un coup, où en suis-je?

Au passif, une enfance plutôt malheureuse. Je fus un enfant de la Crise[1], comme d'autres, ailleurs, les enfants de la Guerre. Très tôt déchiré, on devine un peu pourquoi, j'en contractai un vague sentiment de culpabilité. Il faut punir les coupables. Je m'exécutai. Nous commençons tous par subir les circonstances, puis, à partir d'un certain point, difficile à localiser, mais qu'il faut poser dans l'enfance, nos événements se mettent à nous ressembler. Le destin ne nous attend pas comme un amoureux au coin d'une rue; on court après. J'ajoutai donc mes propres errements aux erreurs dont j'avais été la victime. On ne sort pas intact d'un tel combat. Personne ne vit «pour rire». Il n'y a pas d'expérience «pour voir» dans une vie humaine. Les factures se payent comptant et il n'y a pas de comptoir d'échanges.

Mais je suis sans amertume. Je me dis que les pédagogies parfaites ne fabriqueraient sans doute que des insignifiants, comme les hygiènes intégrales fabriquent les enfants pâles. Le malheur, comme la crasse, vaccine. Certes, je ne me présente pas comme un modèle de sérénité et d'équilibre, mais je me donne le témoignage d'avoir à peu près réussi à tenir mon attelage en main. Ma lucidité m'a sauvé, à la longue, car les ravages ne commencent qu'au moment où nos bêtes intérieures cessent d'être vues pour ce qu'elles sont: des bêtes. Bien sûr, on dépense beaucoup d'énergie à se maintenir en ordre, mais l'ordre ainsi conquis est plus riche que s'il était donné tout fait. Avoir été long-

1. La Crise: *des années 1929-1930 et suivantes.*

temps multiple est peut-être la condition pour être enfin un avec richesse. Ainsi donc, les grands moments de ma vie furent des conversations avec mes amis.

À cause de ces moments parfaits et de la plénitude du souvenir, j'aime vivre. J'aime le soleil et le steak haché, j'ai aimé les fontaines de Rome et de Fribourg, et les moineaux qui s'y abreuvaient en même temps que les graves fillettes ; j'aime le Lac-St-Jean et le boulevard Métropolitain[2]. Si seulement j'avais le foie en meilleur état, je serais aussi amusant qu'une loutre. Je voudrais avoir inventé cette phrase de Bernanos que je ne peux que répéter : « Quand je mourrai, vous direz au doux royaume de la terre que je l'ai aimé beaucoup plus que je n'ai su le dire. » Et Bernanos avait connu deux guerres.

JEAN-PAUL DESBIENS, *Sous le soleil de la pitié*, 1965.
Montréal, Éd. du Jour, pp. 117, 119, 120.

2. Le boulevard Mé-
tropolitain : *voie
rapide qui traver-
se tout Montréal.*

17. SUITE FRATERNELLE...

Jacques Brault. Né à Montréal en 1933, poète, critique, nouvelliste et philo-sophe. Après ses études classiques au Collège Sainte-Marie, il étudie la philo-sophie à l'Université de Montréal, à Paris et à Poitiers. Actuellement, il enseigne à l'Institut d'études médiévales et à la faculté des Lettres à l'Université de Montréal.
Son recueil de poèmes *Mémoire* mérite le prix France-Canada en 1969. Il a écrit en outre *Nouvelles* (1963) *Poésie ce matin* (1971), *Trois partitions* (1972), *Poèmes des quatre côtés* (1975), *L'en-dessous l'admirable* (1975); enfin, il a signé les essais suivants: *Miron le magnifique* (1966), *Alain Grandbois* (1968), et *Chemin faisant* (1975) et il a préparé une édition des poèmes de Alain Grandbois (1958) et de *St-Denys-Garneau* (1971).

Je me souviens de toi   Gilles   mon frère oublié dans la
terre de Sicile   je me souviens d'un matin d'été
à Montréal   je suivais ton cercueil vide   j'avais
dix ans   je ne savais pas encore

Ils disent que tu es mort pour l'Honneur   ils disent   et
flattent leur bedaine flasque ils disent que tu
es mort pour la Paix   ils disent   et sucent leur
cigare long comme un fusil

Maintenant je sais que tu es mort avec une petite bête
froide dans la gorge   avec une sale peur aux
tripes   j'entends toujours tes vingt ans qui
plient dans les herbes crissantes de juillet

Et nous   nous demeurons pareils à nous-mêmes rauques
comme la rengaine de nos misères

Nous
les bâtards sans nom
les déracinés d'aucune terre
les boutonneux sans âge
les demi-révoltés confortables

1. Tapettes: *efféminés*.
2. La Saint-Jean-Baptiste: *société nationale des Canadiens français*.

les clochards nantis
les tapettes[1] de la grande tuerie
les entretenus de la Saint-Jean-Baptiste[2]

Gilles   mon frère cadet par la mort ô Gilles dont le sang
    épouse la poussière

Suaires et sueurs nous sommes délavés de grésil et de peur
La petitesse nous habille de gourmandises flottantes

Nous
    les croisés criards du Nord
nous qui râlons de fièvre blanche sous la tente de la
      Transfiguration
nos amours ombreuses ne font jamais que des orphelins
nous sommes dans notre corps comme dans un hôtel
nous murmurons une laurentie[3] pleine de cormorans châtrés
nous léchons le silence d'une papille rêche
et les bottes du remords

3. Laurentie: *nom donné à la partie la plus anciennement habitée du Québec, soit la vallée du Saint-Laurent.*

Nous
les seuls nègres aux belles certitudes blanches
    ô caravelles et grands appareillages des enfants-messies
nous les sauvages cravatés
nous attendons depuis trois siècles pêle-mêle
      la revanche de l'histoire
      la fée de l'occident
      la fonte des glaciers

Je n'oublie pas Gilles et j'ai encore dans mes mots la
    cassure par où tu coulas un jour de fleurs et
    de ferraille

Non ne reviens pas Gilles en ce village perdu dans les
    neiges de la Terre Promise
Ne reviens pas en ce pays où les eaux de la tendresse
    tournent vite en glace
Où circule toujours la jongleuse qui hérissait ton enfance
Il n'y a pas d'espace ici pour tes gestes rassembleurs de
    vérités sauvages
Tu es de là-bas maintenant   tu es étranger à ton peuple
Dors Gilles   dors tout ton sommeil d'homme retourné au
    ventre de l'oubli

À nous les mensonges et l'asphalte quotidienne
À nous la peur pauvresse que farfouille le goinfre du
    ridicule

Pirates de nos désirs nous longeons la côte de quelque
    Labrador[4] fabuleux
Loin très loin de ta Sicile brûlante et plus loin encore
    de nos plus secrètes brûlures

Et voici que tu meurs Gilles éparpillé au fond d'un trou
    mêlé aux morceaux de tes camarades   Gilles
    toujours violenté dans ton pays   Gilles sans
    cesse tourmenté dans ton peuple comme un idiot
    de village

JACQUES BRAULT, *Mémoire*, 1965.
Montréal, Éd. Librairie Déom, pp. 47, 48, 49.

4. Labrador : *voir carte géographique : partie nord-est du Québec cédée à la colonie britannique de Terre-Neuve et dont le Québec d'aujourd'hui réclame la rétrocession.*

18. AVEC UN AFFAIRISTE

Françoise Loranger. Née en 1913, à Saint-Hilaire (près de Montréal), dramaturge et romancière. Elle fait ses études de sciences-lettres dans plusieurs écoles
de Montréal. Elle écrit des textes dramatiques pour la radio et pour la télévision
où elle signe des téléthéâtres: *Madame la présidente* (1956), *Jour après jour*
(1956) et *Un cri qui vient de loin* (1965), et deux téléromans: *À moitié sage* et
Sous le signe du lion. Sa pièce *Une maison... un jour...* a été jouée par la troupe
montréalaise du Rideau-Vert en France et en Russie en 1965, et plus tard, à la
télévision de Radio-Canada.
Autres œuvres: *Mathieu* (1949), *Encore cinq minutes* (1967), *Double jeu* (1969),
Le chemin du Roy (1969), *Médium saignant* (1970), *Jour après jour* (1971) et
Un si bel automne (1976).

DANIEL, *avec un soupir*

J'aime cette maison...

VINCENT, *âprement*

Moi aussi, Daniel, moi aussi... Cette maison m'est encore plus chère qu'à
vous tous. J'y ai passé toute ma jeunesse, ma mère est morte ici, mon
père... mon père...
Il s'arrête mal à l'aise.

DANIEL

C'est la seule maison que je connaisse où ce qui est important pour tout
le monde cesse de l'être et tout ce qui ne l'est pas, le devient.

VINCENT, *s'agitant*

Mais j'y tiens autant que vous, je m'évertue à vous le dire! Seulement, je
suis un homme d'affaires, et il faut bien que je sois pratique.

DANIEL

À quoi cela tient-il, je me demande? Ainsi le temps... Le temps n'a pas
ici la même valeur qu'ailleurs...

VINCENT

Ce n'est pas avec sa pension de juge que mon père pouvait continuer à entretenir un bateau de cette envergure! Hypothéqué à la limite! et qui tombe en ruine! Car il ne lui reste rien d'autre, vous le savez? Sa pension de juge, rien d'autre!

DANIEL

Je n'ai jamais éprouvé cette sensation ailleurs qu'ici...

VINCENT

Si encore mon beau-frère s'était occupé de le faire réparer au cours des années. Depuis vingt ans qu'il habite ici, il aurait pu... *Avec mépris.* Mais Michel...

DANIEL

Sauf quelquefois peut-être... dans certaines églises...

VINCENT

Un paresseux qui refuse de travailler! *Scandalisé.* Qui a toujours refusé de travailler!

DANIEL, *perdu dans ses rêveries*

Quel dommage!

VINCENT, *croyant qu'il s'adresse à lui*

N'est-ce pas? Je suis d'ailleurs assez curieux de voir comment il se débrouillera quand il n'aura plus mon père pour le faire vivre. Je veux bien croire qu'ils vont s'installer à la campagne où le coût de la vie est plus bas, mais ce n'est quand même pas le petit revenu qu'il a hérité de sa famille... *Presque à regret.* Il est vrai que Nathalie se marie dans un mois et qu'il va rester seul avec Dominique...

DANIEL, *tressaillant*

Dans un mois...

VINCENT

Un homme de son intelligence! Quel dommage, vous pouvez le dire! Une vie ratée! Complètement ratée! Comment expliquez-vous ça? Est-ce un malade?

DANIEL

Drôle de fou qui serait plus lucide que les gens normaux.

VINCENT, *enchaînant*

Alors, je ne comprends pas! Quand il a épousé Dominique, il passait pour un des garçons les plus brillants qui soient. Licencié en psychologie, docteur en philosophie et quoi encore?... Il s'est vu décerner je ne sais combien de bourses, il a vécu en Europe pendant des années... On attendait tout de lui, et vous voyez, il n'a rien donné! Rien!

DANIEL

Il a écrit...

VINCENT

Mais jamais réussi à se faire publier autrement qu'à ses frais! Oui, oui, je sais, vous allez me dire qu'il est de la génération... *Avec une emphase moqueuse:* Des «intellectuels humiliés». Pourtant d'autres se sont débrouillés, se sont même fait un nom! Dans le journalisme par exemple...

DANIEL

D'autres ont sombré dans l'alcool... D'autres dans la mélancolie... C'est le cas de Michel.

VINCENT *qui ne l'écoute pas*

D'ailleurs les temps ont changé! Les temps ont changé, il doit bien s'en apercevoir? En ce moment, qui tient le haut du pavé? Les intellectuels! Rien ne se fait sans qu'on les consulte. On les trouve partout, même au gouvernement! C'est son heure, qu'il en profite! Mais vous verrez, il la laissera passer!

FRANÇOISE LORANGER, *Une maison... un jour...*, 1965.
Montréal, Cercle du Livre de France,
1968, pp. 19-20-21-22.

19. LES PATRIOTES
(chanson)

Claude Léveillé. Né à Montréal en 1932, auteur-compositeur-interprète, musicien et comédien. Découvert par Edith Piaf comme auteur-compositeur en 1959, il écrit plusieurs chansons pour elle et donne de nombreux concerts tant au Québec qu'à l'étranter. Cependant qu'il compose la musique de nombreux films et pièces de théâtre, il joue à la télévision québécoise et étrangère, dans des émissions pour enfants particulièrement, et dans plusieurs films. Il est toujours considéré comme l'un des grands de la chanson au Québec. Oeuvre: *L'étoile d'Amérique* (1971).

Ils étaient peu vers 1640
Une poignée de braves venus en Nouvelle-France
Pourquoi partaient-ils de si loin naguère
Pourquoi traverser une si grande mer
C'était pour apporter une vie nouvelle
En ces lieux superbes de mon grand pays
Âme de géant courage immortel
Vous nous avez permis de survivre ici
Ici

Ici l'on se bagarre depuis 300 ans
Déportation grand-mère n'avez-vous rien dit
Je sais que la vie d'antan n'était pas bien rose
Faut croire que les enfants
Ça réclame autre chose
Autre chose que des canons liberté de presse
Autre chose que des canons liberté française
Autre chose que des canons liberté chez soi
Autre chose que des canons c'est fini les rois...

Mon amour si tu le veux
Nous irons dans une île
Non loin des côtes
Y comprendre quelque chose

Ils étaient peu vers 1640
Une poignée de braves morts en Nouvelle-France
Nous sommes très nombreux en ce soir d'attente
Nous sommes trop nombreux faut se faire entendre

Portez très haut votre drapeau
Nous n'en avons pas nous n'en avons guère
Alors portez très haut vos oripeaux
Ceux que vous aurez au prix d'une guerre

(Finale corrigée en 1971)

Portez très haut votre drapeau
Nous n'en avons pas nous n'en avons guère
Alors portez très haut votre pays
Celui que nous sommes en train de refaire

CLAUDE LÉVEILLÉ, *L'Étoile d'Amérique*, 1965.
Montréal, Leméac, 1971, pp. 132, 133.

20. L'INQUIÉTUDE, ENFIN!...

Albert Brie. Essayiste né en 1925 à Giffard près de Québec. D'abord annonceur à la radio, puis scripteur et auteur de textes humoristiques. Il publie à *La Presse* de 1962 à 1968 une chronique hebdomadaire d'humour. Ces textes sont réunis en livre en 1965 dans *Les Propos du timide*. Depuis 71, il rédige une chronique du même type dans *Le Devoir*, dont les textes ont également été réunis en recueil en 1978 sous le titre du *Mot du silencieux*.

C'est terrible! grimaça Jules, en ajustant le journal à sa vue clignotante.

Je pensai qu'il évoquait quelque cataclysme en Inde ou quelque peste à Madagascar. Il m'indiqua du menton: «L'Université ferme sa cafétéria.»

— Des étudiants qui ne mangent pas, c'est très bien. Le jeûne est excellent pour l'esprit.

Je m'amusais en dehors de la préoccupation de Jules. Il me ramena à son contexte par une de ses belles généralisations.

— L'Autorité est bafouée. Les jeunes ne respectent plus rien ni personne.

— Si! ils se respectent un peu plus eux-mêmes.

— Tu prendrais donc la part de ces jeunes turcs, de ces vandales qui déboulonnent les statues, barbouillent les murs?

Je pensai, mais pour moi seulement, qu'en ce qui concerne les murs, ils peuvent en prendre du barbouillage. Leur froide horreur n'a rien à y perdre.

— Non! repris-je, le vandalisme me répugne, sauf dans un cas: celui de l'enfant qui, par exemple, déchiquète une poupée, pour savoir ce qu'elle a dans le ventre. Je n'aime pas ça, mais la curiosité scientifique demande des sacrifices qu'il ne faut pas disputer.

Sans le savoir et par ce détour infantile, je touchais à l'inquiétude profonde de Jules: les enfants, son enfant, son grand garçon de 14 ans, Pierre, l'inquiète. S'il n'avait eu, à l'heure de ses études, que les filles en tête, Jules aurait compris: il reconnaît que, hors le père Adam qui est né marié, l'acquis sur l'amour est bien minime, et que l'adolescent d'aujourd'hui n'a pas gagné en précocité sur son trisaïeul quant à l'éveil de sa sensualité. Le tragique avec Jules, c'est que son fils a des idées qu'il n'a jamais eues.

— Sais-tu ce que Pierre m'a dit?... Qu'il est pour le socialisme. À 14 ans, alors que moi qui en ai 40, je n'y songe même pas!

Peut-on mieux résumer la philosophie d'une époque, de ces générations qui englobaient dans leur legs, en plus de leurs avoirs matériels, leurs biens intellectuels, ces idées fixes que dévotement l'on nommait: dépôt sacré?

Nous serions-nous imaginé que nous pouvions moissonner des idées, les engranger et les remettre à la succession? Aurions-nous cru que les nourritures de l'organisme mental d'une époque étaient transportables et qu'elles pouvaient suffire à alimenter le cerveau des héritiers? C'est bien pourtant à cette opération de mise-en-boîte que nous convièrent la plupart des bourreurs de récipients cervicaux.

Nous découvrons que l'intelligence est un four, non un congélateur. La génération qui passe est en train d'effectuer le transport de la conserverie à la métallurgie. Que de déchets déjà! Mais c'est pas fini: attendez que la mise à feu éclate.

Les jeunes veulent aller trop vite, c'est entendu. D'autre part, observez que ceux qui crient le plus fort au saccage n'ont pas la même qualité de détresse que ceux-mêmes qu'ils ont démunis du pouvoir d'accéder à une certaine liberté de croire, de penser et de dire.

Quels sont ceux qui sont véritablement déchirés entre deux credo? Ce ne sont ni les courtisans des puissants du jour ni les mangeurs de curé effrontés et veules. Les inquiets sont de la race de Jules, d'excellentes gens, honnêtes, consciencieux, généreux, mais rendus impuissants par le rouleau compresseur du formalisme abêtissant.

Toute leur éducation rappelle ces adultes sages dans les sentiers battus, tandis que la nouvelle génération aventurière les pousse vers des fourrés mystérieux. Comment voulez-vous qu'ils avancent ainsi écartelés? Il est héroïque de se mettre au grand écart, surtout quand comme Jules, on a 40 ans et les deux pieds dans la même bottine.

ALBERT BRIE, *Les Propos du timide*, 1965. Montréal, Éd. de l'Homme, pp. 83, 84, 85.

21. LE VOLEUR DU MARCHÉ BONSECOURS

André Major. Né en 1942 à Montréal. Chroniqueur littéraire au *Petit Journal*, à *La Presse*, à *L'Action nationale*, au *Devoir*, au *Dimanche-Matin*, au *Magazine Maclean* et à Radio-Canada où il est réalisateur aux émissions culturelles radiophoniques.
Il fut l'un des fondateurs du mouvement et de la revue *Parti Pris*. Il a publié un recueil de nouvelles: *La Chair de poule* (1965); des romans: *Le Cabochon* (1964), *Le vent du diable* (1968), *L'Épouvantail* (1974) et *L'Épidémie* (1975) En poésie: *Le froid se meurt* (1961), *Holocauste à 2 voix* (1961) et *Poèmes pour durer* (1969). Au théâtre: *Le désir* suivi de *Le perdant* (1973) et *Une soirée en octobre* (1975). Il a également signé un recueil de *Nouvelles* (1963) et un essai sur *Félix-Antoine Savard* (1968). Prix du Gouverneur général (1977).

Moi, je l'avais vu, grand-papa Lafortune, en train de piquer les choux. J'étais bien placé pour le voir, faut dire. Et ça m'avait donné une fameuse idée: piquer des pommes à sa manière. Mes promenades me creusaient l'appétit. Et puis le péché affame, surtout ce genre de péché, l'école buissonnière. J'avais donc une grande envie de pommes, des mecquinnetoches[1], qui sont grosses et rouges et tellement juteuses qu'on en garde le goût toute sa vie. Je venais d'avoir douze ans, et j'étais fier de mon existence clandestine en ce monde. Partout, je passais inaperçu, les adultes étant stupidement attachés aux ingrates tâches qu'ils finiraient bien un jour par céder à leurs enfants aujourd'hui tapageurs. Comme les choux, les enfants changent dans les environs du marché Bonsecours. Avec le temps et l'exemple des parents, ils deviennent méchants et bêtes. C'est la loi de la vie. Faut bien s'y faire, à quoi ça sert de chialer si ça ne rapporte rien? Les petites gens comprennent facilement leur rôle qui est de nourrir la famille et de lui donner un peu d'ambition, oh pas trop bien sûr, ce serait du vice et ce n'est pas à leur portée. Juste un peu d'ambition, de quoi survivre à la misère, ça suffit aux petites âmes peureuses de mon quartier. Déjà, dans mon cervelet mal éclos, je comprenais ces évidences et décidais de les malmener. Je n'en voulais pas, moi, de la misère de grand-papa Lafortune, obligé de piquer à son âge après avoir trimé tout au long d'une stérile et tracassée existence. Je piquerais dès maintenant et me ferais un avenir bien à moi, loin du fracas citadin et de l'épuisement du corps. Je rêvais de champs et de montagnes argentées, d'air frais et d'oranges. C'était de l'imaginé, des bandes illustrées, parce qu'en fait de paradis, je ne connaissais que la ruelle et le marché...

1. Mecquinnetoche: *Mac Intosch, marque de pommes très goûtées.*

J'avais une grande peur du lendemain. Vivre comme un insecte, moi aussi, pauvre et avare, prisonnier d'une usine, voûté à trente ans, et rien d'autre dans le cœur que la peur humide d'avoir faim et de crever seul ou au milieu d'un tas d'enfants grimaçants et braillards; c'était là tout mon cauchemar. Ma conception du monde... Une hantise à n'en plus dormir, qui me travaillait le cervelet. Mon cervelet, soit dit en passant, je me demandais à quoi il servirait. C'est une question que je me pose encore.

De temps à autre, comme ce matin-là, pour voir la vie, que j'aurais dans quelques années et sans doute pour m'écœurer une fois pour toutes, je fuyais l'école et errais, fiévreux, dans le quartier, le regard brûlant de tout ce paysage que m'offraient ma naissance et ma famille. C'est ainsi que j'ai eu de la vie l'idée la plus juste et la plus vraie, celle d'une lutte sans merci dont, pour en sortir, fallait connaître les dessus et dessous. Le marché était le lieu privilégié des leçons que je prenais hors de l'école. Là, la lutte était nette et précise: achat, vente et vol. L'existence se trouvait dans ces trois gestes résumée et comprise.

Mais l'exemple de grand-papa demeurait pour moi une énigme. Affaire de talent ou d'habitude? Son talent, je ne l'avais peut-être pas, et se faire la main au vol demandait du temps. Tenter ma chance? Pour voir... l'intention c'est bien beau, encore faut-il avoir le courage de son intention; et ça n'est pas donné à tout le monde d'avoir du courage. Si je me suis finalement attaqué aux fruits, c'est par peur. Oui, par peur de ne jamais oser. J'ai mis la main dans le tas de mecquinnetoches, et c'est un coup de pied au cul que j'ai récolté. Toute une histoire, une tannante! Une engueulade à n'en plus finir, plus les taloches sur le dos de la tête, plus la honte d'être offert en pâture aux mauvaises langues.

— Si ç'a du sain bon sens... Un enfant, et déjà ça vole!

Les langues se faisaient aller, elles en disaient des atrocités sur mon compte, me rendaient responsable de tous les crimes, me voyaient déjà me balançant au bout d'une corde; elles exagéraient tellement que j'ai cru tomber dans les pommes. Le marchand, lui, avec ses lunettes sur le bout du nez (qu'il avait long comme une mauvaise carotte), il me crachait au visage sa rancœur et son odeur d'ail.

Tout ça c'était l'apprentissage de la vie. Oui, m'sieur. Plus tard, ce serait la même chose mais en pire, parce que je n'aurais plus l'excuse de l'âge. Je suis retourné, penaud, à ma ruelle d'infortuné avec la certitude d'avoir commis mon premier péché d'adulte et d'avoir du même coup pris de l'âge et de l'expérience. À partir de ce jour, je me suis cru un peu supérieur à mes camarades. Ce soir-là, avant de rentrer à la maison, je suis allé chez grand-papa Lafortune, parce que je me sentais trop seul, et je lui ai raconté ma mésaventure dans une bouillie de mots où il s'est vite empêtré.

J'ai juré de toujours être fier, moi, du mal que je ferais et surtout de ne pas en mourir comme grand-papa Lafortune.

ANDRÉ MAJOR, *La Chair de poule*, 1965.
Montréal, Éd. Parti Pris, 1965, pp. 57 à 61.

22. L'AVALÉE DES AVALÉS

Réjean Ducharme. Romancier et dramaturge né en 1942 à Saint-Félix-de-Valois. Études au juvénat des Clercs de Saint-Viateur de Berthierville, puis à l'École polytechnique de Montréal. Fait une entrée foudroyante en littérature avec la parution à Paris de *L'Avalée des avalés* (1966). Ses autres œuvres: *Le Nez qui vogue* (1967), *L'Océantume* (1968). *La fille de Christophe Colomb* (1969), *L'Hiver de force* (1973) et *Les Enfantômes* (1976). Il est aussi l'auteur de deux textes dramatiques: *Le Cid maghané* (1968) et *Inès Pérée et Inat Tendu* (1976).
Prix du Gouverneur général (1966).

Tout m'avale. Quand j'ai les yeux fermés, c'est par mon ventre que je suis avalée, c'est dans mon ventre que j'étouffe. Quand j'ai les yeux ouverts, c'est parce que je vois que je suis avalée, c'est dans le ventre de ce que je vois que je suffoque. Je suis avalée par le fleuve trop grand, par le ciel trop haut, par les fleurs trop fragiles, par les papillons trop craintifs, par le visage trop beau de ma mère. Le visage de ma mère est beau pour rien. S'il était laid, il serait laid pour rien. Les visages, beaux ou laids, ne servent à rien. On regarde un visage, un papillon, une fleur, et ça nous travaille, puis ça nous irrite. Si on se laisse faire, ça nous désespère. Il ne devrait pas y avoir de visages, de papillons, de fleurs. Que j'aie les yeux ouverts ou fermés, je suis englobée: il n'y a plus assez d'air tout d'un coup, mon cœur se serre, la peur me saisit.

L'été, les arbres sont habillés. L'hiver, les arbres sont nus comme des vers. Ils disent que les morts mangent les pissenlits par la racine. Le jardinier a trouvé deux vieux tonneaux dans son grenier. Savez-vous ce qu'il en a fait? Il les a sciés en deux pour en faire quatre seaux. Il en a mis un sur la plage, et trois dans le champ. Quand il pleut, la pluie reste prise dedans. Quand ils ont soif, les oiseaux s'arrêtent de voler et viennent y boire.

Je suis seule et j'ai peur. Quand j'ai faim, je mange des pissenlits par la racine et ça se passe. Quand j'ai soif, je plonge mon visage dans l'un des seaux et j'aspire. Mes cheveux déboulent dans l'eau. J'aspire et ça se passe: je n'ai plus soif, c'est comme si je n'avais jamais eu soif. On aimerait avoir aussi soif qu'il y a d'eau dans le fleuve. L'hiver, quand j'ai froid, je rentre et je mets mon gros chandail bleu. Je ressors, je recommence à jouer dans la neige, et je n'ai plus froid. L'été, quand j'ai chaud, j'enlève ma robe. Ma robe ne me colle plus à la peau et je suis bien, et je me mets à courir. On court dans le sable. On court, on court. Puis on a moins envie de courir. On est ennuyé de courir. On s'arrête, on s'asseoit et on s'enterre les jambes. On se couche et on s'enterre tout le corps. Puis on est fatigué de jouer dans le sable. On ne sait plus quoi faire. On regarde, tout autour, comme si on cherchait. On regarde, on regarde. On ne voit rien de bon. Si on fait attention quand on regarde comme ça, on s'aperçoit que ce qu'on regarde nous fait mal, qu'on est seul et qu'on a peur. On ne peut rien contre la solitude et la peur. Rien ne peut aider. La faim et la soif ont leurs pissenlits et leurs eaux de pluie. La solitude et la peur n'ont rien. Plus on essaie de les calmer, plus elles se démènent, plus elles crient, plus elles brûlent. L'azur s'écroule, les continents s'abîment: on reste dans le vide, seul.

Je suis seule. Je n'ai qu'à me fermer les yeux pour m'en apercevoir. Quand on veut savoir où on est, on se ferme les yeux. On est là où on est quand on a les yeux fermés: on est dans le noir et dans le vide. Il y a ma mère, mon père, mon frère Christian, Constance Chlore. Mais ils ne sont pas là où je suis quand j'ai les yeux fermés. Là où je suis quand j'ai les yeux fermés, il n'y a personne, il n'y a jamais que moi. Il ne faut pas s'occuper des autres: ils sont ailleurs. Quand je parle ou que je joue avec les autres, je sens bien qu'ils sont à l'extérieur, qu'ils ne peuvent pas entrer où je suis et que je ne peux pas entrer où ils sont. Je sais bien qu'aussitôt que leurs voix ne m'empêcheront plus d'entendre mon silence, la solitude et la peur me reprendront. Il ne faut pas s'occuper de ce qui arrive à la surface de la terre et à la surface de l'eau. Ça ne change rien à ce qui se passe dans le noir et dans le vide, là où on est. Il ne se passe rien dans le noir et dans le vide. Ça attend, tout le temps. Ça attend qu'on fasse quelque chose pour que ça se passe, pour en sortir. Les autres, c'est loin. Les autres, ça se sauve, comme les papillons. Un papillon, c'est loin, loin comme le firmament, même quand on le tient dans sa main. Il ne faut pas s'occuper des papillons. On souffre pour rien. Il n'y a que moi ici.

RÉJEAN DUCHARME, *L'Avalée des avalés*, 1966.
Paris, Gallimard, 1966, pp. 7, 8, 9.

23. PRESQU'AMÉRIQUE (Chanson)

Robert Charlebois. Né à Montréal en 1944, auteur-compositeur-interprète, comédien et chanteur. Il se fait connaître en 1965 avec sa chanson *La Boulée*. Il participe au spectacle *Terre des bums* en 1967 et à *L'Osstidcho* en 1968. La même année, il est candidat du Parti Rhinocéros. En 1969, il est expulsé de l'Olympia de Paris pour avoir refusé de réduire le son de ses appareils de sonorisation. Enfin, il mérite le Premier prix de la chanson à Sopot (Pologne) avec sa chanson *Ordinaire* en 1971. Depuis, il chante, fait du cinéma et participe à divers spectacles, dont la Super-francofête où il s'est produit devant plus de 100 000 personnes aux côtés de Gilles Vigneault et Félix Leclerc.

Dans ma ville grise de presqu'Amérique
Je m'ennuie
Le vent me dégrise
Il fait froid sous la pluie
Mais dans ce pays
Même pour s'ennuyer faut s'habiller
Comme c'est ennuyant de ne pas pouvoir
Comme les papous noirs
S'ennuyer sans bottes de pluie
S'ennuyer sans manteau de pluie
S'ennuyer sans bottes de neige
S'ennuyer sans manteau de neige
Et pouvoir crier tout nu à la terre
Qu'on n'est ni de France ni d'Angleterre
Et que nos Indiens travaillent en usine ou dans des mines
Un pouce et demi en haut des États-Unis
Dans ma ville grise de presqu'Amérique
Je m'endors
Sous le vent du nord
Engourdi je m'enlise
Demain si la mort
Ne m'abrite pas je ferai ma valise
Et je crierai
Please help me in I need your swing I want to see what's happenning
Let me feel cool before I freeze the in-crowd is for fun and peace

Quand je reviendrai par l'autre chemin
Vous serez Anglais ou Américains
Ou vous serez morts pour deux pas de folklore
Et quelques promesses d'or
Un pouce et demi en haut des États-Unis.

ROBERT CHARLEBOIS, *Presqu'Amérique*, 1966.

24. SPECTACLES DE COUVENT

Claire Martin, romancière et mémorialiste, est née à Québec en 1914. Présidente de la Société des écrivains canadiens-français en 1962. Depuis 1972, elle vit en France.
Lauréate du Prix du Cercle du Livre de France pour son recueil de nouvelles *Avec ou sans amour* (1958). Elle a aussi publié *Doux-amer* (1960), *Quand j'aurai payé ton visage* (1962), *Dans un gant de fer* (1965), *La Joue droite* (1966), *Les Morts* (1970), *Moi, je n'étais qu'espoir* (1972) et *La petite fille lit* (1973).

Nous eûmes, cette année-là, une distribution de prix prestigieuse, toute pleine de chants et de poèmes. Prestigieuse et interminable pour la bonne raison qu'il y avait un invité d'honneur qui parlait beaucoup. Il récitait un petit boniment à chaque récipiendaire, il serrait des mains, il disait bravo et puis bravissimo. Tout ça prenait du temps. Cet invité, c'était Monseigneur Camille Roy[1] que, prétend un de mes amis, les étudiants de l'Université Laval appelaient irrespectueusement Camomille à cause de ses qualités soporifiques. C'était beaucoup d'outrecuidance si l'on considère qu'il s'agissait d'une des gloires de notre littérature. Certains professent que, tout comme l'Abbé Casgrain[2], Monseigneur Camille Roy était un peu surfait. Ce sont là propos de méchants. Camille Roy était un homme extraordinaire. Peut-être pas en littérature, mais en joallerie fort certainement. Il a laissé des perles d'un orient très pur: «La verge de Boileau, tour à tour molle ou cinglante, est maniée par un collaborateur assidu qui signe Le Spectateur tranquille.» C'est à la page 65 de *Nos Origines littéraires* et pour écrire ça, je pense qu'il est nécessaire de n'être pas comme les autres. C'est pas possible autrement.

Pour honorer ce héros, nous récitâmes *Le Cygne* de Sully Prud'homme sur la musique du *Cygne* de Saint-Saëns. J'imagine que c'était d'un sentimentalisme affreux, mais nous trouvions cela émouvant. Il ne me souvient pas qu'il y eût d'anicroches.

On avait un meilleur sens de l'humour en ce couvent-là que dans le deuxième où les anicroches prenaient tout de suite l'aspect de la calamité. Je me souviens d'un dimanche, en particulier...

Ce matin-là, avant la grand-messe, mère Sainte-Jeanne vint me dire que c'était la fête de la Supérieure et qu'on préparait une petite célébration. On avait établi un programme de chants et de poèmes qu'il faudrait apprendre au cours de la journée. Pour ma part, je dirais une pièce en vers de je ne sais

1. Camille Roy: *homme de lettres et professeur. Voir chapitre 4, texte n° 14.*
2. Henri-Raymond Casgrain: *homme de lettres du 19ᵉ siècle, promoteur de la littérature nationale.*

plus qui, — un astucieux plein d'esprit. Cela s'appelait L'Église de la Madeleine.

L'Église de la Madeleine,
Presque déserte tous les jours,
Le dimanche se trouve pleine
De femmes aux brillants atours.

Je n'en sais pas plus long, aujourd'hui, ma foi, tant pis! L'ennui, c'est qu'au moment de la représentation, je n'arrivai pas, non plus, à dépasser ce modeste début. J'ai la mémoire lente. Une journée ne m'a jamais suffi pour apprendre un sonnet. J'en avais prévenu mère Sainte-Jeanne qui avait tout de suite parlé de mauvaise volonté. Bonne ou mauvaise, le soir venu j'eus beau m'évertuer — à un moment, ce fut même la Supérieure qui me soufflait —, rien n'y fit. Je n'ai pas encore dit que je passais en premier. Après ça, personne ne put mener son numéro à terme. Si bien que Mère Supérieure, fatiguée de nos cafouillages, se leva pour nous remercier bien avant que nous eussions épuisé le programme. Et mère Sainte-Jeanne ne m'adressa plus jamais la parole. Pas le moindre petit mot jusqu'à la fin de l'année. Une vraie mule de pape.

CLAIRE MARTIN, *La Joue droite*, 1966.
Montréal, Cercle du Livre de France, 1966, pp. 73 et 75.

25. TERRE À VOUS-MÊMES

Nicole Brossard est née en 1943 à Montréal. Poète, elle participe à la plupart des mouvements poétiques d'avant-garde. Elle fonde et dirige la revue de poésie *La Barre du Jour*. Coordonnatrice des spectacles de jazz et poésie au Pavillon de la Jeunesse lors de l'Expo '67 à Montréal, elle a depuis parcouru l'Europe. Son œuvre est surtout composée de recueils de poésie dont *Masculin grammatical* (1974) qui a mérité le Prix du Gouverneur général ; parmi les autres titres : *Mordre en sa chair* (1966), *L'Écho bouge beau* (1968), *Suite logique* (1970), *Mécanique jongleuse* (1973). Elle est aussi l'auteur de deux romans : *Un livre* (1970), *French Kiss, étreinte exploration* (1974) et d'un texte de théâtre radiophonique : *Narrateur et personnage* (1970).

Vous entrerez par le sang
au jet de feu
qui coule à son bras
n'en sortirez
qu'après les épines
et les vendanges de solitude

je vous le dis
la terre est amarrée au soleil
et quoi que vous fassiez
vous ne pourrez qu'admettre
la lumière à vos yeux

quand viendra le large geste des vents
sur vos poitrines de dégel
peut-être le souffle de mordre allongera-t-il
jusqu'à vos dents
la douceur d'être au comble de la vie

vous êtes défaites de vous-mêmes
d'avoir aimé l'arabesque des jours
et pourtant une lame de chaleur
grapille en vous les cris de victoire

NICOLE BROSSARD, *Mordre en sa chair*, 1966.
Montréal, Éd. Estérel, 1966, p. 12.

26. LES SUCRES

Madeleine Ferron. Nouvelliste et romancière née à Louiseville (comté de Maskinongé) en 1922, Études de lettres à l'Université de Montréal et d'ethnographie à l'Université Laval.
Œuvres: *La Fin des loups-garous* (1966), *Cœur de sucre* (1966), *Le Baron écarlate* (1971), *Quand le peuple fait la loi* (1972) et *Les Beaucerons, ces insoumis* (1974), *Le chemin des Dames* (1978).

Ils avaient entaillé les érables malgré les recommandations de leur père. Ce dernier avait additionné son expérience aux agissements craintifs du printemps et voulait reporter à une semaine plus tard le temps de commencer les sucres[1] Ils avaient dix-neuf et vingt ans. L'impatience et l'insouciance de cet âge ressemblent souvent à de l'audace; les vieux, impressionnés, quelquefois s'y soumettent et enrichissent ainsi leurs connaissances.

— C'est trop tôt, bougonna le père par acquit de conscience, vous serez obligés d'entailler de nouveau.

Les jeunes se mirent à rire. L'un maniait le vibrequin et l'autre enfonçait les chalumeaux.

— On fait une entaille aux «petites» érables? crièrent-ils. Les forcer un peu va leur faire du bien:

— Peut-être, répondit le père, mais les «grosses» sur le button, pas plus de deux chaudières chacune.

— Bah! elles en prendraient bien quatre!

Le père protesta fortement. Une année, lui aussi, il s'était excité. Là, juste en haut de la pente, il y avait «une» érable énorme, de toute beauté. Dix chaudières, qu'il lui avait mises. «Dix, vous m'entendez?» Eh bien, il lui avait halé l'âme. À l'été, «elle» sécha.

La nuit suivante, une gelée imprévue et très forte stimula la sève; le lendemain, le soleil fut très chaud et les érables commencèrent à couler. Quand le père et ses deux fils revinrent au bois après le dîner, les chaudières étaient à moitié pleines et reflétaient, éblouissantes, un soleil fractionné. Le temps était immobile et velouté. Les mammelons de neige fondaient en surface, se glaçaient aussitôt et scintillaient. Pour les regarder, il fallait plisser les yeux. Au loin croassaient les corneilles et bientôt crièrent à tue-tête les gars qui recueillaient la sève. Le cheval recevait avec indifférence des ordres contradictoires, tirait patiemment le traîneau et semblait connaître la routine sur le bout de ses sabots. La tournée faite, ils revinrent à la cabane, les raquettes

1. Les sucres: *La récolte de la sève d'érable et sa transformation en sirop, tire ou sucre.*

sur le dos, le toupet collé au front, debout à l'arrière du tonneau. Leurs visages étaient couverts d'une sueur qui trempait aussi leurs chemises et répandait une odeur de jeune fauve.

— Allumez, le tonneau est plein! crièrent-ils.

Sur le seuil de la porte, le père secoua la tête, fier et attendri que les enfants aient eu raison. Et puis, il se sentit tout joyeux de retrouver, intact comme à chaque année, le plaisir de la première attisée: la première brassée de sucre lui donnait comme la première gerbe de blé fauchée, une joie presque sensuelle.

Et la fumée doucement blanche s'élève de la cheminée, légère, soyeuse, par moments si transparente qu'elle ne demeure visible qu'en ébranlant une bande de ciel bleu qui se brouille et ondule.

Après la deuxième tournée, ils ont lancé leur tuque[2] en l'air; leur coupe-vent, leur chandail sont devenus des coussins, des couvertures étendues sur des cordes de bois. En avant de l'appentis, à quelques pas d'eux, une grande pierre plate, encore fumante sur les bords, émerge de la neige. Un garçon frotte sa musique à bouche[3] sur la manche de sa chemise et, la tête appuyée sur une bûche, les yeux à demi clos, commence à jouer. Un autre saute de la corde de bois, bondit, retombe sur ses jambes pliées et, les bras croisés comme un danseur russe, va bondissant d'un saut à l'autre jusqu'à la pierre plate où il se met à giguer[4]. Le monde se contracte, chaud, minuscule, dépasse

2. Tuque: *bonnet de laine orné d'un pompon.*

3. Musique à bouche: *harmonica.*

4. Giguer: *danser.*

à peine la ligne tracée par le circuit de la bouteille de whisky. Sur le palet les danseurs se succèdent, l'harmonica change de bouche pendant que les mains claquent et maintiennent les mouvements. La musique accélère son rythme, elle l'élève, le précipite. Le danseur et le musicien se défient, se provoquent, s'enflamment et atteignent bientôt un paroxysme où les nœuds se délient, les forces se libèrent pour s'unir à nouveau dans un même enchantement.

MADELEINE FERRON, *Cœur de sucre,* 1966.
Montréal, Éd. HMH, 1966, pp. 9, 10, 11, 13, 14.

27. LES GENS DE MON PAYS (Chanson)

Gilles Vigneault. Chansonnier, compositeur et poète né à Natashquan (Côte Nord) en 1928. Il devient dès ses premières chansons, le prince des chansonniers québécois. Il a publié des poèmes, des contes et des chansons: *Étraves* (1959), *Contes sur la pointe des pieds* (1961), *Avec les vieux mots* (1964), *Balises* (1964), *Pour une soirée de chansons* (1965), *Quand les bateaux s'en vont* (1965), *Contes du coin de l'œil* (1966), *Où la lumière chante* (1966), *Les gens de mon pays* (1967), *Tam Ti Delam* (1967), *Ce que je dis, c'est en passant* (1970), *Les dicts du voyageur sédentaire* (1970), *Les Neufs couplets* (1973), etc.

Les gens de mon pays   ce sont gens de paroles   et gens de causerie
Qui parlent pour s'entendre   et parlent pour parler   il faut les écouter
C'est parfois vérité   et c'est parfois mensonge   mais la plupart du temps
C'est le bonheur qui dit   comme il faudra de temps   pour saisir le bonheur
À travers la misère   emmaillée au plaisir   tant d'en rêver tout haut
Que d'en parler à l'aise   Parlant de mon pays   je vous entends parler
Et j'en ai danse aux pieds   et musique aux oreilles
Et du plus loin au plus loin   de ce neigeux désert   où vous vous entêtez
À jeter des villages   je vous répèterai   vos parlers et vos dires
Pour qu'il ne reste plus   de moi-même qu'un peu   de votre écho sonore

Je vous entends jaser   sur les perrons des portes   et de chaque côté
Des cléons[1] des clôtures   je vous entends chanter   dans la demi-saison
Votre trop court été   et votre hiver si long   je vous entends rêver
Dans les soirs de doux temps   il est question de vents   de vente et de
                                                                    [gréments[2]
De labours à finir   d'espoir et de récoltes   d'amour et du voisin
Qui va marier sa fille   voix noires et voix durcies   d'écorce et de cordage
Voix des pays plain-chant   et voix des amoureux   douces voies attendries
Des amours de village   voix des beaux airs anciens   dont on s'ennuie en
                                                                    [ville
Piailleries d'école   et palabres et sparages[3]   magasin général
Et restaurant du coin   les ponts les quais les gares
Tous vos cris maritimes   atteignent ma fenêtre   et m'arrachent l'oreille

1. *Cléon* ou *clayon*: *treillage en bois ou en fer.*

2. Gréments: *ensemble des ustensiles, outils et machines nécessaires à l'exploitation agricole.*

3. Sparages: *gestes exagérés.*

Est-ce vous que j'appelle   ou vous qui m'appelez   langage de mon père
Et patois dix-septième   vous me faites voyage   mal et mélancolie
Vous me faites plaisir   et sagesse et folie   il n'est coin de la terre
Où je ne vous entende   il n'est coin de ma vie   à l'abri de vos bruits
Il n'est chanson de moi   qui ne soit toute faite   avec vos mots vos pas
Avec votre musique   je vous entends rêver   douce comme rivière
Je vous entends claquer   comme voile du large   je vous entends gronder
Comme chute en montagne   je vous entends rouler   comme baril de poudre
Je vous entends monter   comme graine de quatre heures   je vous entends
[cogner
Comme mer en falaise   je vous entends passer   comme glace en débâcle
Je vous entends demain   parler de liberté

GILLES VIGNEAULT, *Les Gens de mon pays*, 1967.

28. REQUIEM

Claude Gauvreau (1925-1971). Né à Montréal, poète et dramaturge. Il étudie d'abord au Collège Sainte-Marie puis à l'Université de Montréal où il obtient un baccalauréat en philosophie. Co-signataire du Manifeste du *Refus global* en 1948, il engage de nombreuses polémiques dans le but de promouvoir l'art moderne; c'est ainsi qu'il participe au *Quartier latin* (1943), à *Notre temps* (1946); au *Canada* entre 1945 et 1950, à *l'Autorité du peuple* (1952-1954). Il travaille quelques années comme scénariste à Radio-Canada qui présente régulièrement ses textes dramatiques et poétiques cependant qu'il participe à de nombreux récitals de poésie. Il a connu une mort tragique en 1971.
Oeuvres: Théâtre: *Les entrailles* (1944-1946), *Cinq ouies* (1952-1961), *L'asile de la pureté* (1953), *La charge de l'orignal épormyable* (1958), *Automatismes pour la radio* (1961), *L'étalon fait de l'équitation* (1965), *La reprise* (1958-1967), *Les oranges sont vertes* (1958-1970); poèmes: *État mixte* (1951), *Brochuges* (1954), *Poèmes de détention* (1961), *Les boucliers mégalomanes* (1965-1967), *Jappements à la lune* (1968-1970); roman: *Beauté baroque* (1952); opéra: *Le vampire et la nymphomane* (1949).

Il est trois heures de l'après-midi. Les fleurs somptueuses entourent Dolma Iritrakk dans la mort.
Iritrakk est dans son cercueil. Elle est seule, immobile, apparemment incorruptible. Puis Lojiaul s'approche. Il ne se met pas à genoux, il se tient debout et parle à voix basse au cadavre.

LAJIAUL — Dolma... mon amour... mon indestructible amour... Avant que le cosmos éternel ne happe ta florale blondeur dans ce cercueil, laisse-moi jeter un regard éploré sur ta beauté sans faille... Est-il vrai que la terre voudra ronger ton épiderme de rose?... Entends-moi, cadavre adoré, je ne permets pas que tu sois détruite... Loret Lojiaul est ton partenaire fidèle et nous monterons ensemble sur la scène à l'infini... Dolma Iritrakk et son humble ami, par une merveille de l'ingéniosité, sauront retenir jusqu'au délire extasié l'attention bouleversée de la foule... Sans toi, les forces risquent de me faire défaut... mais je saurai, en creusant bien creux, déterrer du tréfonds de mon être et exploiter à la limite une mine d'énergie... Unique Dolma, je parviendrai à mes fins... Dans cette chambre mortuaire, la tienne, tu n'es plus qu'une apparence... cette apparence de rêve s'imprime en moi et rien ne pourra la dissoudre... Dolma chérie, je saurai insuffler à cette tendre apparence le mouvement... (*Il sanglote.*) Les sanglots m'étouffent, ma maîtresse, mais, à travers ma misère présente, je ne peux m'empêcher de sentir poindre l'espoir... J'espère... J'espère follement... C'est une espérance de fou qui me tient debout... mais, tant que mon cœur battra, ta grâce de cygne se déploiera à mes côtés... Dolma, je t'en répète le serment, ta silhouette coruscante et ma pauvre carcasse bougeront côte à côte sur le plateau... et les spectateurs admiratifs s'agiteront de pur plaisir à la vue de tes gestes recréés... Iritrakk, bête de théâtre, tu entendras encore résonner les trois coups du régisseur!... Dolma, Dolma finalement immarcescible, ma beauté farouchement résistante à toute corruption, tu seras, jusqu'à mon propre anéantissement dans la nature, le phare phosphorescent de la rampe... Dolma, tu es belle... tu es belle comme une aurore d'été... Dolma, magnifique Dolma, ton crépuscule actuel n'est qu'une chimère... Dolma Iritrakk, ma maîtresse, tu ne peux être qu'un rayonnant lever du jour et c'est ce que tu seras tant qu'un souffle franchira mes lèvres... Iritrakk de splendeur, tes paupières baissées indiquent la concentration d'un être qui se prépare à rejaillir... Dolma, mon amour, tu éclabousseras de clarté les supputations les plus exigeantes... Ma beauté de jardin, nous sortirons impétueusement corps contre corps dans un faisceau de mordorure éclatante qui se métamorphosera en aurore boréale... Dolma, pourtant, tu me manques pour l'instant... Le sort cruel vient m'arracher tes caresses... Je ne suis qu'un homme faillible et faible, mon amour, je ne pourrai pas rester sans humer d'autres parfums... mais, si je partage le souvenir de ton corps avec la chaleur immédiate d'autres corps, je te conserverai une impérissable fidélité de l'esprit... Dolma, repose en paix... Femme, je te prête à la fosse... À bientôt, amie.

CLAUDE GAUVREAU, *La Reprise,* 1967.
Oeuvres créatrices complètes, Montréal, Parti Pris,
coll. du Chien d'Or, 1977, pp. 1281-1282.

29. L'AMOUR

Jean Tétreau. Né à Rimouski en 1923. Essayiste et romancier. Journaliste de carrière, correspondant de Radio-Canada à Paris, puis à Londres. A publié de nombreux essais dont *Le Journal d'un célibataire* (1952), *Les Essais sur l'homme* (1960) et *Le Moraliste impénitent* (1965). Entreprend ensuite une carrière de romancier avec *Les Nomades* (1967), *Volupté de l'amour et de la mort* (1968) et *Treize histoires en noir et blanc* (1970).

L'amour est nécessaire parce qu'on est seul après, libre. Il ne vous donne pas la puissance, il vous en donne la sensation en même temps que le sentiment de vos limites. La machine humaine, c'est quand même quelque chose... On n'a jamais fini d'en faire valoir la merveilleuse organisation, la souplesse notamment, et toutes les qualités qui lui permettent de fonctionner sous toutes latitudes, dans les pires conditions de travail comme dans les meilleurs. On est fier de cette machine comme si on l'avait fabriquée soi-même. On en est fier jusqu'au jour où une poussière s'infiltre dans un organe vital: comme un instrument de précision mal dirigé, la machine fausse les calculs; elle s'enraye. Les plombs sautent, c'est le noir. Qu'un homme de quarante ans sente l'approche de sa mort, on ne s'en étonnera pas, lui non plus, du reste, s'il est sage. Son calme devant cette nécessité vous surprendrait? Contre quoi, contre qui voudriez-vous qu'il s'insurgeât? Il ne va pas retourner le monde pour un petit embarras persistant dans sa gorge. Dans la vie, parmi toutes les choses qu'il faut savoir, les plus importantes sont aimer et mourir. Savoir aimer est la seule dignité qui ne soit pas grave, c'est donc la seule qui mérite le respect. Savoir mourir est la fin du savoir-vivre. La couleur de ce genre d'humour est subjective, — comme n'importe quelle autre couleur. Le noir ne devrait pas nous empêcher d'y voir clair. La drôlerie de l'humour ne serait-elle pas fonction du degré de vérité que l'esprit est capable de saisir et de rendre? D'une manière générale, plus on va vers le vrai, plus la vie devient comique. Le faux est en revanche terriblement tragique. La mort, soit! mais avec un minimum de dégâts. La mort n'est pas une excuse. Reprenons froidement l'examen des choses dites essentielles. Quarante ans de vie, donc de soins quotidiens, d'efforts quotidiens, avec une énorme quantité d'énergie diluée dans le néant. Il n'est pas un moteur capable de fonctionner pendant quarante ans dans ces conditions, sans arrêt, sans vérification, sans remise en état. Et pourtant on a observé une telle continuité chez cet homme qui, tout en marchant avec sa compagne vers la mer désirée, soupçonne chez lui la présence d'un mal qui n'est peut-être, après tout, que le produit de son imagination. La monotonie, il est vrai, engendre les maux imaginaires. Ceux qui ont le temps de se découvrir un crapaud dans l'estomac disposent en effet de beaucoup de temps. Les malades de cette catégorie préfèrent s'illusionner plutôt que d'avouer qu'ils meurent d'ennui.

Jean TÉTREAU, *Les Nomades*, 1967.
Montréal, Éd. du jour, pp. 159-160.

30. CANTOUQUE MENTEUR

Gérald Godin. Né en 1938 aux Trois-Rivières, poète, professeur, journaliste, éditeur et député. Il collabore notamment aux journaux le *Nouvelliste* et *Nouveau journal*. Après avoir été éditeur et chef des nouvelles à Radio-Canada, il collabore à *Québec-Presse* jusqu'en 1974. Par la suite, il enseigne à l'Université du Québec à Montréal et en 1976, il est élu député du Parti Québécois contre le premier ministre Robert Bourassa.

Co-fondateur de la populaire revue *Parti Pris* (1963), il s'est surtout illustré en poésie avec le recueil *Les Cantouques* (1967). Auparavant, il avait publié *Chansons très naïves* (1960), *Poèmes et cantos* (1962) et *Nouveaux poèmes* (1963).

1. Louis Riel: *chef métis né à Saint-Boniface (Manitoba); rebelle, il fut pendu en 1885.*

2. Molsonnutionnaires: *Molson est une marque de bière québécoise.*

3. Saint' Cat: *Sainte-Catherine: une des grandes artères commerciales de Montréal.*

les Louis Riel[1] du dimanche
les décapités de salon
les pendus de fin de semaine
les martyrs du café du coin
les révolutavernes
et les molsonnutionnaires[2]
mes frères mes pareils
hâbleurs de fond de cour un jour
on en aura soupé
de faire dans nos culottes
debout sur les barricades
on tirera des tomates aux Anglais
des œufs pourris des Lénine
avant d'avoir sur la gueule
la décharge de plombs du sergent Dubois
du royal Vanndouze
à l'angle des rues Peel et Saint' Cat[3]
c'est une chanson de tristesse et d'aveu
fausse et menteuse comme une femme
et pleureuse itou avec un fond de vérité
je m'en confesse à dieu tout-puissant
mon pays mon Québec
la chanson n'est pas vraie
mais la colère si

au nom du pays de la terre
et des seins de Pélagie

GÉRALD GODIN, *Les Cantouques*, 1967.
Montréal, Éd. Parti Pris, 1967, pp. 26-27.

31. PRINTEMPS DANS LA VILLE

Jacques Poulin. Né en 1937, à Saint-Gédéon-de-Beauce, romancier et psychologue. Fait ses études de psychologie à l'Université Laval. Travaille d'abord comme traducteur puis devient conseiller en orientation dans un collège de Québec. Depuis 1969, il se consacre uniquement à l'écriture.
Oeuvres: *Mon cheval pour un royaume* (1967), *Jimmy* (1969), *Le cœur de la baleine bleue* (1970), *Faites de beaux rêves* (1974).

La ville devient mouvement liquide — le soleil liquéfie la dernière neige des toits dégouline en pluie sur les murs des maisons et les trottoirs dans la rue les autos font gicler l'eau sur les passants s'aventurent sans manteau prudemment regardant où ils posent les pieds pour ne pas trop se mouiller tout de même les pieds secs c'est le plus important — ils sont heureux même mouillés de la chaleur nouvelle du soleil qu'ils sentent sur la peau à travers les vêtements et disent bonjour comment ça va des gens qu'ils n'ont pas salués depuis le carnaval[1] s'arrêtent au coin des rues pour parler, fumer prendre des nouvelles et se retournent regardent voguer une fille emportée par le courant du printemps — le courant passe sur moi aussi mais c'est au-dessus de moi qu'il coule comme une pierre immobile au fond d'un ruisseau (couché sur la plage à l'île d'Orléans je laissais monter la marée jusqu'au moment de me submerger — ma mère myope criait du haut de la falaise Pierre le souper est prêt) le courant glisse rapide à la surface mais tout juste sensible autour de moi inerte rond appuyé lourdement sur le fond — je suis maintenant assis sur un banc sans la moindre envie de bouger impossible de toute façon aussi bien rester là avec le poids des vieilles maisons entassées les unes sur les autres et le vieux mur qui pèse de toutes ses pierres sur moi assis pour l'éternité sans comprendre exactement pourquoi pour la première fois le printemps me rejette et puis à quoi servirait de comprendre et mieux vaut rester là ne penser à rien et attendre mais c'est encore plus difficile de ne penser à rien on pense à ça et c'est déjà quelque chose surtout quand on est censé être un intellectuel un intellectuel ça pense que rien c'est quelque chose alors les idées mécaniquement embrayent l'une dans l'autre et la chaîne de montage se déroule inlassablement autour de cette pierre au fond du ruisseau — la chaîne de montage charrie soudainement une idée inquiétante vague menace non loin de moi cette chose finit par se poster quelque part devant moi se précise devient présente je devine quelque chose ou quelqu'un qui est un danger pour moi je ressens un malaise un nœud dans la poitrine je suis menacé parce

1. Le carnaval: *le Carnaval d'hiver de Québec, manifestation populaire annuelle.*

que cette présence appartient à la même espèce que moi attaqué dans mon individu mon indivisible par un autre de la même matière que moi — je lève les yeux vois un homme assis dans un fauteuil large les mains à plat sur les genoux une figure énergique encadrée d'une barbe bien fournie regarde au-dessus de ma tête droit devant lui monument sculpté dans cette pierre grise le granit et il n'y a en face de moi vraiment que cet homme assis dans son granit mais la chaîne de montage reprend sa course entraîne du vide du noir paisible et ma mère myope crie encore le souper est prêt vas-tu venir.

JACQUES POULIN, *Mon cheval pour un royaume*, 1967.
Montréal, Éd. du Jour, pp. 45-46.

32. BOZO-LES-CULOTTES
(chanson)

Raymond Lévesque. Chansonnier, poète et comédien né à Montréal, en 1928.
L'un des pionniers de la chanson «engagée» au Québec.
Il a publié des recueils de poésie: *Quand les hommes vivront d'amour* (1968),
Au fond du chaos (1971); il est aussi l'auteur d'une pièce de théâtre: *Bigaouette*
(1971).

Il flottait dans ses pantalons
De là lui venait son surnom:
Bozo-les-culottes,
I' avait qu'une cinquième année
Il savait à peine compter,
Bozo-les-culottes,
Comme il baragouinait l'anglais
Comme gardien d'nuit il travaillait,
Bozo-les-culottes,
Même s'il était un peu dingue
I'avait compris qu' faut être bilingue,
Bozo-les-culottes,
Un jour quelqu'un lui avait dit
Qu'on l'exploitait dans son pays
Bozo-les-culottes,
I' a pas cherché à connaître
Le vrai fond de toute cette affaire
Bozo-les-culottes,
Si son élite, si son clergé
Depuis toujours l'avaient trompé,
Bozo-les-culottes,
I'a volé de la dynamite
Et dans un quartier plein d'hypocrites,
Bozo-les-culottes!
A fait sauter un monument
À la mémoire des conquérants
Bozo-les-culottes.
Tout le pays s'est réveillé
Et puis la police l'a poigné,
Bozo-les-culottes.

On l'a vite entré en dedans
On l'a oublié depuis ce temps,
Bozo-les-culottes.

Mais depuis que tu t'es fâché,
Dans le pays ç'a bien changé,
Bozo-les-culottes.
Nos politiciens à gogo
Font les braves, font les farauds,
Bozo-les-culottes.
Ils réclament enfin nos droits
Et puis les autres refusent pas
Bozo-les-culottes.
De peur qu'il y en aurait d'autres comme toi,
Qu'aient le goût de recommencer ça,
Bozo-les-culottes.
Quand tu sortiras de prison
Personne voudra savoir ton nom,
Bozo-les-culottes,
Quand on est de la race des pionniers
On est fait pour être oublié,
Bozo-les-culottes.

RAYMOND LÉVESQUE, *Quand les hommes vivront d'amour*, 1967.
Québec, Éditions de l'Arc, pp. 89-91.

DOCUMENT 4

LA SITUATION ÉCONOMIQUE DU CANADIEN FRANÇAIS

Porteurs d'eau? Oui, encore. Et, puisque tout est relatif, aujourd'hui davantage qu'hier.

Dans cette partie du Nouveau Monde qui s'appelle le Canada, dans cet appendice de la grande société industrielle de consommation nord-américaine, les défavorisés, les gagne-petit, ceux à qui l'instruction rapporte le moins, ceux que l'entreprise aliène le plus, ceux qui se trouvent à peu près entièrement écartés des grands leviers de l'économie, ce sont les Canadiens français.

Qu'il s'agisse de son revenu, de son emploi ou de sa position dans l'industrie secondaire, le Canadien français se trouve au bas de l'échelle. Il est moins éduqué, oui. Mais l'éducation, quand il y accède, lui rapporte moins qu'aux autres: à instruction égale, son revenu reste inférieur. Si, enfin, le Canadien français s'élève dans l'échelle socio-économique, il jouera plus souvent qu'autrement le rôle d'intermédiaire, et ce nouveau statut lui coûtera généralement son identité culturelle.

Constatation plus troublante encore: c'est au Québec, là où précisément les Canadiens français forment la majorité de la population, là où ils ont leurs racines les plus profondes, c'est au Québec que l'écart entre Canadiens français et Canadiens anglais est le plus prononcé. D'une manière générale, c'est dans les régions où il a gardé son identité culturelle que le Canadien français est le plus systématiquement victime de l'infériorité économique.

(LYSIANE GAGNON, «De Durham à Laurendeau-Dunton: variations sur le thème de la dualité canadienne», dans **Économie québécoise, Montréal,** Les cahiers de l'Université du Québec, 1969, page 233.)

33. AU PENSIONNAT

Marie-Claire Blais. Née à Québec en 1939, cette romancière, qui est aussi dramaturge et poète, doit abandonner ses études dès l'âge de quinze ans pour gagner sa vie dans une usine. Dès ses premiers romans, elle est reconnue comme l'une des grandes romancières du Québec. Boursière à deux reprises de la Fondation Guggenheim, elle mérite le Prix France-Canada et le Prix Médicis pour *Une saison dans la vie d'Emmanuel* (1965) et le Prix du Gouverneur général pour *Manuscrits de Pauline Archange* (1968). Oeuvres romanesques: *La Belle Bête* (1959), *Tête blanche* (1960), *Le jour est noir* (1962), *L'Insoumise* (1966), *David Sterne* (1967), *Vivre! Vivre!* (1969), *Les Apparences* (1970), *Le Loup* (1972), *À cœur joual* (1974), *La Liaison parisienne* (1975), *Les Nuits de l'underground* (1978); poésie: *Pays voilés* (1963) et *Existences* (1974); théâtre: *L'Exécution* (1968), *Fièvres et autres textes dramatiques* (1974) et *l'Océan* (1977).

Les parfums du petit déjeuner émanant du réfectoire, ce n'est pas pour nous encore, mais pour les novices qui ont prié toute la nuit. Les lèvres collées contre le voile blanc, on mange des petits bouts de dentelle en longeant les corridors, on rencontre, appuyés contre l'escalier, les mendiants de la rue à qui on donnera les restes du ragoût de la veille. Ils nous regardent humblement disparaître vers la chapelle. Au premier coup de claquoir, tous les genoux s'abattent sur les dalles froides; au deuxième, on se précipite vers son banc et on ouvre un missel débordant d'images funèbres ou saintes, petites photographies des morts souriant parmi les fleurs d'un printemps figé, voici l'oncle Sébastien déguisé en beau jeune homme immortel, et, plus près de moi, Séraphine dans sa robe de première communiante, le visage à demi caché par un bouquet de roses qu'elle tient à la main.

On sort de la chapelle, deux par deux, évitant de se toucher des coudes, car c'est péché. Mère Sainte-Gabrielle annonce « que nous devons faire le ménage des classes avant de se remplir l'estomac ». Nous lavons les tableaux, grattons avec une lame les taches d'encre sur le plancher, et Mère Sainte-Gabrielle est là qui nous regarde avec une expression ironique et fatiguée. Ah! quelle tâche morne que la tyrannie! Quel ennui de ne recevoir pour hommages que l'animale supplication de ces étroits visages, sans haine, sans amour! Et ces cheveux derrière lesquels tant d'hypocrisie se dérobent! Mais voici la deuxième cloche du petit déjeuner, enfin! On promène sous nos yeux le plat de gruau aux puanteurs apprivoisées, bénissez-nous ainsi que la nourriture que nous allons prendre, on ne sait si on frémit de dégoût ou de faim, mais il faut manger. La grande Mère des repas, surveillante barbue, trempe parcimonieusement sa cuillère dans la sauce aux ordures: au bruit de sa langue sous sa lèvre noire... «Hum, le délicieux gruau...» Nous avalons le gruau avec un sentiment de délivrance, car un premier vide s'éloigne pour laisser place à un autre et cette absence bien digérée ressemble déjà moins à la faim de la veille. Nous avons mangé, prié, lavé la vaisselle des novices, ah! Mère Sainte-Gabrielle donnez-nous maintenant la permission de sortir...

— Vous irez à midi, après la classe.

— Tout de suite, Mère.

— Non.

Tout le matin, Mère Sainte-Gabrielle aura de tendres regards pour ses victimes. Elle a feint d'oublier la torture de ces basses entrailles que Dieu a malheureusement créées, elle s'efforce même de les subir avec nous et de ne sortir qu'à midi. (C'est dans cette urgence presque ailée que nous la voyons disparaître vers le deuxième étage, le visage rouge, les lèvres pincées sur son mystère.) Elle nous rassure en disant «que le corps n'est rien, une simple apparence de vanité, c'est tout». Il serait bon de la croire, ah! oui. Mais on prend l'habitude de vivre près de son corps humilié, méconnu. Quand on traverse le dortoir des grandes, le matin on est parfois témoins de choses étranges. «Marchez plus vite» dit Mère Sainte-Gabrielle, mais l'œil de la mémoire s'ouvre avidement pour ravir à jamais l'image d'une jeune fille qui sanglote à genoux près de son lit taché de sang, la religieuse qui est debout près d'elle semble cacher, dans ses yeux ronds et magnanimes, l'assassin, l'incurable monstre dont on lit les pensées.

— Donnez-moi quelque chose, Mère, ça coule partout sur mes jambes...

— C'est une punition de Dieu, organisez-vous avec du papier de toilette.

«Il faut aplatir la poitrine sous une bande élastique afin de ne pas tenter le diable.» «Il faut porter un corset et se rentrer le ventre dans les os.» Ainsi vivent les grandes et nous avons pitié de leur corps asservis par le dur règlement. En attendant, Mère Sainte-Gabrielle d'Egypte veille jalousement sur nous. Elle m'enlève, un à un, les livres que m'apporte Mademoiselle Léonard.

— Ce n'est pas un livre pour vous, lisez plutôt l'*Imitation de Jésus-Christ*.

Plus tard, elle attendra la nuit pour s'emparer de nos journaux intimes, de nos cahiers de poèmes. Pourquoi aurions-nous le droit de rendre fertile notre paysage intérieur, le droit de penser et même le droit de vivre, quand, elle, depuis son entrée au couvent, a renoncé à toute espérance, à toute vanité? Il n'y a pas que la crainte de Dieu qui hante ce cerveau impétueux (dont les ondes ont cessé de courir pourtant, ne laissant qu'une tempête d'obsessions, un élan paralysée vers le rivage de la vie), il y a aussi la frayeur de l'homme. Elle dira en classe, en un souffle de dégoût, «que tous les hommes sont des porcs», puis étonnée de cet aveu, se taira soudain, une main sur la bouche. Les petites écoutent. Elles consentent peut-être au dégoût. Mais moi je fuis vers Jacquou et le ravin, vers l'éclatante lumière de ce jour-là dans les arbres. Jamais cet été ne reviendra, ni l'été, ni l'automne merveilleux où Séraphine jouait près de moi. Et maintenant je ne vois personne à aimer. Il arrive qu'une camarade me glisse un billet pendant la classe: «Pauline Archange, at-tends moi dans la coure de ricriation, on va danser à cordre ensemble, signé, Augustine Gendron qui t'aime», mais cruellement je méloigne d'Augustine et de son haleine de pauvreté. Pendant la récréation, je regarde le ciel par le trou de la cour. Je m'ennuie.

MARIE-CLAIRE BLAIS, *Manuscrits de Pauline Archange*, 1968.
Montréal, Éditions du Jour, pp. 98 à 102.

34. SPEAK WHITE

Michèle Lalonde. Poète et licenciée en philosophie de l'Université de Montréal, elle est née dans cette ville en 1937. Sa collaboration à la revue *Liberté* lui a donné l'occasion de participer régulièrement à de nombreux récitals, notamment à la rencontre «Poèmes et chansons de la Résistance».
Oeuvres: *Songe de la fiancée détruite* (1958), *Geôles* (1959), *Terre des hommes* (1967), *Speak White* (1974).

Speak white
il est si beau de vous entendre
parler de *Paradise Lost*
ou du profil gracieux et anonyme qui tremble
dans les sonnets de Shakespeare

nous sommes un peuple inculte et bègue
mais ne sommes pas sourds au génie d'une langue
parlez avec l'accent de Milton et Byron et Shelley et Keats [1]
speak white
et pardonnez-nous de n'avoir pour réponse
que les chants rauques de nos ancêtres
et le chagrin de Nelligan [2]

speak white
parlez de choses et d'autres
parlez-nous de la Grande Charte
ou du monument à Lincoln
du charme gris de la Tamise
de l'eau rose du Potomac
parlez-nous de vos traditions
nous sommes un peuple peu brillant
mais fort capable d'apprécier
toute l'importance des crumpets
ou du Boston Tea Party [3]

mais quand vous *really speak white*
quand vous *get down to brass tacks*

1. Milton, Byron, Shelley et Keats: *poètes anglais.*

2. Nelligan: *Émile Nelligan, poète. Voir chapitre 4, texte 6.*

3. Boston tea party: *événement qui marque le début de la révolution américaine.*

pour parler du *gracious living*
et parler du standard de vie
et de la Grande Société
un peu plus fort alors *speak white*
haussez vos voix de contremaîtres
nous sommes un peu durs d'oreille
nous vivons trop près des machines
et n'entendons que notre souffle au-dessus des outils

speak white and loud
qu'on vous entende
de Saint-Henri à Saint-Domingue
oui quelle admirable langue
pour embaucher
donner des ordres
fixer l'heure de la mort à l'ouvrage
et de la pause qui rafraîchit
et ravigote le dollar

speak white
tell us that God is a great big shot
and that we' re paid to trust him
speak white
parlez-nous production profits et pourcentages
speak white
c'est une langue riche
pour acheter
mais pour se vendre
mais pour se vendre à perte d'âme
mais pour se vendre

ah !
speak white
big deal
mais pour vous dire
l'éternité d'un jour de grève
pour raconter
une vie de peuple-concierge
mais pour rentrer chez nous le soir
à l'heure où le soleil s'en vient crever au-dessous des ruelles
mais pour vous dire oui que le soleil se couche oui
chaque jour de nos vies à l'est de vos empires
rien ne vaut une langue à jurons
notre parlure pas très propre
tachée de cambouis et d'huile

speak white
soyez à l'aise dans vos mots
nous sommes un peuple rancunier
mais ne reprochons à personne
d'avoir le monopole
de la correction de langage

dans la langue douce de Shakespeare
avec l'accent de Longfellow[4]
parlez un français pur et atrocement blanc
comme au Viet-Nam au Congo
parlez un allemand impeccable
une étoile jaune entre les dents
parlez russe parlez rappel à l'ordre parlez répression
speak white
c'est une langue universelle
nous sommes nés pour la comprendre
avec ses mots lacrymogènes
avec ses mots matraques

4. Longfellow: *Henry-Wadwoorth Long follow, poète américain qui a chanté les malheurs des Acadiens déportés en 1755 (voir chapitre 3, texte 4).*

speak white
tell us again about Freedom and Democracy
nous savons que liberté est un mot noir
comme la misère est nègre
et comme le sang se mêle à la poussière des rues d'Alger
ou de Little Rock

speak white
de Westminster à Washington relayez-vous
speak white comme à Wall Street
white comme à Watts
be civilized
et comprenez notre parler de circonstance
quand vous nous demandez poliment
how do you do
et nous entendez vous répondre
we' re doing all right
we' re doing fine
we
are not alone

nous savons
que nous ne sommes pas seuls.

MICHÈLE LALONDE, *Speak White*, 1968.
Montréal, Éd. de l'Hexagone, Poster.

35. LA MÉTROPOLE

Jean Ethier-Blais, né en 1925 à Sudbury (Ontario), Romancier, critique littéraire et essayiste. Il commence une carrière de diplomate qui le mène à Paris, Varsovie et Hanoï, puis il devient plus tard professeur à l'Université Carleton (Ottawa) et à l'Université McGill. Depuis 1961, il collabore régulièrement au *Devoir* comme critique littéraire. Outre un roman, *Mater Europa* (1968), un recueil de poésies, *Asies* (1969), et trois nouvelles parues sous le titre *Le Manteau de Rubén Dario* (1974), il a publié de nombreux essais dont *Exils* (1964), *Signets I, II et III* (1967-1973), *Robert Choquette* (1970), *Ozias Leduc et Paul-Émile Borduas* (1973), et *Borduas et ses amis* (1976). Membre de l'Académie canadienne-française.

1. La rue: *la rue Saint-Laurent, l'une des artères principales de Montréal.*

2. Escurial: *monastère espagnol construit en forme de gril pour rappeler l'instrument du supplice de saint Laurent.*

Théodore arriva à Montréal au milieu de septembre. Cette ville a une physionomie tragique et ce n'est pas en vain que la rue [1] qui la rejette de part et d'autre, du nord au sud, en deux tronçons, a emprunté son nom à un saint cuit et recuit sur le gril. Saint Laurent est tout aussi présent à Montréal qu'à l'Escurial [2]. Montréal s'étend en effet, entre le fleuve Saint-Laurent (lui encore, avec ses yeux qui chavirent de soif), et la rivière des Prairies, sur l'Île, dite Jésus (et de nouveau apparaît le motif cruciforme que la ville va répétant à l'infini) comme un gril qui a éclaté et la chair du martyr a bondi en dehors, rond, gigantesque sein. Ce mamelon sanctifié a nom Mont-Royal. Il est décoré d'une croix lumineuse. Les symboles s'ajoute les uns aux autres, gril, mamelon et croix. C'est pourquoi, plus encore que Québec, qui se dresse superbe sur toute l'Amérique, le nez en l'air, promontoire du mépris, Montréal contient le passé et le devenir des Canadiens français. Ils y sont trahis de toutes parts par leurs élites et on peut déjà prévoir le jour où , par les trous carrés et chauds du gril, cette énorme masse de graisse puante, qui est l'adorable race mère de «l'homme à la langue d'argent», glissera du haut de sa montagne comme une lave (entraînant sur son passage la fistule surréaliste construite à la gloire du Mage national), traînera ses blasphèmes et sa langue poisseuse, une dernière fois, dans les bas-fonds de la rue Sainte-Catherine (autre objet de feu) et s'enfouira doucement ploc! — dans l'eau trouble du «fleuve géant». Seuls seront épargnés prêtres et diaconesses qui pourront enfin parler anglais tout leur saoul et qui, dans cette langue, iront, par noirs cargos, évangéliser et ramener au Christ sept cent millions de Chinois. En attendant cette disparation prophétique, à l'est de Messire gril, chimère de Philippe II, vivent les Canadiens français gavés de haricots gras et de lard, hordes ouvrières, nombre nourricier et pauvre.

Des maisons basses, sublimation américaine du taudis, la façade décorée d'un escalier en tire-bouchon, entourent des temples qui jaillissent du sol vers le ciel avec la laideur de la foi et de la docte ignorance. Le dimanche matin, les cloches tintent ding! ding! — les foules se précipitent, unissant l'inertie à la rapidité. Ce sont des messes et de nouveau le ding! ding! enfantin et recueilli, celui-là (l'espace d'un éclair, la foi peut-être a jailli) de la communion. La femme française d'Amérique a dans la démarche, et l'assurance et le goût, avec cette pudeur qui sied à la mère de milliers de prêtres. L'homme est solide (quoique souvent blafard de teint), soucieux de profaner le sexe et porteur du regard le plus tristement beau du monde. Sans doute ne lui reste-t-il de français que cela.

À l'ouest du gril, il y a le mamelon laurentien surmonté de sa croix. Nous le traversons lentement, en regardant, de tous les côtés, Montréal dans sa lumière nocturne. C'est un spectacle unique. C'est la ville d'Amérique, qui fuit de partout dans la plaine; jusqu'aux Laurentides vers le nord, d'abord.

Québec dresse devant l'Arctique, la dernière muraille de livres; ne l'oublions pas; et ces livres sont ceux de Montaigne et de Racine. Ils sont restés debout, eux aussi, dans la neige et ses tourbillons, le vieux rusé qui siffle en silence ses bouteilles de vin de Bordeaux et le tragique gras. Ils n'ont pas bougé. Ni le sud ne les a effleurés, ni ne les a fait sourciller le vent du nord. Même pas sourciller. Ils sont là, l'un avec son regard malicieux et intelligent, l'autre avec son œil jupitérien. Ce sont ces deux regards qui ont fait celui du Canadien français.

La ville s'en va à toute allure vers le sud, ensuite, sans penser à rien, en jetant autour d'elle, comme des vêtements souillées, des banlieues laides qui pleurent parce qu'elles n'ont pas de mains pour cacher leur sexe horrible aux passants. Montréal court vers la frontière américaine, vers Boston et la chaleur de la mer, comme une putain criminelle devant la police, sur ses hauts talons, s'agrippant aux vitrines aimées de jadis et la gorge déjà gargouillante de sang. Ainsi nos ancêtres partaient-ils la nuit, l'hiver, les pieds chaussés de raquettes silencieuses; ainsi parcouraient-ils les forêts qui mènent (par les montagnes vertes — non géographiques: Vermont) aux environs de Boston. Ils fondaient sur les peuplades infidèles et les disciples du rare Calvin, s'emparaient des femmes et des enfants, tuaient les hommes et puis revenaient, par le même chemin, chez eux, Ulysses de la neige et des bois. Ainsi nos ancêtres se vengeaient-ils de ne pas avoir le soleil à portée de la main. Mais entre le nord de Montréal qui recule et retombe vite, les bras en croix sur les Laurentides et le sud qui se déroule comme un vieux tapis, il y a la zone de la vie-qui-appelle (réalité suprême aux yeux des appelés-à-disparaître et des affamés-de-vie). Nous sommes dans l'azur, les fleurs, les palais.

Ville disparate et vivante de toutes sortes de haines.

JEAN ÉTHIER-BLAIS, *Mater Europa*, 1968.
Paris, Grasset, pp. 78 à 84.

36. HÉRITAGE

Claude Jasmin. Romancier, dramaturge, essayiste et cinéaste, né à Montréal en 1930. Entre à Radio-Canada comme décorateur; écrit plusieurs pièces pour la télévision: *Rue de la liberté* (1960), *La mort dans l'âme* (1962). Le roman autobiographique *La Petite Patrie*, portée à la télévision de Radio-Canada depuis 1973, est devenu une émission populaire. Il a publié notamment des romans: *Délivrez-nous du mal* (1961), *Éthel et le Terroriste* (1964), *Et puis, tout est silence* (1965), *Pleure pas, Germaine* (1965), *Rimbaud, mon beau salaud!* (1969), *L'Outaragasipi* (1971), *C'est toujours la même histoire* (1972); en théâtre: *Bleues pour un homme averti* (1964), *Tuez le veau gras* (1970). Il est également l'auteur de nouvelles, d'un essai et de récits dont *Sainte-Adèle, la vaisselle* (1974).
Prix du Cercle du Livre de France pour son premier roman, *La Corde au cou* (1960).

Et on nous a enlevé la vieille patrie. Et nous avons fini par oublier que nous étions fils de France, petit-fils de Navarre et de Normandie, de Bretagne et du Berry. Or, je me dresse maintenant et je pose la main droite sur toute la France et je réclame mon héritage, ma part, j'ai droit à Corneille et à La Fontaine, Renan est mon parent, Pasteur est de ma famille, Lumière est français et je suis français aussi. On avait intérêt à me faire oublier l'héritage le plus riche de la terre, celui de ma mère France. Je réclame fables et romans, Balzac et Daudet, j'ai droit au *Cid*, j'ai droit à Musset et à Lamartine, j'ai droit aux grands Ardennais, Taine, Michelet et toi, Rimbaud. Notre histoire est plus longue qu'ils le disaient. L'imposture est grave, ils faisaient de nous de tristes orphelins et on imaginait souvent, ma foi, que nous étions nous-mêmes peaux-rouges arrosés de baptêmes, habitants nés spontanément après que Cartier eût planté sa croix, en Gaspésie, au bout du golfe. Or nous sommes des colons, fils de colons et notre berceau est tout entier là-bas, il est riche et puissant d'histoires navrantes et exhaltantes. Il est gravé de misères et de périls, d'horreurs aussi bien entendu mais encore de grands hauts faits. Et nous allions oublier à jamais d'être fiers. On nous a fait ramper assez longtemps, il faut vite se dresser, il faut que jeunesse de France et jeunesse de Québec se rencontrent, il faut que l'esprit français puisse s'essayer encore une fois de ce

1. Joliette, Marquette et La Vérendrye: *explorateurs français, découvreurs de larges territoires, des Rocheuses à la Floride.*

côté-ci de l'Atlantique. Avec avions et satellites, nous irons au moins aussi vite que l'aviron, sur le Mississipi, de Joliette, Marquette et La Vérendrye [1].

CLAUDE JASMIN, *Rimbaud, mon beau salaud!* 1969. Montréal, Éd. du Jour, pp. 41, 42, 43.

DOCUMENT 5

LE MOT DU PRÉSIDENT

Le voyage du président de Gaulle, les propos qu'il a tenus, la franchise avec laquelle il est allé au fond des choses constituent un événement historique et un pas en avant dans l'accomplissement de notre destin.

Après avoir connu l'occupation du conquérant, la tutelle de l'étranger et les trahisons de l'intérieur, le peuple québécois considère depuis quelques années que l'État du Québec est l'instrument unique de son progrès. À cet État québécois manque l'affirmation internationale, affirmation aussi vitale pour un peuple que l'est pour un homme le besoin de communiquer avec les autres. À cet État québécois manque la maturité d'un statut constitutionnel propre qui lui donnerait tous les outils nécessaires pour transformer sa situation dans le sens de l'humain et dans le sens de la liberté.

Le général De Gaulle n'est pas venu ici pour nous dire quoi penser ni quoi faire. Il est venu offrir l'appui de la France à la marche de notre évolution nationale. Pourquoi refuser la main tendue? Pourquoi brandir le mythe du Québec abandonné par la France, mythe qui a été fabriqué pour masquer la francophobie de nos notables et pour absoudre un conquérant qui pendant près d'un siècle a empêché par la force toute communication avec la mère-patrie? Pourquoi chercher refuge dans le juridisme classique de l'ingérence diplomatique? Pourquoi s'effrayer de la réaction des forces qui veulent garder le Québec en servitude? Je suis de ceux qui ont accepté la main tendue. Charles de Gaulle a compris les aspirations profondes du peuple québécois désireux de libération et d'affranchissement. Il a saisi le tréfonds du drame vécu par nos compatriotes qui sont pauvres dans un pays riche, citoyens de seconde classe dans leur propre cité, forcés de travailler dans la langue des maîtres, étrangers sur le sol même de leur patrie, déchirés entre ce qu'ils sont et ce qu'ils voudraient être. Au cri de «Vive le Québec libre!» C'est de l'âme de tout un peuple opprimé et brimé qu'est montée soudainement comme une réponse l'acclamation triomphale du 24 juillet. Il devenait exorcisé, ce mot de liberté, qu'avant certains osaient à peine murmurer, ce mot de liberté qui appartient pourtant à l'humanité, qui appartient aux nations, qui appartient à l'homme.

Ce jour-là, le président de la France a révélé le Québec à beaucoup de Québécois et il a révélé les Québécois au monde. La prise de conscience de notre situation ne peut que coïncider avec celle de tous ces autres peuples du tiers monde qui, eux aussi, marchent vers leur réalité. Il en est des peuples comme des individus. C'est en creusant leur propre liberté que peu à peu le chemin s'ouvre vers les autres.

Déclaration du député François Aquin à l'Assemblée législative du Québec le 3 août 1967.

37. L'INTERROGATOIRE

Guy Dufresne. Dramaturge né à Montréal en 1915. Partage son temps entre le métier de pommiculteur et celui d'écrivain. Responsable de la série radiophonique « Le Ciel par-dessus les toits » ; il signe aussi de grands téléromans dont *Cap-au-Sorcier* (1955-1958), *Septième Nord* (1963-1967) et *Les Forges de Saint-Maurice* (1972-1976). Adapte pour la télévision *Les Trois Sœurs* de Tchékov et *Des souris et des hommes* de Steinbeck.
Oeuvres : *Cap-aux-Sorciers* (1969), *Le Cri de l'engoulement* (1969), *Les traitants* (1969), *Docile* (1972).

CHRISTINE

Elle n'était qu'adolescente... le désir, en elle, s'éveillait... elle a été enivrée... son esprit s'est égaré... Si elle recouvre la raison, elle rencontre certains d'entre vous, et la perd ! Devrons-nous toujours vous craindre ?
N'da chowiji pol-wab-na tô mô kizi-tali wanôp-he-lak-ko ?

DRUILLETTES

« Devrons-nous fuir en un lieu où vous perdrez nos traces ? »

CHRISTINE

...Notre sang était plus fort que le vôtre, plus fort que celui des bêtes. Nos guerriers avaient eu raison de l'Iroquois... Nos guerriers l'avaient repoussé dans les montagnes du Sud. D'où vient que cette rivière, en face, les ait conduits de nouveau jusqu'ici ? D'où vient que les Anglais, que vous haïssez, aient donné à l'Iroquois des armes à feu tandis que vous nous ôtiez les nôtres ! D'où vient qu'il ait répandu ici une terreur de mort ! D'où vient que vous ayez attendu... si longtemps... pour le repousser dans les montagnes du Sud ! D'où vient que le sang de l'Iroquois, loin de vous, reste fort, tandis que le nôtre, auprès de vous pourrisse ! D'où vient que son mari... le père de Moussocoy... ait vomi du sang noir... et ait péri au milieu de l'été... *Kua na gi mô muk kizos kizi pai yo moïk kta lag wol.*

DRUILLETTES

« Durant la lune qui a suivi l'arrivage des bateaux. »

CHRISTINE

D'où vient que les vaisseaux apportent ainsi la mort? D'où vient que vos souffles répandent ainsi la mort? Pourquoi devons-nous toujours vous craindre! ...Ne pouvons-nous pas, vous et nous, respirer le même air... affronter les mêmes froids... nous asseoir devant les mêmes feux... boire aux mêmes sources... vivre du même soleil... nous endormir dans la même nuit. Vous êtes apparus:... vous aviez le tonnerre entre vos mains... Vous fendiez la terre, et les arbres, et les pierres, avec des outils de fer... vos vaisseaux enfermaient des bourgades entières... leurs voiles se gonflaient... *N'da sobag wi kezelômsen kizi talaginal hôk ko.*

DRUILLETTES

« Sans que les vents de mer aient pu les déchirer. »

CHRISTINE

Le soleil entrait dans ·vos maisons... la fumée n'y brûlait pas vos yeux. Vous parliez une langue fluide, et vos mains la traçaient... Vous apportiez une croyance neuve et vos Pères enseignaient qu'elle peut vaincre la mort.
(*Un silence.*)
Déjà nous désirons vos outils et vos armes. Déjà nos cabanes s'éclairent comme les vôtres. Déjà nous prêtons l'oreille à votre langue et plusieurs d'entre nous embrassent vos croyances. Ainsi en est-il de moi.
(*Un silence.*)
Est-ce que nous pouvons encore nous détacher de vous? Est-ce que nous pouvons encore nous enfuir? *Kio wô taji k'noji admika widna.*

DRUILLETTES

« Vous-mêmes, nous rejoindriez. »

CHRISTINE

Nôbitani ponkik adali tkak kizi nhlôt sanoba, awa assa, ta achi abazia k'joli admi ka wib na.

DRUILLETTES

« Même au nord, où le froid peut tuer les hommes, les bêtes et les arbres, vous nous rejoindriez. »

CHRISTINE

Tôni wômji paiyomoo kiowna adali klabizi na na taôlawi anibi ojatal?

DRUILLETTES

« Pourquoi sommes-nous devenus vous et nous, emmêlés comme les fibres d'un orme? »

CHRISTINE

Pourquoi brûlez-vous d'acquérir les fourrures de nos bêtes, et leur chair et nos outils, et nos vêtements, et le sucre de nos érables. Pourquoi brûlons-nous d'acquérir vos outils, vos armes, vos joailleries, et (*avec haine*) vos boissons? Où les avez-vous découvertes? Comment sont-elles dans vos bouches et les nôtres? Vous nous les offrez pour noyer nos angoisses: comment pouvons-nous résister! Pourquoi provoquez-vous ces carnages! Pourquoi pillez-vous nos peltries! D'où vient entre vous et nous cette guerre sourde? Pourquoi ce mépris sur vos lèvres et dans vos regards? Quel est notre sort? Que deviendrons-nous? N'éloignez-vous pas ce qui peut nous détruire? Ne nous tendrez-vous pas seulement ce qui peut nous guérir? Pourquoi n'échangeons-nous pas en paix nos biens et nos rêves? N'entendrez-vous pas nos voix? (*Après un silence.*) Que nos fils n'aillent pas dire: ils sont apparus... et nous sommes devenus des ombres... la nuit est venue... et nos ombres ont fui.

GUY DUFRESNE, *Les Traitants*, 1969.
Montréal, Leméac, 1969, acte I.

38. L'ÉDUCATION SENTIMENTALE

Marcel Godin. Romancier, dramaturge et journaliste né aux Trois-Rivières en 1932. Pigiste et recherchiste à Radio-Canada où sont jouées plusieurs de ses pièces radiophoniques et un téléthéâtre. Il a écrit trois romans: *Ce maudit soleil* (1965), *Une dent contre Dieu* (1969), *Danka* (1971) et un recueil de nouvelles: *La Cruauté des faibles* (1961).

Je m'approchai tout naturellement de ma mère et, poussé par un sentiment de tendresse, facilité par ces présences qui m'épargnaient le tête-à-tête, je posai tendrement les mains sur ses épaules et l'embrassai dans le cou. Ce geste anodin et sincère fut reçu de telle manière que je l'entends encore: « Oh! comme c'est gentil! C'est comme ça que j'ai toujours souhaité voir mes enfants, affectueux et tendres avec leur mère! »

Je me suis senti rougir jusqu'à la moelle. Tous les regards étaient fixés sur l'enfant modèle! J'aurais aimé que mon geste passât inaperçu, qu'elle le prît sans façon, mais non, il fallait, encore une fois, qu'elle se rendît désagréable. C'était vrai que nous n'étions pas affectueux, conditionnés à ne pas l'être. Je répondis alors froidement, avec une certaine brutalité:

— Cela ne tenait qu'à vous.

Elle entra dans une grande colère, montra aux amis quels ingrats nous étions, quand elle nous avait tout donné et qu'elle s'était saignée à blanc, selon son expression favorite. Voilà qu'elle levait les bras au ciel et déclamait: « Je me demande ce que nous avons pu faire au bon Dieu pour avoir des enfants pareils! » Antoine souriait pour temporiser. Tante dit que ses enfants étaient comme nous, que l'affection n'allait pas les étrangler, et la conversation se poursuivit sur ce beau sujet dont quelques bribes me parvinrent à travers la porte de ma chambre où j'avais vite été me réfugier. Quand, à douze ans, on embrasse son père et qu'il se refuse sous prétexte que ce n'est pas d'un homme, qu'un homme ne doit jamais pleurer, qu'un homme doit tendre une solide et ferme main, qu'un homme ne doit pas toucher à un autre homme, que les baisers à sa mère en sont de mécaniques, faisant partie d'un rituel bien orchestré — on dit bonsoir à papa et à maman, avant d'aller au lit; on embrasse la joue de maman comme si on embrassait un dossier de chaise; on va aux toilettes faire pipi, on brosse ses dents, on se lave et on boit un verre d'eau pour ne plus avoir à se lever. Quand les enfants seront tous couchés, les parents seront tranquilles; comme disait maman à huit heures: « Encore une petite demi-heure et on va avoir la paix! »

Elle cessa de le dire quand nous fûmes en âge de veiller jusqu'à dix ou onze heures. Mais, à onze heures, je devais être rentré. Je travaillais depuis déjà quelques années. J'assumais avec mon père des charges de famille. Ce qui ne me donnait pas plus de privilèges qu'à mes autres frères et sœurs. Je devais donner le bon exemple et rentrer à onze heures du soir.

Étrange maladie que celle de la paternité. On se refuse à voir grandir et vieillir ses enfants, car on les voudrait, tant on les aime pour soi, toujours sous sa tutelle. Comment oser qualifier d'amour aimer ainsi, vouloir ceci ou cela pour eux, jusqu'à prétendre les conduire au sacerdoce ou à la faculté de médecine? Il n'y a pas de pire viol que celui-là. On devrait accepter au départ les enfants comme des singes, et s'étonner qu'ils deviennent des hommes, en se contentant de leur donner l'exemple, au lieu de toujours défendre, de toujours interdire, ou de brandir le péché à toutes les occasions. Tenez, à dix-neuf ans, dans l'indépendance où était ma famille, je n'avais pas le droit de prendre un fruit, une sucrerie ou autre chose, sans demander l'auguste permission à ma sainte mère. Étrange !

MARCEL GODIN, *Une dent contre Dieu, 1969.*
Paris, Laffont, *pp. 154-157.*

39. L'HOMME RAPAILLÉ

Gaston Miron. Poète né à Sainte-Agathe-des-Monts en 1928. Ses premiers écrits sont publiés dans *Le Godillot, Amérique française* et *Le Devoir*. En 1953, fonde avec d'autres poètes les Éditions de l'Hexagone qui ont une influence marquante sur la vie poétique du Québec. Milite au sein de plusieurs partis et associations voués à la libération du Québec. Participe par ailleurs à la fondation de la revue *Liberté* et à l'organisation de récitals de poésie à Paris et au Québec. Les Presses de l'Université de Montréal ont rassemblé les écrits épars de Miron en un recueil: *L'Homme rapaillé* (1970) pour lequel il a reçu le Prix de la Ville de Montréal. Il a signé deux autres recueils: *Deux sangs* (1953) et *Courtepointes* (1975), sans compter les textes divers parus dans les journaux et revues.

1. Compagnon des Amériques

Compagnon des Amériques
mon Québec ma terre amère ma terre amande
ma patrie d'haleine dans la touffe des vents
j'ai de toi la difficile et poignante présence
avec une large blessure d'espace au front
au-delà d'une vivante agonie de roseaux au visage

je parle avec les mots noueux de nos endurances
nous avons soif de toutes les eaux du monde
nous avons faim de toutes les terres du monde
dans la liberté criée de débris d'embâcle
nos feux de position s'allument vers le large
l'aïeule prière de nos doigts défaillante
la pauvreté luisant comme des fers à nos chevilles

mais cargue-moi en toi pays, cargue-moi
et marche ou rompt le cœur de tes écorces tendres
marche à l'arête de tes dures plaies d'érosion
marche à tes pas réveillés des sommeils d'ornières
et marche à ta force épissure des bras à ton sol

mais chante plus haut l'amour en moi, chante
je me ferai passion de ta face
je me ferai porteur des germes de ton espérance
veilleur, guetteur, coureur, haleur de ton avènement
un homme de ton réquisitoire
un homme de ta patience raboteuse et varlopeuse
un homme de ta commisération infinie
l'homme artériel de tes gigues
dans le poitrail effervescent des poudreries
dans la grande artillerie de tes couleurs d'automne
dans tes hanches de montagnes
dans l'accord comète de tes plaines
dans l'artésienne vigueur de tes villes

devant toutes les litanies
de chats-huants qui huent dans la lune
devant toutes les compromissions en peaux de vison
devant les héros de la bonne conscience
les émancipés malingres
les insectes de belles manières
devant tous les commandeurs de ton exploitation
de ta chair à pavée
de ta sueur à gages

mais donne la main à toutes les rencontres, pays
ô toi qui apparais
par tous les chemins défoncés de ton histoire
aux hommes debout dans l'horizon de la justice
qui te saluent
salut à toi territoire de ma poésie
salut les hommes des pères de l'aventure

2. Recours didactique

Je me hurle dans mes harnais. Je sais ce que je sais, CECI, ma culture
polluée, mon dualisme linguistique, CECI, le non-poème, qui a détruit en moi
jusqu'à la racine l'instinct même du mot français. Je sais, comme une bête
dans son instinct de conservation, que je suis l'objet d'un processus d'assimilation, comme homme collectif, par la voie légaliste (le statu quo structu-
rel) et démocratique (le rouleau compresseur majoritaire). Je parle de ce qui
me regarde, la langage, ma fonction sociale comme poète, à partir d'un code
commun à un peuple. Je dis que la langue est le fondement même de l'existence d'un peuple, parce qu'elle réfléchit la totalité de sa culture en signe,
en signifié, en signifiance. Je dis que je suis atteint dans mon âme, mon être,
je dis que l'altérité pèse sur nous comme un glacier qui fond sur nous, qui
nous déstructure, nous englue, nous dilue. Je dis que cette atteinte est la dernière phase d'une dépossession de soi comme être, ce qui suppose qu'elle

a été précédée par l'aliénation du politique et de l'économique. Accepter CECI c'est me rendre complice de l'aliénation de mon âme de peuple, de sa disparition en l'altérité. Je dis que la disparition d'un peuple est un crime contre l'humanité, car c'est priver celle-ci d'une manifestation différenciée d'elle-même. Je dis que personne n'a le droit d'entraver la libération d'un peuple qui a pris conscience de lui-même de son historicité.

En CECI le poème se dégrade. En CECI le poème prend tous les masques d'une absence, la nôtre-mienne. Mais contestant CECI, absolument, le poème est genèse de présence, la nôtre-mienne. En CECI, le poème s'essaie, puis retombe dans l'enceinte de son en-deçà. Ô poème qui s'essaie, dont la langue n'a pas de primo-vivere, poème en laisse, pour la dernière fois je m'apitoie sur toi, avec nos deux siècles de saule pleureur dans la voix.

GASTON MIRON, *L'Homme rapaillé*, 1970.
Montréal, Éd. PUM, pp. 123-124.

40. DÉSESPOIR

Anne Hébert. Poète, romancière et dramaturge née à Sainte-Catherine-de-Fossambault (près de Québec) en 1916. Elle fait ses études au collège Notre-Dame-de-Bellevue et au collège Mérici de Québec. Fille de Maurice Hébert, critique averti des années 1930, et cousine du poète Saint-Denys Garneau, elle trouvera auprès de ces derniers des guides littéraires sûrs. Membre de la Société Royale du Canada depuis 1960, elle récolte toute une série de distinctions. Prix David pour *Les Songes en équilibre* (1972), Prix France-Canada, Prix Duvernay, Prix littéraire de la Province de Québec pour le roman *Les Chambres de bois* (1958), Prix du Gouverneur général pour son recueil *Poèmes* (1960), Prix des libraires de France pour *Kamouraska* (1970) porté à l'écran par Claude Jutra... Elle a publié trois pièces: *Le Temps sauvage, La Mercière assassinée, Les Invités au procès* (1967), des nouvelles sous le titre *Le Torrent* (1950), des poèmes sous le titre *Le Tombeau des rois* (1953), et un autre roman: *Les Enfants du sabbat* (1975).

Lotbinière, Sainte-Croix, Saint-Nicolas, Pointe-Lévis... Depuis combien de jours et de nuits... Me voici livrée au froid de l'hiver, au silence de l'hiver, en même temps que mon amour. Lancée avec lui sur des routes de neige, jusqu'à la fin du monde. Je ne sais plus rien de toi, que ce froid mortel qui te dévore. M'atteint en pleine bouche. Pénètre sous mes ongles. Les longues nuits immobiles près de la fenêtre. Quelqu'un d'invisible, de fort et de têtu me presse contre la vitre. M'écrase avec des paumes gigantesques. Je suis broyée. J'étouffe et deviens mince comme une algue. Encore un peu de temps et je ne serai plus qu'une fleur de givre parmi les arabesques du froid dessinées sur la vitre. Je peux vivre! Et toi? Dis-moi que tu vis encore? Ta force. Ta résolution inébranlable. Que le poids de notre projet te soit léger. Se change en flamme claire, te protège et te soutienne, tout au long du voyage... Ce n'est qu'une idée fixe à rallumer sans cesse, comme un phare dans la tempête. Notre fureur.

Surtout ne t'avise pas (toi qui es médecin) de vouloir situer le mal dans nos veines. Un caillot peut-être? Quelque tache de naissance sur notre peau? Le secret de nos entrailles? Une petite bête captive, sans doute? Une tique minuscule entre chair et cuir. Le péché? Qui peut sonder les reins et les cœurs? Nul piège assez fin. Selon la loi anglaise de ce pays conquis, nous sommes innocents, jusqu'à preuve du contraire.

Le cœur qui se déplace à grand fracas dans mon corps. Cogne à ma tempe, dans mon cou, à mon poignet. Mon fils dernier-né goûte-t-il la saveur forte de ma folie, à chaque gorgée de lait mousseux qui coule de ma poitrine?

— Combien de couverts faut-il mettre? — Justine a oublié de repasser les serviettes. — Le petit Louis pleure et tape du pied à la moindre contrariété...

C'est le moment où il faut se dédoubler franchement. Accepter cette division définitive de tout mon être. J'explore à fond le plaisir singulier de faire semblant d'être là. J'apprends à m'absenter de mes paroles et de mes gestes, sans qu'aucune parole ou geste ne paraisse en souffrir.

D'une part, je calme la colère du petit Louis. De l'autre je m'absorbe dans la répétition minutieuse de noms de villages, au bord du fleuve. Répétition à satiété. Comme on récite un chapelet, grain après grain, tout en méditant sur les mystères féroces de ce monde.

Lauzon, Beaumont, Saint-Michel, Berthier... Le temps! Le temps! S'accumule sur moi. Me fait une armure de glace. Le silence s'étend en plaques neigeuses. Depuis longtemps déjà, George[1] emporté dans son traîneau, franchi toutes les frontières humaines. Il s'enfonce dans une désolation infinie. Comme le navigateur solitaire qui se dirige vers la haute mer. En vain j'interroge l'état de la neige et du froid. Nous ne dépendons plus des mêmes lois de neige et de gel, des mêmes conditions de fatigue et d'effroi. Trop de distance. Pourquoi appréhender une tempête avec rafales et poudrerie qui efface les pistes? Mon amour se débat-il dans un tourbillon de neige, perfide comme l'eau de torrents? Mon amour respire le gel comme l'air? Mon amour crache la neige en fumée de glace? Ses poumons brûlent? Tout son sang se fige? Au-delà d'une certaine horreur, cet homme devient un autre. M'échappe à jamais.

ANNE HÉBERT, *Kamouraska*, 1970.
Paris, Seuil, pp. 195-197.

1. George: *George Nelson, médecin américain, parti en hiver pour assassiner le mari de sa maîtresse.*

41. LE TEMPS DES VIVANTS
(chanson)

Gilbert Langevin. Poète et parolier né à La Dorée (Haut-Saguenay) en 1938. Signe particulier: utilise beaucoup de pseudonymes: Régis Auger, Carmen Avril, Daniel Derome, Alexandre Jarrault, Carl Steinberg, Gyl Bergevin et Zéro Legel. Obtient un baccalauréat en liste externe à l'Institut Leguerrier (1959). Animateur à l'«Université ouvrière» de Montréal en 1960. Directeur des éditions Atys (1960), co-fondateur du Mouvement fraternaliste et co-directeur des *Cahiers fraternalistes* (1960-1961). Travaille tour à tour à la Bibliothèque Saint-Sulpice, aux Presses de l'Université de Montréal et à Radio Canada. Depuis quelques années, participe aux spectacles de l'Atelier d'expression multidisciplinaire. Collabore aux revues: *Liberté, La barre du jour, Quoi, Photo-Québec, Passe-Partout.*
Oeuvres: *À la gueule du jour* (1959), *Poèmes-effigies* (1960), *Le Vertige de sourire* (1960), *Symptômes* (1963), *Un peu plus au dos de la falaise* (1966), *Noctuaire* (1967), *Pour une aube* (1967), *Ouvrir le feu* (1971) *Stress* (1971), *Origines* (1959-1967), *Novembre* suivi de *La Vue du sang* (1973), *Chansons et poèmes 1 et 2* (1973-1974); œuvres en prose: *Les Écrits de Zéro Legel* (1972) et *La Douche ou la seringue* (1974).

---

que finisse le temps des victimes
passe passe le temps des abîmes
il faut surtout pour faire un mort
du sang des nerfs et quelques os

que finisse le temps des taudis
passe passe le temps des maudits
il faut du temps pour faire l'amour
et de l'argent pour les amants

vienne vienne le temps des vivants
le vrai visage de notre histoire
vienne vienne le temps des victoires
et du soleil dans les mémoires

ce vent qui passe dans nos espaces
c'est le grand vent d'un long désir
qui ne veut vraiment pas mourir
avant d'avoir vu l'avenir

que finisse le temps des perdants
passe passe le temps inquiétant
un feu de vie chante en nos cœurs
qui brûlera tous nos malheurs

que finisse le temps des mystères
passe passe le temps des misères
les éclairs blancs de nos amours
éclateront au flanc du jour

vienne vienne le temps des passions
la liberté qu'on imagine
vienne vienne le temps du délire
et des artères qui chavirent

un sang nouveau se lève en nous
qui réunit les vieux murmures
il faut pour faire un rêve aussi
un cœur un corps et un pays

que finisse le temps des prisons
passe passe le temps des barreaux
que finisse le temps des esclaves
passe passe le temps des bourreaux

je préfère l'indépendance
à la prudence de leur troupeau
c'est fini le temps des malchances
NOTRE ESPOIR EST UN OISEAU

GILBERT LANGEVIN, *Le Temps des vivants*, 1970.

42. PARLER

Victor-Lévy Beaulieu. Éditeur, journaliste, romancier et essayiste né en 1945 à Saint-Jean-de-Dieu (près de Rimouski). Directeur littéraire des Éditions du Jour pendant plusieurs années, il fonde en 1974 les Éditions de l'Aurore, puis les Éditions V-L.B., Grand Prix de la Ville de Montréal (1972); Prix du Gouverneur général (1974).

Oeuvres théâtrales: *En attendant Trudot* (1974), *Ma Corriveau* (1975); essais: *Pour saluer Victor Hugo* (1971), *Jack Kérouac* (1972); œuvres romanesques: *Race de monde* (1969) *La nuitte de Malcomm Hudd* (1969), *Jos Connaissant* (1976), *Les Grands-Pères* (1972), *Un rêve québécois* (1972), *Don Quichotte de la démanche* (1974).

1. Allo Police: *hebdomadaire populaire spécialisé dans le reportage des affaires criminelles.*

2. Mantra: *Au sens propre, un mantra est une formule indéfiniment reprise, propre à provoquer chez celui qui la récite (le yogi, par exemple) un état de conscience particulier, proche du mysticisme.*

C'était le troisième jour, le jour de la Neige tombant avec force sur l'étroit balcon devant la fenêtre de la chambre de Marie. Nous avions passé la journée au lit, à lire de vieux numéros d'*Allo Police*[1] et à nous raconter les Mille et une Nuits de nous-mêmes. Cela avait failli mal tourner parce que nous n'avions pas voulu nous taire alors que nous n'avions plus rien à nous dire pour avoir trop parlé; pendant un moment, tout nous avait paru fade, presque translucide, presque inexistant. Nous disions des mots qui étaient inexpressifs et circulaires qui ne pouvaient être intégrés au mouvement de nos phrases qui se désarticulaient d'elles-mêmes et se vidaient de la substance qu'elles auraient pu contenir. Jamais nous n'avions été aussi loin de nous-mêmes et, paradoxalement, aussi près; nous nous touchions sans nous toucher, nous parlions de nous tout en étant exclus de nous, nous inventions notre Passé et ne faisions qu'écrire notre Avenir; tout l'impossible qui était en nous s'était échappé et formait, au-dessus de nos têtes, un nuage noir que nous ne savions chasser plus loin parce que nous avions les Mains Liées, à ce qui avait été dit et qui demeurait la seule vérité possible. Pourtant, tout n'était pas si simple ni si compliqué, et le fait que nous avions continué de parler, le fait que nous nous étions enfoncés davantage dans la lassitude de la Parole devenue Mantra[2], cachait un symbole, taisait l'essentiel: nous avions peur de nous consumer dans le Silence, de nous mépriser. Parler nous libérait de nos haines. Parler nous apprenait que nous pouvions continuer à nous aimer, donc à nous Dire dans le dépouillement et la solitude de la chambre de Marie. Parler était notre seule issue, et nous le comprenions tellement que nous savions qu'avec le Silence, nous perdrions tout et jusqu'à Nous-Mêmes. « I a des trous dans ma vie Jos. I a des choses que je me rappelle pus. On passe tellement vite hein Jos? Et Pis, on parle rien que de ce qu'on se souvient, peut-être qu'on a oublié ce qui est Important. Les rêves, par exemple, les cauchemars. J'ai toujours été une Grosse Rêveuse Jos, mais mes rêves ça me revient trois ou quatre jours après, ça prend toutes sortes de Formes et toutes sortes de Faces, c'est tout Changé Jos. Je me comprends Pu des fois parce que j'ai peur de Dormir Tout le Temps. Est-ce que ça se peut, Jos, qu'on se réveille jamais et qu'on soye toujours en état de Cauchemar? Tout ce qu'on fait c'est peut-être pas ce qu'on fait, hein Jos? »

VICTOR-LÉVY BEAULIEU, *Jos Connaissant*, 1970.
Montréal, Éd. du Jour, pp. 171-172.

43. POUVOIR

Pierre Vadeboncœur. Essayiste né en 1920, à Strathmore (près de Montréal). Militant syndicaliste, il est conseiller juridique à la C.T.C.C., devenue en 1960 la Confédération des syndicats nationaux (C.S.N.). Collabore aux revues d'avant-garde: *Cité libre, Liberté, Socialisme, Parti Pris.* Il a publié les essais suivants: *La Ligne du risque* (1963), *L'Autorité du peuple* (1965), *Lettres et Colères* (1969), *Indépendances* (1972), *La Dernière Heure et la première* (1970) et *Un Génocide en douce* (1976). Un roman: *Un amour libre* (1970). Prix Duvernay (1971) et David (1976).

Qu'est-ce qu'un homme? Nous savons bien qu'il est le produit de son pouvoir. Eh bien! au milieu de la décomposition nationale dont nous sommes actuellement menacés, nous nous trouverions réduits, s'il s'agit de pouvoir, au peu que nous en possédons économiquement et socialement, et à moins encore.

La langue et la culture, jadis, se maintenaient toutes seules, à la faveur d'une liberté oubliée quelque part au milieu de nous par le conquérant, vaguement garanties qu'elles se trouvaient aussi par le pouvoir tronqué mais alors suffisant qu'il nous avait concédé. Dans ce temps-là, sur un continent à peine exploré, la liberté était éparse et chacun, dans son particulier ou son patelin pouvait toujours la respirer comme l'air. Le pouvoir gouvernait de loin les gens, toujours chez eux par un effet de la géographie d'alors, qui protégeait jusqu'à des frontières inexistantes. Il n'y avait pas cette étreinte, qui part maintenant du cœur du continent et qui refoule et restreint progressivement toute liberté jouissant paisiblement d'elle-même. Il n'y avait pas d'autre part cet envahissement, cette crue insidieuse et néanmoins diluvienne, de tout ce qui maintenant pénètre notre propre territoire jusqu'au cœur et y dissout une culture qui ne trouve pas encore, par contre, et ne trouvera qu'à la faveur de l'effort national total que nous souhaitons, le moyen non plus seulement de se conserver mais de se reproduire. La raréfaction universelle de la liberté n'était pas à cette époque, en Amérique, un phénomène décelable et elle ne pouvait rien encore contre une liberté naïve.

L'histoire maintenant nous pousse à grande allure et il faut prendre un chemin. À cette vitesse, décider lequel, sans erreur, sans fausse manœuvre. C'est le contraire de la lente navigation du siècle dernier. La situation ne souffre pas les lenteurs, les tergiversations, les inerties de l'habitude, qui retardent ou paralysent d'ordinaire les décisions. C'est une route ou une autre. Le choix, demain ou d'ici quelques années, sera entièrement décisif. Il n'y a plus un unique chemin, ou deux chemins qui s'équivaillent. Cela, c'est du passé. L'avenir, puisque l'histoire nous a rejoints, est brutal. Nous ne sommes pas dans la condition d'un peuple que l'histoire suit, s'il est puissant, ou qu'elle oublie, s'il est faible. Dans le premier cas, pour la France, c'est du passé. Dans le second, quant à nous, ce l'est également.

Puisqu'il faut choisir, je n'ai pu m'empêcher, comme tant d'autres et d'ailleurs à leur suite, de faire mon choix. J'ai opté, il y a quelque sept ans environ. Pour l'indépendance nationale du Québec. Pour la souveraineté complète de son gouvernement. Je ne l'ai pas fait à la légère, mais à la suite d'une évolution provoquée au départ, en 1960, à Baie-Comeau[1], par le spectacle de milliers d'ouvriers prisonniers du capital étranger comme de syndicats étrangers, et cherchant violemment à se libérer. Les raisons que je donne sont plus que suffisantes à mes yeux pour fonder le choix de l'indépendance. Elles me paraissent impérieuses. Il s'agit d'une bataille. On n'est pas toujours prêt sur le moment même. On fait comme si. On prend ce qu'on a sous la main. C'est un peu l'esprit français.

Les généraux de la Gaule ont souvent fait cela.

PIERRE VADEBONCOEUR, *La Dernière Heure et la première*, 1970. Montréal, Hexagone/Parti pris, pp. 29-60-77-78.

1. Baie-Comeau: *ville industrielle du Québec, située sur la rive nord du Saint-Laurent.*

44. LE RENVOI

Marc Doré. Né en 1938 à Neuville (comté de Portneuf), homme de théâtre, professeur et romancier. Après des études classiques, fait le cours Charles Dullin et étudie le mime trois ans chez Lecoq, à Paris. Boursier du Conseil national des Arts du Canada en 1962-1963. Fondateur et membre du Théâtre Euh!, troupe de théâtre populaire qui travaille à Québec. Enseigne depuis plusieurs années au Conservatoire d'art dramatique de Québec. Il a publié deux romans: *Le billard sur la neige* (1970) et *Le raton-laveur* (1971).

Maintenant, l'homme tenait la porte pour le laisser passer. Tony s'écarta de l'entrée et se mit à fixer un des pieds du bureau. Le vernis partait en fines pelures. Tony pensa que d'autres élèves étaient passés par ce lieu avant lui. Il eut envie de gratter doucement la petite patte outragée.

Le directeur déposa sa feuille sur le sous-main et s'assit en éloignant son fauteuil. Il joua un instant avec son crucifix puis s'en servit pour indiquer à l'enfant de s'asseoir.

« Aujourd'hui commence le printemps. C'est le 21 mars. Saviez-vous cela? » Tony ouvrit grand les yeux et se mit à sourire de toutes ses dents. « Oui, Frère... » Mais comme il mentait, il devint rouge. Il ne savait pas que ce matin était le 21 mars. Mais ce dont il était sûr et qu'il n'osait dire, c'était qu'il avait douze ans ce matin-là. Aussi se mit-il à espérer...

Maintenant il était prêt à n'importe quelle surprise. Il aurait trouvé tout à fait normal qu'on l'invitât à jouer aux côtés de Maurice Richard[1]. Tony partait. Il entrait au Forum[2]. Tous lui disaient: « Good Luck, Tony! » Il arrivait dans la chambre des joueurs. Il aimait l'odeur du cuir, l'odeur des athlètes et de la laine des costumes. Chausser de vrais patins. Se protéger de vrais « pads »[3]. Mettre les épaulettes solides, les culottes épaisses, assez lourdes. Pas besoin de casque. Revêtir le beau chandail des « Tricolores »![4] Avoir des hockeys autant qu'on en casse!

Qui sait? Cette feuille-là sur le buvard vert, c'est un contrat. Tony tend le cou pour lire. L'homme pose ses deux mains velues sur le papier.

« Vous avez toujours de bonnes notes: 84% de moyenne, ce n'est pas si mauvais. Votre professeur, le frère Jean, ne me signale rien de particulier à votre sujet. Mais ce qu'il y a d'embêtant, c'est que vos parents ne peuvent pas vous garder ici. Ils ne payent pas. Depuis trois semaines que le compte est rendu chez vous, nous n'avons pas de réponse. Il y a aussi les trente

1. **Maurice Richard:** *joueur de hockey, devenu une sorte de héros national.*
2. **Forum:** *stade où sont disputées les plus grandes joutes de hockey à Montréal.*
3. **Pads:** *terme anglais qui désigne les jambières au hockey.*
4. **Tricolores:** *symbole (bleu, blanc, rouge) de l'équipe des «Canadiens».*

dollars du mois dernier. Vous prendrez l'autobus de dix heures. Vous irez faire votre valise. N'oubliez pas de mettre votre cravate avant de quitter le collège. Vos bagages partiront par le train de cinq heures huit, ce soir.»

L'homme s'est levé et il tendait sa main: «Bonne chance!»

L'enfant s'efforçait de voir derrière ce rideau qui lui piquait les yeux. Le petit christ de cuivre semblait rire sur le jais de la soutane. «Merci, Monsieur...»

«Attendez un instant!»

Tony ne se retourna pas. Il s'arrêta sur place au milieu de son souffle stoppé sous les dernières côtes. Pensionnaire, il était habitué à ce que son humeur se fixât sur celle des Frères. Dans la classe, le soleil ne se levait pas tous les jours. Il y avait de longues heures troubles, traversées d'électricité humaine, des tempêtes soudaines appuyées de gifles hypocrites, suivies de la pluie tremblotante des excuses ou des pardons. Les arcs-en-ciel se laissaient parfois surprendre à travers les larmes de l'injustice. Mais ce matin-là, Tony commençait de se mesurer à un engrenage froid et se heurtait aux épaules de la honte. L'enfant se tenait sur un pied, l'autre en suspension, ouvert à toutes les corrections possibles.

«Il s'est trompé. Ce n'est pas à moi qu'il devait faire cela. Il s'est trompé. On a dû confondre des feuilles. Il voulait rien que me prévenir.»

— Voici toujours vingt-cinq sous pour votre autobus. N'oubliez rien dans votre casier.

— Merci, Frère..

L'enfant ferma doucement la porte. Il ne parvenait plus à respirer. L'air se bloquait dans sa gorge comme après un coup de poing. Les murs des corridors semblaient tout bosselés, parés à lui donner des coups de coudes dans les côtes, à le bousculer aux épaules, aux tempes, aux genoux. Tony s'arrêta de courir après trois ascensions d'escalier. Devant lui, une grande fenêtre donnait la lumière du jour à deux palmiers chétifs. Tony se contenta de regarder à travers le rideau, il n'osait en demander plus à cette maison étrangère. Les élèves couraient sur la patinoire. La neige éclaboussait tout de son gros sel. Le ballon semblait lourd. On trébuchait dessus. Tony redressa la tête et aperçut les derniers blocs de son château[5]. Personne ne s'occupait d'en relever les mûrs. Pas même Dubé, qui lui avait pourtant promis «un coup de main pendant le déjeuner»!

MARC DORÉ, *Le Billard sur la neige*, 1970.
Montréal, Éd. du Jour, pp. 25 à 28.

5. Château: *château de neige et de glace dont la construction constitue une distraction.*

45.   L'HISTOIRE DU CANADA

Yvon Deschamps. Né à Montréal en 1935, monologuiste, comédien et auteur-compositeur. Après avoir, comme batteur, accompagné le chansonnier Claude Léveillé, il fonde avec ce dernier le *Théâtre de Quat'Sous* à Montréal en 1964. Il joue au cinéma et à la télévision, particulièrement dans des émissions pour enfants. En 1968, il entreprend une heureuse carrière de monologuiste.
Il est l'auteur de *Monologues* (1973) et de nombreux disques.

1. Frontenac: *gouverneur de la Nouvelle-France. Voir chapitre 1, texte n° 7.*
2. Phits: *mis pour Phipps, général anglais défait par Frontenac en 1690.*
3. Montcalm: *dernier général de la Nouvelle-France. Voir chapitre 1, texte n° 15.*
4. Plaines d'Abraham: *champ de bataille où se sont affrontés Montcalm et Wolfe en 1759, converti plus tard en jardin public.*
5. Oua: *voit.*

Si y en a qu'ont des histoires du Canada chez eux, déchirez ça page 73 avant qu'y aillent des enfants qui mettent la main là-d'ssus! Parce que là, c'qui arrive à la page 73, c't'écœurant! C'est les Anglais qu'arrivent. Les Français haïssaient tellement les Anglais, hein, c'est pas mêlant, j'pense qu'y é haïssaient autant que nous autres. Ah oui, crime, Frontenac[1] les haïssait assez que quand qu'y é a vus qui arrivaient dans l'fleuve, y s'est toute énarvé, y a viré fou! Y a faite une phits[2]! Y courait partout, y tirait du canon, bing, boum, boum, boum... Tellement qu'les Anglais ont vu peur, y sont r'partis... Ben, sont r'venus. Ah oui, sont r'venus à page 76, parce qu'eux-autres, y l'avaient, le p'tit livre. Y ont regardé ça. Quand qu'y ont vu qu'à page 75, Frontenac s'en allait, pis qu'c'est Montcalm[3] qui l'remplaçait, y ont dit: c't'une bonne affaire de r'venir à page 76 parce que Montcalm, ça doit pas être énarvé lui, han! Ça fait que là, de ousqu'y ont été très traîtres... Qu'y seyent arrivés à page 76, ça m'dérange pas, c'est d'leus affaires, mais iou que j'trouve qu'y ont été écœurants, c'est qu'y sont organisés pour arriver jusse dans l'bas d'la page. Ça, c'est grave!

Oui, parce que comme ça, ils s'trouvaient à tomber un samedi soir de juillette... Je l'sais pas si vous êtes déjà allés à Québec un samedi soir du mois de juillette, mais dans c'temps-là, c'était pareil comme que c'est aujourd'hui. Allez-y l'été prochain, vous allez ouère. Le samedi soir au mois de juillette, y a pas personne en ville à Québec. Sont toutes sus é plaines d'Abraham[4]. On les oua[5] pas. Mais sont là. Les buissons qui branlent, c'est pas l'vent, ça, non, non, non, non, non. Chaque Québécois branle son buisson lui-même. Ça fait que c'te samedi soir-là, toutes les Québécois étaient sus é plaines d'Abraham, chacun branlait son buisson, Montcalm aussi y était là, mais Montcalm lui, montait la garde.

Naturellement, dans l'livre, y disent pas le nom de la garde, à cause des parents, pis toute ça, faut pas exagérer non plus, ça fait que Montcalm était là, y montait la garde, pis avait emmené avec lui un chien de garde, ben le chien d'la garde, et pis, pendant qu'y montait la garde, son chien arrive : woulf[6] woulf, woulf, woulf ! Là, lui, sus l'coup, y a pas compris, pis l'temps qu'y r'habille, toute ça, y était trop tard, y a tombé raide mort. Même qu'ça c'est faite tellement vite, on pourrait dire qu'y est tombé mort encore raide. Ben, on l'dira pas.

C'est là que ça a commencé à être effrayant. Parce que ces Anglais-là, sontaient tellement roffes[7], sont arrivés dans l'bas de la page 76, y étaient pas rendus au milieu d'la page 77, y avaient déjà déporté les Acadiens[8]. Au Nouveau-Brunswick. Ben, j'le sais pas si vous êtes déjà allés là, mais c'est pas une place pour envoyer du monde, ça, crime ! Pis, ça c'est rien. À la page 111, Lord Durham[9], ça c't'un bel écœurant, ça, à la page 111, ça c'est tu-suite après la révolution de 1837, y a faite des prisonniers politiques, parce que dans c'temps-là, c'était roffe, y se gênaient pas, c'était pas comme aujourd'hui, y a faite des prisonniers politiques, y en a pris huit, y é-s-a déportés aux Bermudes ! En pleine hivère ! Pas l'droit d'emporter de linge de corps, rien. Ces gars-là sont probablement morts aujourd'hui.

Ben, y nous ont faite encore plusse pire que ça, si c'est pas assez pour vous-autres. À la page 88... On t'à 88, là. Hé, ça, la page 88, ça, c'est quand les Américains voulaient s'en v'nir icitte. Les Anglais ont pas voulu. Y ont dit : non, non, non, battez-vous contre les Américains, on veut pas les ouère icitte. Ben, c'est ces maudits Anglais-là qui nous ont empêché d'être américains. Ben ça, j'leu pardonnerai jamais ça ! Parce que, soyons sincères, on s'rait-tu ben américains ! On s'rait ben. Les jeunes faticants, là han, on s'rait très ben américains, parce que si on s'rait américains, des jeunes faticants comme vous-autres, ça traînerait pas icitte. Les p'tits vieux non plus. Les p'tits vieux s'raient en Floride, les jeunes au Viet-Nam, nous-autres, on s'rait tranquilles icitte, tabarnouche ! Y arait d'la place pour tout le monde.

Non, moé, en té cas, ça m'a assez énarvé quand j'ai lu ça, j'ai déchiré le livre. Là, j'pense rinque[10] à m'r'venger. J'ai dit : r'tenez-moé, r'tenez-moé ! Ben, j'tais tu seul. Mais, crime, tu peux pas te r'venger tu seul contre toutes les Anglais ; sont ben trop une grosse gang. Mais que j'mette jamais'a main sus une Anglaise, par exemple. Non, mais si j'mets 'a main sus une Anglaise, j'la marie. Ben bon pour elle. A souffrira comme nous-autres, après. On est pas pour se laisser faire toute not' vie. Ah, rinque à en parler, chus toute mouillé tellement j'les haïs... Ces maudits Anglais-là, j'les haïs, c't'écœurant.

Chus pas tu seul à les haïr, imaginez-vous pas ça. À shop[11], où que je travaille, on les haït toute. On est seize gars, ben on est quinze qu'on les haït. Pis l'autre, y les haït pas, savez-tu pourquoi ! Rinque parce qu'y comprend hé rien ! T'sais, c'est le genre qui comprend hé rien. Chaque fois que tu y parles, y dit : « I can't understand. »

YVON DESCHAMPS, *Monologues*, 1971.
Montréal, Leméac, pp. 152-155.

6. Woulf : *mis pour Wolfe, général anglais qui remporta la bataille des Plaines d'Abraham contre Montcalm.*

7. Roffes : *rough, épithète anglais qui signifie ici dur, impitoyable.*

8. Déporté les Acadiens : *voir chapitre 3, texte n° 4.*

9. Lord Durham : *voir chapitre 2, document n° 4.*

10. Rinque : *rien que.*

11. À shop : *à l'usine.*

46. LE CANADIEN FRANÇAIS

Jean Bouthillette. Né en 1929 à Montréal. Journaliste au *Petit Journal* puis à *Perspectives* dont il est le directeur. Il est l'auteur d'un unique essai, *Le Canadien français et son double*, (1971) qui est sans doute l'une des analyses les plus pénétrantes de la problématique québécoise.

Puisque nous ne sommes plus seuls dans ce pays, interroger notre identité de peuple dans sa relation à la présence anglaise peut nous conduire à mettre à nu l'être collectif. La nationalité peut n'être qu'une étiquette, mais, dissimulé, il y a l'âme d'un peuple.

Qui sommes-nous, Canadiens français?

Si nous interrogeons le langage courant, nous constatons que notre nom même de peuple sème en nous la confusion.

Au cours d'une entrevue littéraire, un poète demandait un jour à un autre poète, que sa profession de diplomate conduit un peu partout dans le monde: «Vous sentez-vous plus Canadien que Canadien français?»

Cette question, quand on s'y arrête, est curieuse. Aurions-nous deux identités? Ou quelque chose dans notre identité serait-il extérieur à notre vie canadienne, comme une réminiscence de vie antérieure?

Non moins curieuse cette profession de foi commune à beaucoup de personnages politiques à travers notre histoire: «Je suis Canadien d'abord, français ensuite.» Y aurait-il en nous deux parts d'inégale valeur et que l'on pourrait, selon les circonstances politiques, dresser l'une contre l'autre?

Les indépendantistes, qui ont senti la confusion, y échappent en ne se disant que Québécois. Notre nom de Canadien nous serait-il devenu secrètement étranger?

Quant aux mystiques de la table rase, ils prennent le simplisme de leur slogan pour du dépassement: «Soyons Canadiens tout court.» Mais qu'est-ce qu'un Canadien tout court dans un pays où deux peuples se réclament de ce nom?

Notre nom écrit, d'autre part, dont l'imprimé transmet quotidiennement l'image, ne dessine-t-il pas sous nos yeux une pente qui peut n'être pas que grammaticale? Canadien français: d'une majuscule à une minuscule, nous glissons sur notre nom qui nous entraîne de quelque chose qui paraît important à quelque chose d'autre qui semble l'être moins. Y aurait-il en nous une invisible rupture?

D'une confusion en apparence confinée à notre seul nom, il ne naîtrait pas en nous tant de désarroi si notre être n'était lui-même plongé dans la confusion.

Car enfin, si notre nom comporte deux vocables, notre identité est une. Cet adjectif français que nous ajoutons à notre nom originel n'ajoute rien à ce que nous sommes: il sert à nous distinguer de l'Anglais, qui se dit également Canadien, mais ne se distingue pas en nous quand nous nous saisissons comme Canadiens. Le terme français marque une relation à l'Anglais au sein d'un nom commun et c'est par relation seulement qu'il s'objective dans le langage; hors d'elle, il n'a pas de réalité distincte. Canadien et français, dans notre Moi collectif, ne sont qu'une seule et même chose. Nous sommes indissolublement Canadien français. Voilà à quelle unité fondamentale renvoient dans notre nom de peuple les vocables Canadien et français.

Que signifie alors cette distance que nous prenons, non pas vis-à-vis de nous-mêmes, quand nous nous définissons comme Canadiens? Quelle est cette image de nous-mêmes qui se dédouble ainsi dans le miroir de l'identité canadienne?

Notre relation à l'Anglais serait-elle faussée à sa racine psychique? La présence anglaise se creuserait-elle si profondément en nous qu'elle nous ravit notre image réelle?

Le langage courant nous offre plus que l'image d'un simple nom éclaté: il nous propose celle d'un être collectif qui a rompu ses amarres.

À l'origine de cette dérive intérieure il y a, dans notre histoire, un événement que la mémoire refoule mais dont l'âme collective transmet la trace de génération en génération: la Conquête[1], qui projette en nous la grande ombre anglaise. La Conquête est brisure; comme notre nom, comme notre être collectif. Et sans le savoir nous ressemblons à ce malheur initial, qui s'est figé dans l'âme commune en une durée qui nous ravit le présent.

C'est sous forme de résidu scolaire que la Conquête s'intériorise d'abord en nous, inoculée dans nos âmes d'enfants par une histoire bien divisée en deux parts qui se repoussent: avant, après: qui sonnent comme toujours, jamais. Un régime français tout glorieux de notre présence héroïque et généreuse. Puis la cassure. C'est comme si tout d'un coup nous n'étions plus là, comme si notre vie s'arrêtait, le souffle de notre histoire coupé net. C'est désormais l'Anglais qui bâtit ce pays à son image; et nous devenons les spectateurs d'une histoire qui semble ne plus être la nôtre. Il y a les bons gouverneurs anglais, soit ceux qui aimaient les Canadiens français; et les autres, qui tramaient notre perte. D'une seule coulée dans nos jeunes âmes; Frontenac[2] — « Allez dire à votre maître... » —; Carillon[3]. Et puis les plaines d'Abraham. Tout se recroqueville subitement, nous désintéresse jusqu'au sursaut des Patriotes de 1837. Puis vient la torpeur définitive: plus notre histoire se fait contemporaine, plus elle s'éloigne et devient brumeuse. Et l'on reprend au beau Régime français, qui nous apparaît soudain comme un baume. « Ne pleurez plus mes enfants, je vais vous relire la bataille de Carillon »...

Et il nous faudrait oublier?

À vingt ans, il est vrai, nous avons séché nos pleurs, oublié nos malheurs qui n'étaient, après tout, que des malheurs d'enfants. Et nous avons pensé à autre chose, pour devenir des hommes.

1. La Conquête: *la Conquête de la Nouvelle-France par les Anglais en 1760.*

2. Frontenac: *gouverneur de la Nouvelle-France. Voir chapitre 1, texte n° 7.*

3. Carillon: *dernière bataille d'importance remportée (à Fort Carillon, en 1758) par les Français avant la Conquête.*

Mais la blessure est toujours là, si mal cicatrisée qu'elle se rouvre à chaque génération ou presque.

Et si la Conquête était infiniment plus qu'un simple saisissement dans nos jeunes cœurs? Et nos sautes d'humeur chroniques, infiniment plus qu'une émotivité d'écoliers attardés?

Les récits de nos manuels d'histoire cachent autre chose que de puériles complaintes.

JEAN BOUTHILLETTE, *Le Canadien français et son double*, 1971. Montréal, L'Hexagone, pp. 17 à 21.

330

47. RANCOEUR

Michel Tremblay. Dramaturge, romancier et scénariste né à Montréal, en 1942. Remporte le premier prix au Concours des jeunes auteurs de Radio-Canada avec *Le Train* (1964). Boursier du Conseil des Arts du Canada à plusieurs reprises. Sa pièce *Les belles-sœurs* (1968) triomphe à Montréal et à Paris. Outre le scénario d'*Il était une fois dans l'Est* (1974) et du *Soleil se lève en retard* (1977), il a publié trois romans: *La Cité dans l'œuf* (1969) et *C't'à ton tour, Laura Cadieux* (1973) et *La grosse femme d'à côté est enceinte* (1978), des *Contes pour buveurs attardés* (1966) et onze pièces de théâtre dont *En pièces détachées* (1969), *La Duchesse de Langlais* (1970), *À toi pour toujours, ta Marie-Lou* (1971), *Hosanna* (1973), *Bonjour là, bonjour* (1974), *Les Héros de mon enfance* (1976), *Sainte Carmen de la Main* (1976) et *Damnée Manon, sacrée Sandra* (1977).

LÉOPOLD

Ton p'tit, tu le mettras ousque tu voudras! Tiens, tu iras t'installer avec, dans le salon, toé... Roger viendra coucher avec moé... Un p'tit gars qui couche avec son père, c'est plus normal... Ça fait pas un fifi[1]!

MARIE-LOUISE

J'suppose que t'as déjà entendu parler d'un homme qui a mis sa femme à porte parce qu'y venait d'y faire un p'tit!

LÉOPOLD

J'te mets pas à porte... j't'envoye juste dans le salon...

MARIE-LOUISE

Moé aussi j't'envoye juste dans le salon! Pis à part de ça, y'est pas question qu'on couche pas dans la même chambre... à cause des enfants...

LÉOPOLD

'Coute donc, une minute... C'est-tu déjà arrivé qu'on a faite quequ'chose, depuis qu'on est marié qu'y' était pas pour les enfants!

1. Fifi: *un homosexuel ou un efféminé.*

MARIE-LOUISE

Tu m'as mis enceinte tu-suite[2], Léopold! A ben fallu qu'on y pense tu-suite!

LÉOPOLD

C'est ça, c'est toujours de ma faute...

MARIE-LOUISE

Ben oui, c'est toujours de ta faute!

LÉOPOLD

Toute la marde qui nous tombe sur la tête, c'est toujours de ma faute...

MARIE-LOUISE

Oui... toujours...

LÉOPOLD

...jamais de la tienne...

MARIE-LOUISE

C'est toujours de ta maudite faute, toujours! J'ai beau tout essayer pour nous en sortir, on se retrouve toujours un peu plus bas... J'ai mis le pied dans' marde quand j't'ai dit oui, mais avant de mourir dedans m'as te dire non ben des fois, Léopold...

LÉOPOLD

Aïe, un enfant de plus! Y penses-tu! Toute recommencer: les nuits blanches, les couches, les bouteilles de lait, les suces... j'ai mon crisse de voyage! On est trop vieux pour toute recommencer ça... Ben ma maudite, tu vas en manger, du beurre de peanuts smoothy[3]. à partir d'aujourd'hui! T'as besoin de ménager[4] si tu veux y donner à manger, c't'enfant-là!

MARIE-LOUISE

Ton boss[5] te doit une augmentation... T'as rien qu'à y demander... avec une bouche de plus à nourrir...

LÉOPOLD

Chus pas dans une shop[6] à union[7], moé! Les augmentations me tombent pas dessus tous les six mois comme la manne!

MARIE-LOUISE

Vous êtes trop sans-cœur pour faire rentrer l'union dans vot'shop, pis c'est nous autres qui payent! Y te la doit depuis presqu'un an... T'es trop chiant en culottes pour y demander... Y te la doit, Léopold, c'est de l'argent qu'y te doit! Tu piques des crises quand j'te demande de l'argent, pis t'es trop niaiseux pour demander l'argent que ton boss te doit! Tu seras toujours un peureux... Vous êtes toutes pareils! Vous nous chiez sur la tête parce qu'on est en-dessous de vous autres, pis vous vous laissez chier sur la tête par ceux qui sont au-dessus de vous autres! C'est pas sur nous autres que vous devriez vous venger, pourtant! Pourquoi t'essayerais pas de le débarquer, *lui* au lieu de nous autre?

LÉOPOLD

Ça fait vingt-sept ans que j'travaille pour c't'écœurant là... Pis j'ai rien que quarante-cinq ans... C'est quasiment drôle quand tu penses que t'as commencé à travailler pour un gars que t'haïs, à l'âge de dix-huit ans, pis que t'es encore là, à le sarvir... Y'en reste encore trop des gars poignés comme moé... Aujourd'hui, les enfants s'instruisent, pis y vont peut-être s'arranger pour pas connaître c'que j'ai connu... Hostie! Toute ta tabarnac de vie à faire la même tabarnac d'affaire en arrière de la même tabarnac de machine! Toute ta vie! T'es spécialisé, mon p'tit gars! Remercie le bon Dieu! T'es pas journalier! T'as une job steadée[8]! Le rêve de tous les hommes: la job steadée! Y'as-tu quequ'chose de plus écœurant dans'vie qu'une job steadée? Tu viens que t'es tellement spécialisé dans ta job steadée, que tu fais partie de ta tabarnac de machine! C'est elle qui te mène! C'est pus toé qui watches[9] quand a va faire défaut, c'est elle qui watche quand tu vas y tourner le dos pour pouvoir te chier dans le dos, sacrement! Ta machine, tu la connais tellement, tu la connais tellement là, que c'est comme si t'étais v'nu au monde avec! C'est comme si ç'avait été ta première bebelle[10], hostie! Quand j'me sus attelé à c'te ciboire de machine-là, j'étais quasiment encore un enfant! Pis y me reste encore vingt ans à faire! Mais dans vingt ans, j's'rai même pus un homme... J'ai déjà l'air d'une loque... Dans vingt ans, mon p'tit gars, c'est pas toé, c'est ta machine qui va prendre sa retraite! Chus spécialisé! Chus spécialisé! Ben le bon Dieu, j'le r'mercie pas pentoute[11], pis je lai dans le cul le bon Dieu! Pis à part de ça, c'est même pas pour toé que tu travailles, non c'est pour ta famille! Tu prends tout l'argent que t'as gagné en suant pis en sacrant[12] comme un damné, là, pis tu la donnes toute au grand complet à ta famille! Ta famille à toé! Une autre belle invention du bon Dieu! Quatre grandes yeules[13] toutes grandes ouvertes, pis toutes prêtes à mordre quand t'arrives, le jeudi soir! Pis quand t'arrives pas tu-suite le jeudi soir parce que ça te tentait d'avoir un peu de fun[14] avec les chums[15] pis que t'as été boire à' taverne, ta chienne de famille, à mord pour vrai, okay! Cinq minutes pis y te reste pus une crisse de cenne noire dans tes poches, pis tu brailles comme un veau dans ton lit! Pis ta famille à

8. Job steadée: *emploi permanent, stable.*

9. Watches: *surveilles.*

10. Bebelle: *jouet.*

9. Pas pentoute: *pas du tout.*

12. Sacrant: *jurant.*

13. Yeules: *gueules.*

14. Fun: *plaisir.*
15. Chums: *amis.*

dit que c'est parce que t'es saoûl! Pis à va conter à tout le monde que t'es t'un sans-cœur! Ben oui, t'es t'un sans-cœur! Y faut pas te le cacher, t'es t'un sans-cœur!

Michel Tremblay, *À toi, pour toujours ta Marie-Lou*, 1971.
Montréal, Leméac, pp. 58 à 64.

48. LE RECENSEMENT

Antonine Maillet. Née en 1929 (Nouveau-Brunswick), dramaturge et roman-cière. D'abord professeur de littérature dans différentes institutions, devient scripteur et animatrice à Radio-Canada à Moncton (N.-B.)
Lauréate du Prix du Gouverneur général pour *Don l'Orignal* (1972) et du Grand Prix littéraire de la Ville de Montréal pour *Mariaagélas* (1973). Elle a publié d'autres romans: *Pointe-aux-Coques* (1958) et *On a mangé la dune* (1962), *Les Cordes-de-Bois* (1977) et plusieurs pièces de théâtre dont *Les Crasseux* (1968), *Gapi et Sullivan* (1973), *Évangéline deusse* (1975) et *La Sagouine* (1971) qui a fait retentir dans son immense succès, l'accent et le vocabulaire acadiens. Elle est également l'auteur d'un recueil de contes *Par derrière chez mon père* (1972) et d'une étude: *Rabelais et les traditions populaires en Acadie* (1971).

Eh ben oui, ils avont passé par chus nous pour le recensement. Et pis ils nous avons tout recensés, pas de soin: ils avont recensé Gapi, pis ils avont encensé la Sainte, pis ils m'avont ensemencée, moi itou. Ah! c'était une grosse affaire, pornez-en ma parole qu'a jamais menti. Parce que lors d'un recense-ment, coume ça, il leur faut encenser tout le monde, avec les poules pis les cochons. Ben chus nous, j'avons ni tet à poules[1] ni soue à cochons, ça fait qu'ils ont ensemencé les matous. Ils fortont[2] dans tes hardes, itou, pis ils me-suront ta maison, et ils comptont jusqu'aux bardeaux de ta couvarture. Ben quant c'est qu'ils avont demandé à Gapi de leu montrer son livre de banque, il leur a dit de manger de la m... Ah! il a pas grand'manières, Gapi.

Pis ils te questiounont. Des fois, c'est malaisé à répondre: ton nom, tous tes noms de baptême, ton père, ta mère, ta darnière maladie, quand c'est que t'as eu tes âges, tes enfants morts, tes enfants encore en vie, et coument c'est que tu gâgnes dans un an. Gapi trouvait qu'ils fortiont une petite affaire trop dans sa vie; ça fait que quant c'est qu'ils avont demandé quoi c'est que son père faisait avant de mourir, il les a avisés pis il leur a dit:

— Avant de mouri'? Mon pére il s'a élongé les deux jambes pis il a fait « heug ».

Ah! ils te demandont des affaires malaisées.

Asteure il faudrait qu'une parsoune se souvenit de tout ce qu'elle a fait dans sa sainte vie. C'est pire qu'à la confesse, ma grand'foi Djeu! Ils vouliont saouère[3] coument c'est que je dépensions de farine dans un an. Un an, pensez ouère[4]: Mais pouvez-vous me dire si y a une parsoune au monde qui sait ce

1. Tet à poules: *poulailler.*
2. Fortont: *Furêtont*
3. Saouère: *savoir.*
4. Ouère: *voir.*

qu'a dépense dans un an? J'achetons notre farine à la livre, un petit sac à la fois, quand c'est que j'en avons pus, et que j'avons de quoi payer; ou ben quand c'est qu'ils voulont nous la laisser à crédit. Ben nous autres, avec de la farine, je faisons du pain pis des crêpes, pas des livres de comptes, que Gapi leur a dit aux recenseux. Et j'avons pas de livre non plus pour carculer chaque coque pis chaque parlourde que j'avons vendues. Tout ce que je pouvions y dire, au recensement, c'est que je pêchons pour vendre, je vendons pour acheter, et j'achetons pour nous mettre de quoi dans le ventre. Et au boute de l'ânnée, j'avons pas plusse de poissons dans l'estomac que j'en avons pêché dans la baie. C'est coume ça l'écounoumie chus nous.

Pis ils te demandont itou ton arligion. Ça fait que tu te prépares à répondre ben tu te ravises. Par rapport que là encore il faut que tu leu bailles[5] des esplicâtions. C'est pas toute d'aouère[6] été porté sus les fonds pis conformé par l'archevêque en parsoune en pleine tornée de conformâtion. Il faut que tu noumes le saint patron de ta parouesse actuelle. Asteure ta parouesse actuelle, c'est-i' la même que celle-là où c'est que tu fais tes pâques à chaque dimanche de la Trinité? La parouesse qui baptise tes enfants, c'est-i ben une parouesse actuelle? Ben je voulions pas passer pour des communisses, ça fait que j'avons pris une chance de leur répondre que j'étions des chrétiens.

C'est pas toute. Parce qu'y a sus leux listes une question encore plus malaisée. Ah! là, Gapi non plus savait pus quoi répondre. Ta nationalité, qu'ils te demandont. Citoyenneté pis nationalité. C'est malaisé à dire.

...Je vivons en Amarique, ben je sons pas des Amaricains. Non, les Amaricains, ils travaillont dens des shops[7] aux États, pis ils s'en venont se promener par icitte sus nos côtes, l'été, en culottes blanches pis en parlant anglais. Pis ils sont riches, les Amaricains, j'en sons point. Nous autres, je vivons au Canada; ça fait que je devons plutôt être des Canadjens, ça me r'semble.

...Ben ça se peut pas non plus, parce que les Dysart, pis les Caroll, pis les MacFadden, c'est pas des genses de notre race, ça, pis ça vit au Canada itou. Si i' sont des Canadjens, je pouvons pas en être, nous autres. Par rapport qu'ils sont des Anglais, pis nous autres, je sons des Français.

...Non, je sons pas tout à fait des Français, je pouvons pas dire ça: les Français, c'est les Français de France. Je sons putôt des Canadjens français, qu'ils ous avont dit.

...Ça se peut pas non plus, ça. Les Canadjens français, c'est du monde qui vit à Québec. Ils les appelont des Canadjens, ou ben des Québécois. Ben coument c'est que je pouvons être des Québécois, si je vivons point à Québec?... Pour l'amour de Djeu, où c'est que je vivons, nous autres?

En Acadie, qu'ils nous avont dit, et je sons des Acadjens. Ça fait que j'avons entrepris de répondre à leu question de nationalité coume ça: des Acadjens, que je leur avons dit. Ça, je sons sûrs d'une chouse, c'est que je sons les seuls à porter ce nom-là. Ben ils avont point voulu écrire ce mot-là dans leu liste, les encenseus. Parce qu'ils avont eu pour leu dire que l'Acadie, c'est point un pays, ça, pis un Acadjen c'est point une nationalité, par rapport que c'est pas écrit dans les livres de Jos Graphie.

Eh! ben, après ça, je savions pus quoi trouver, et je leur avons dit de nous bailler la nationalité qu'i' voudriont. Ça fait que je crois qu'ils nous avont placés parmi les Sauvages.

5. Bailles: *donnes*.
6. Aouère: *avoir*.

7. Shops: *usines*.

Ah! c'est malaisé de faire ta vie quand c'est que t'as pas même un pays à toi, pis que tu peux point noumer ta nationalité. Parce que tu finis par pus saouère[8] quoi c'est que t'es entoute. Tu te sens comme si t'étais de trop, ou ben qu'y avait pus parsoune qu'i' voulit de toi. C'est ben parce qu'ils te le faisont sentir. Ils te disont ben que t'es un citoyen à part entchére[9]; bien ils pouvont point noumer ta citoyenneté. Ils te parlont point dans ta langue non plus; ça fait que tu les comprends pas.

Antonine Maillet, *La Sagouine,* 1971.
Montréal, Leméac, pp. 86 à 89.

8. Saouère: *savoir.*

9. Entchère: *entière.*

49. NOTRE CAMPAGNE À L'HOSPICE

Pierre Morency. Né en 1942 à Lauzon (près de Québec), poète et dramaturge. Il fait ses études classiques au Collège de Lévis et obtient une licence en lettres de l'Université Laval en 1966. Depuis 1967, il se consacre à une carrière d'écrivain radiophonique à Radio-Canada: il signe plusieurs émissions poétiques, humoristiques et documentaires. Créateur et animateur des soirées poétiques au café Le Chantauteuil à Québec, fondateur et directeur de la revue poétique *Inédits* (1969-1971). Entre 1969 et 1973, il écrit quatre courtes comédies: *Tournebise et le Malin Frigo, la Jarnigoine, La loi des pompes* et *Marlot dans les merveilles,* et une adaptation: *Charbonneau et le Chef* (1973). En outre, il est l'auteur des recueils: *Poèmes de la froide merveille de vivre* (1967), *Poèmes d la vie déliée* (1968), *Au Nord constamment de l'amour* (1970), *Poèmes* (1970), *Lieu de naissance* (1973).

Le jour où je battrai ma campagne, on me versera dans l'air empesté d'un hospice. Mon rouleau aura perdu le fil: je serai devenu le petit garçon de jadis. Je ne moisirai pas, non. Je serai visité par un grand amour, le plus grand de ma vie peut-être, car, le jour où je battrai ma campagne, je saurai comment on s'endort dans la beauté des femmes. Je courtiserai une veuve épanouie qui volera d'aise dans l'aile des vieilles, je courtiserai une femme à bout d'âge qui aura des écailles autour des yeux comme pour voir au fond de la mer. Elle aura un petit trou pour respirer au milieu de la gorge. Venues du plus loin, mes larmes couleront dans ses rides.

L'après-midi parfois nous marcherons jusqu'aux cavernes et nous nous glisserons dans des couloirs sans fond. Nous serons inséparables, habitant au sous-sol une chambre oubliée, toute au secret dans nous-mêmes et qui sentira le baume et le persil. Nous serons si ouverts que nous serons devenus une grande maison avec à chaque printemps des nids au bord du toit.

Un matin sec du mois de janvier, on viendra vider mon crachoir dans l'aile des vieux. On cassera mes pipes. On passera l'aspirateur dans mes tiroirs. Puis on me descendera dans la tombe où elle reposerait déjà avec son petit trou au milieu de la gorge pour ne plus respirer. Là, plus seuls encore qu'un cri, nous nous empoignerons. Nous ne serons plus des vieillards, nous serons un couple de jeunes défunts.

PIERRE MORENCY, *Notre campagne à l'hospice*, 1972.

50. POÈMES

Paul-Marie Lapointe. Journaliste et poète né à Saint-Félicien (Lac Saint-Jean) en 1929. Études au Séminaire de Chicoutimi, au collège Saint-Laurent et à l'École des Beaux-arts de Montréal. Directeur de l'information à la radio de Radio-Canada. Prix David et Prix du Gouverneur général en 1972. A publié *le Vierge incendié* (1948), *Choix de poèmes* (1960), *Pour les âmes* (1965), *le Réel absolu* (1972) et *Tableaux de l'amoureuse* (1974) d'où sont tirés les trois poèmes suivants, d'abord parus en 1972 dans la revue des *Herbes rouges*.

1. Ange noir

ange noir qui n'est le squelette de personne
sinon de l'hiver en chacun de ses cristaux
sinon de la belette aux appétits glacés

les sombres articulations du désir
les attaches de la rose
sous la pelure du froid mûrissent une passion féroce
des ailes de sang

2. Scène

heurté
le fourreau déploie ses lames
dans la biche la féminine
s'animent les sept langues de l'hydre

l'eau bouge
rapide effeuillaison du soleil
oubli double
au pied de l'étang
seul
un saule retient le vent

3. Mois du saumon

torsades de pitchpin[1] pour mater le spasme
le totem éclate au cœur du frai[2]
dans l'entrelacs de l'œuf et de l'écaille

ô poisson florilège
ô malard[3] déployé dans le cyclone

l'idole sévira
contre les hauts fournaux
la corrosion de l'âme
et le robot fragile qui pervertit le temps

PAUL-MARIE LAPOINTE, *Poèmes*, 1972.

1. pitchpin : *bois de pin.*
2. frai : *ponte des œufs par les poissons femelles.*
3. malard : *canard mâle.*

51. VOYAGE AUX VIEUX PAYS

Clémence Desrochers. Comédienne, poète et monologuiste née à Sherbrooke (Estrie) en 1933. Après des études à l'École Normale et au Conservatoire d'Art dramatique, elle joue dans plusieurs téléromans populaires à Radio-Canada. Fonde de nombreuses boîtes à chansons dont La Barre 500, La Boîte à Clémence, Le Patriote, et organise des revues qui connaissent un grand succès: *Les Girls* (1969), *La Belle Amanchure* (1970), *C'est pas une vue, c't'un show* (1971). Elle a publié *Le monde sont drôles* suivi de *La Ville depuis* (1966), *Sur un radeau d'enfant* (1969), *La Grosse Tête* (1973) et *J'ai des p'tites nouvelles pour vous autres* (1974). Elle a aussi enregistré plusieurs disques.

On a fait un ben beau voyage franch'ment, hein Armand? Un trrrrès beau voyage. Parce que c'était bien organisé. C'était organisé dans les moindres détails. On avait un Français comme guide. Un homme charmant, distingué, d'une trrrrès belle culture, hein Armand? Il nous a tout dit quoi faire: quoi visiter, quoi regarder, où coucher, comment manger. Toute! Toute! Il nous a dit toute, hein Armand? Vous comprenez ces vieux pays-là, c'est pas comme ici. On n'est pas habitué. D'abord on a passé quatre jours à Paris. On a tout vu: notre guide nous a fait voir les différents quartiers de la Ville-lumière: La Place du Tertre à Montmertre, Ménilbontemps, le Père Labraise. Ensuite, nous avons visité les principaux musées comme le célèbre Musée des Louves, où nous avons pu voir la Jacombe de pleine face, si je peux dire... Ensuite, nous avons fait le Château des Versailles, avec toute son histoire depuis Louis XVI jusqu'aux derniers rois, Napoléon tout ça... C'était passionnant, hein Armand? Nous avons vu aussi des endroits, plus «légers» comme les Trois Beaudets, la Place de la Bastigne, les Trois Cadéro, les Havres. Vous savez que maintenant, tous les... garages des Hâvres ont été démolis? C'est une vraie perte pour l'art de Paris. Après Paris, nous avons gagné l'Italie. C'est de toute beauté l'Italie, hein Armand? Nous avons visité les villes principales comme Venise... Mais c'est pas très propre, avec toute cette eau dans les rues, vous comprenez que c'est difficile d'entretien. Ce que j'ai préféré avant tout, c'est mon passage à Rome. Rome est une ville... éternelle, hein Armand? C'est beau, c'est beau! C'est écœurant comme c'est beau. Toutes ces belles grandes églises avec des peintures au plafond. C'est entendu qu'ils ont pas nos commodités. Les toilettes, et tout ça, c'est très primaire. Mais nous avons eu le grand bonheur d'être reçu par le Saint-Siège. C'est mon plus beau souvenir! Nous étions environ trente groupes différents, un maximum de cinquante personnes par groupe, pas plus. ça épuiserait trop son Saint-Siège. Il nous a béni nos chapelets, nos souvenirs et à la fin de l'audience, il nous a fait remettre par un de ses grands vicaires, une belle médaille frappée.

Je l'ai ici... *(elle fouille dans son sac.)* Je la quitterai jamais plus *(elle ne la trouve pas... s'énerve)*. Ben voyons, je l'ai pourtant. J'espère qu'on me l'a pas volée! Si j'ai perdu ça, j'sais pas c'que j'fais. Armand! Tête de serpent, aide-moi donc à trouver ma médaille au lieu de rester là! *(elle vide son sac sur le plancher.)* Faut que je la r'trouve! Ma médaille!!!

CLÉMENCE DESROCHERS, *La Grosse Tête,* 1973.
Montréal, Leméac, pp. 23 à 25.

52. POUVOIR DU NOIR (extraits)

Roland Giguère. Poète et artiste graphique né à Montréal en 1929. Après des études à l'École des Arts graphiques de Montréal et à l'École Estienne à Paris, il fonde les Éditions Erta où paraissent plusieurs recueils de poèmes et quelques albums d'œuvres graphiques. Lors de son premier séjour en Europe, il se lie d'amitié avec André Breton et collabore aux gravures littéraires et plastiques du groupe « Phrases » et du Mouvement surréaliste. Il expose régulièrement au Québec et à l'étranger depuis 1955.
Lauréat des Concours littéraires du Québec (section poésie) et du Grand Prix littéraire de la Ville de Montréal en 1966. Il a publié notamment: *Faire naître* (1949), *Le défaut des ruines est d'avoir des habitants* (1957), *Adorable Femme des neiges* (1959), *L'Âge de la parole* (1965), *Naturellement* (1968) et *La Main au feu* (1973).

1.

Il fait noir en nous comme il neige au jardin
il fait sombre et nous n'y voyons plus rien
sinon le tamanoir noir lové au creux de la nuit

le volcan hurle à la terre ses coulées de lave fumante
où l'on se perd la plume à la main

ces grands dessins de lave
ces nobles écritures
ces paragraphes majestueux
indéchiffrables signatures

le noir à tous les futurs

2.

Votre univers disions-nous est inflammable
et vos saisons inhabitables
il est vrai que nous étions au plus noir
de nous-mêmes
le clair pourtant était à prévoir
et nous avons prévu

que n'avons-nous prévu qui se dessine maintenant
sur fond d'azur à dents de sable

tout était dans les lignes
noir sur blanc au tableau d'ardoise
comme on dit à présent
comme je vous dis

vraiment ce noir est capital en ce soir miniature

et pourquoi dites-vous inutile
quand nous sommes au pied des fontaines?

3.

Je vous avais dit sans voile sans loup sans nuit
et pourtant ce soir on dirait une seiche
sortant du tiroir
et qui pisse son encre partout
jusqu'à ne plus voir
nos fêtes échevelées et nos fenêtres illuminées
comme un ultime au revoir

Qui dit noir n'est pas d'ici
de ce pays affreusement blanc
qui dit noir est d'ailleurs
d'avant l'éclair d'avant le vent
qui dit noir n'a pas vu le jour
le jour des derniers paravents.

ROLAND GIGUÈRE, *La Main au feu*, 1973.
Montréal, Éd. Hexagone, pp. 177, 118, 119.

53. LA DEMANDE EN MARIAGE

Roch Carrier. Romancier, conteur, poète et professeur né à Sainte-Justine (Comté de Bellechasse) en 1937. Docteur ès lettres, il enseigne au Collège militaire royale de Saint-Jean.

Son recueil de contes *Jolis Deuils* (1965) lui vaut le Prix de la Province de Québec. Son roman *La Guerre, yes sir* (1968) est adapté pour la scène et créé en 1970 par le Théâtre du Nouveau-Monde.

Autres romans: *Floralie, où es-tu?* (1969), *Il est par là le soleil* (1970), *Le deux-millième étage* (1973), *Le Jardin des délices* (1975), *Il n'y a pas de pays sans grand-père* (1978); il est également l'auteur de deux recueils de poésie: *Les Jeux incompris* (1956) et *Cherche tes mots, cherche tes pas* (1958), de *Contes pour mille oreilles* (1969).

Dorval toussa pour parler. La colère avait noué les muscles de son cou. Il posa sa chaise.

— Y aura du progrès quand les gars comme toi et les gars comme moi iront, main dans la main, démolir les maisons des riches.

Le Chauve n'avait plus la force de boire:

— Pas besoin de démolir les maisons des riches: c'est toutes des belles maisons neuves et propres et belles, avec bon goût...

— Peinturées avec la sueur des pauvres comme toi et moi.

Blême, le Chauve, maintenant verdissait:

— Serais-tu un communiste?

Il regardait Dorval avec effroi.

— Ouais, j'sus un vrai communiste. Toi t'es un vrai capitaliste. La seule chose qui nous distingue, c'est que moi, j'vas pas démolir ta maison.

Dorval tendit une bouteille au Chauve:

— Un communiste, répéta-t-il, et un grand héros de guerre.

Dorval commença à se bercer. Sa chaise, avec ses mouvements oscillants, était un bateau qui remontait, dans la mémoire, des vagues du temps.

— Une fois, commença Dorvail, i' faisait noir. Noir comme dans l'âme d'un capitaliste. On était dans l'avion. Pour tuer la trouille, on se racontait les histoires les plus sales qu'on pouvait imaginer. Mais on riait pas. On avait les lèvres comme constipées. On avait envie de brailler. Si quelqu'un avait eu l'idée de raconter l'histoire du Petit Poucet, on aurait braillé tant de larmes qu'il aurait fallu des parapluies. Tout à coup, j'reçois une claque dans le dos. Au lieu de me ramasser la face sur le plancher, j'm'aperçois que j'flottais à quatre pattes dans le ciel, au bout de cordes de mon parachute. Si tu veux comprendre ce que j'ressentais, imagine-toi que tu tombes du deux-millième étage. Ça sentait la bonne nuit toute neuve. J'descendais. J'descendais. Cui! Cui! j'étais un petit oiseau mais j'aurais pas pu remonter. J'avais peur, Sainte Vierge! J'étais mort de peur. J'me disais: si j'peux garder les yeux ouverts, j'vais pas mourir. On m'avait dit: y aura des points de repère. Y avait rien au-dessous de moi, sauf un gros nuage noir: la Terre. Moi, j'aime la Terre. J'ai été fait avec de la terre puis quand j'vais me défaire, j'vais redevenir de la terre. Pendu vivant au bout de mes cordes de parachute, j'avais hâte d'arriver sur la Terre, de la sentir sous mes pieds, de me fourrer le nez dedans comme un enfant qui s'écrase le nez dans le ventre de sa mère en revenant de l'école. Tout à coup, un coup comme un coup de pied au cul: c'est la Terre qui m'accueillait. J'm'écrase, j'roule, j'm'aplatis. C'est pas moi qui arrive sur la Terre, c'est la Terre qui saute sur moi et qui m'écrase. J'étais mort... J'avais les yeux fermés.

Bouche ouverte, le Chauve écoutait, agrippé à sa bouteille de bière comme à une bouée, en plein naufrage.

— J'étais mort de peur. Mais j'entendis chuinter les feuilles autour de moi. C'était le vent... ou c'était pas le vent... J'vois venir une forme noire. Ça rampait. Ça approche de moi. On nous avait dit de se méfier parce qu'y avait pour nous attendre, plus d'Allemands que de Français.

— Ici.

La forme chuchotait en français. Merci. J'ai glissé dans l'herbe vers la voix. Comme j'avançais, j'ai commencé à sentir une chaleur sur tout mon corps. J'me suis traîné encore plus près de la voix. La chaleur était encore plus chaude. Tout à coup, mes yeux ont pu voir la voix: c'était une fille! Dans un moment comme ça, quand la vie te paraît arrêtée parce que ton cœur s'est arrêté de battre et que tout à coup, hop! la vie recommence, le cœur te danse de la tête aux pieds, qu'est-ce que tu peux dire?

— J'sus v'nu vous demander en mariage, Mamzelle!

Dorval ne se berçait plus. Il regardait le mur, avec des yeux plissés. Les paroles y projetaient les images vivantes du passé:

La voix m'a répondu:

— Je suis marié à mon pays.

Dorval baissa les yeux sur le pitoyable petit Chauve à qui il était interdit de comprendre le sens véritable d'une telle déclaration.

— Moi, reprit Dorval, j'ai tout de suite compris le sens de sa réponse. Et j'ai eu honte, honte à me vomir. Comprends-tu pourquoi j'avais si honte? Pendant que des hommes avaient pour d'autres hommes moins de respect que pour leur propre merde, pendant que des hommes tuaient d'autres hommes à coups de fusil parce qu'i'étaient trop civilisés pour se manger à coups de dents comme des cannibales, pendant que les hommes dansaient une danse de mort autour du feu — pas du feu de bois comme les Sauvages, Monsieur, mais du feu de bombes comme des gens civilisés, — pendant que la nuit était épaisse et que la terre était aussi indifférente que si y avait pas eu d'hommes sur son dos, pendant que (Dorval essuya une larme du bout de son doigt, malheureux de pleurer comme une dame) pendant que les hommes craignaient que la guerre de plus en plus forte détraque la Terre, pendant que les hommes avaient peur que la nuit devienne une grande tache de sang noir, pendant que des hommes et des femmes pleuraient sur leur patrie comme à une veillée au corps, pendant que les Allemands faisaient des culottes de cuir pour leurs putains avec la peau des Juifs, moi, comprends-tu ça le Chauve? — moi, j'ai dit à la petite fille qui avait attendu que j'descende en parachute: «J'suis venu te demander en mariage.» J'ai honte de moi, trente ans après! J'ai honte! Sainte-Vierge que j'ai honte! J'voudrais remonter dans le ventre de ma mère, tout recommencer ma vie et renaître un peu moins bête.

— Je m'appelle Jeanne...

— C'est Jeanne-la-Pucelle — comme Jeanne d'Arc — qui m'a appris à parler la langue du pays. Elle m'a appris à écrire aussi. Ah! j'savais écrire: j'suis pas un maudit illettré comme toi qui sait juste débâtir les maisons construites par les mains de nos pères. Mais j'écrivais comme tu marches: en boîtant. Mes lettres étaient crochues comme ton âme. — Tiens, prends une bière.
— Jeanne m'a dit: «Votre calligraphie» — calligraphie, tu comprends? Non. C'est une espèce de poisson qui nage à reculons pour éviter d'avoir de l'eau dans les yeux. «Votre calligraphie, m'a dit Jeanne, est aussi affreuse que votre accent. L'écriture hésite, elle est tortueuse: vos lettres sont maladroites. Les collabos[1] remarqueront votre calligraphie qui n'est pas française. Les Allemands vous interrogeront.

Alors Jeanne-la-Pucelle a pris ma main et elle m'a aidé à tracer mes lettres et ma main, dans sa petite main, obéissait comme une main d'enfant. Toi, le Chauve, tu peux pas imaginer la douceur d'une main de fille de France. La chaleur. Un ange aurait eu la main plus rude. J'vais tout te dire. Une petite main de Française, c'est plus doux que n'importe quelle maudite manette de ta machine à démolir. Mais pendant que ma main droite apprenait à écrire des mots sur un cahier d'école, mon autre main a eu envie de courir l'aventure sous la jupe de la Pucelle.

— Non! que la Pucelle a dit. Nous faisons la guerre. Quand la France sera libérée, nous ferons la Révolution. Alors ma pensée se souviendra peut-être d'un Canadien descendu du ciel en parachute.

— Regarde-moi, le Chauve. Qu'on essaie pas de démolir la maison d'un homme qui a entendu d'aussi belles paroles.

ROCH CARRIER, *Le Deux-millième étage*, 1973.
Montréal, Éditions du Jour, pp. 57-61 et 64-65.

1. Collabos: *abréviation de collaborateurs, personnes en intelligence avec l'ennemi (les Allemands).*

54. LES FEMMES (Chanson)

Pauline Julien. Née au Cap-de-la-Madeleine, près des Trois-Rivières. Interprète « engagée » de la chanson québécoise et française. Auteur de quelques chansons dont celle qu'on trouvera ici. Un livre lui a été consacré en 1974 aux éditions Seghers.

Les femmes sont toujours un p'tit peu plus fragiles
Elles tombent en amour et se brisent le cœur
Les femmes sont toujours un p'tit peu plus inquiètes
Dites-moi, messieurs, les aimez-vous vraiment

Vous les fabriquez mères toutes aimables
Miroirs de justice, trônes de la sagesse
Vierges très prudentes, arches d'alliance
Vous *rêvez messieurs beaucoup*

Les femmes se font toujours un p'tit peu plus jeunes
Vous r'gardez si souvent les filles de seize ans
Les femmes sont toujours un p'tit peu plus timides
Serait-ce messieurs que vous parlez trop

Vous les baptisez salut des infirmes
Reines des patriarches, roses mystiques
Mères du bon conseil, vierges clémentes
Vous *rêvez messieurs beaucoup*

Les femmes sont toujours un p'tit peu plus légères
Les hommes sont toujours tellement extraordinaires
Les femmes, on le dit, sont parfaitement libres
Mais, à la condition de bien suivre vos lois

Vous les exigez étoiles du matin
Vases spirituels, mères sans tache
Vierges vénérables, tours d'ivoire
Vous *rêvez messieurs beaucoup*

Mon Dieu que les femmes sont devenues exigeantes
Elles ne pleurent plus, ne veulent même plus attendre
En amour et partout, elles prennent ce qu'elles demandent
Mais demain, mon amour, nous serons plus heureux ensemble

En amour, mon amour
Ensemble

PAULINE JULIEN, *Les Femmes,* 1974.

55. LES CADEAUX

SOL, pseudonyme de Marc FAVREAU. Né à Montréal en 1929, il est dessinateur, comédien et auteur. Il étudie à Paris de 1954 à 1957. De retour, il joue
dans de nombreuses émissions à la télévision de Radio-Canada, et plus particulièrement dans les dramatiques et les émissions pour enfants (1958-1972):
c'est là qu'est né son personnage de Sol. Ses monologues ont été enregistrés sur
disque et certains ont été publiés dans *Estrardinairement vautre* (1974) et *Rien
d'étonnant avec Sol* (1978).

J'aime ça les cadeaux
ouille oui alors j'aime ça
parce que c'est très énormément important les cadeaux
donner recevoir c'est agréable
même que c'est pluss agréable de donner
c'est comme les coups
pluss on en donne pluss on en reçoit
des cadeaux
mais le pluss important dans les cadeaux c'est l'échanging
l'échanging toujours l'échanging
je donne
tu reçois
je te reçois tu te donnes
l'échanging y a que ça
c'est pas nouveau
y a qu'à voir dans la grande hixtoire
les premiers qui habitationnaient ici
les indigestes
ils étaient habitouillés aux cadeaux
ils passaient leur temps à échanger des tribus alors
ils avaient des petits bateaux
tout légers
tout fragibles
pour faire du promening sur les rivières
ces petits bateaux-là
c'est pas eux qui les constructionnaient
non

c'était des cadeaux
des cadeaux d'écosse
c'est pas une blague demandez à n'importe qui
tous les bouleaux s'en rappellent [1]
ils connaissaient ça les bateaux les indigestes
c'est pour ça qu'ils ont pas été surpris
quand il y a venu un jour ici des grands bateaux avoines
même qu'ils étaient contents les indigestes
parce que ces bateaux-là
ils étaient pleins
pleins d'exportateurs

et qu'est-ce qu'ils ont fait les premiers exportateurs en arrivant
d'abord ils ont fait du stopping
ils ont jeté l'ancre et un petit coup d'œil
puis ils ont fait du débarquing
ils ont mis le pied marin à terre
et ils ont découvert le pays
dommage qu'ils l'ayent pas recouvert
depuis ce temps-là on gèle

les indigestes eux autres ils se sont découverts tout seuls
très complètement découverts
ils ont donné tous leurs manteaux de fourrure aux exportateurs
mais ils étaient gentils les exportateurs
en retour ils leur ont donné des petits miroirs [2]
pleins de petits miroirs
tous leurs petits miroirs

1. Tous les bouleaux s'en rappellent: *vers connu d'une chanson de Gilles Vigneault (Jack Monoloy).*

2. Ils leur ont donné des petits miroirs: *au temps de la Nouvelle-France, les colons troquaient les fourrures des Indiens contre des miroirs.*

pôvres exportateurs ils étaient bien attrapouillés
ils avaient les fourrures
mais ils avaient plus de miroirs pour se regarder
ouille
c'est peut-être pour ça qu'ils étaient pas tant tellement contents
alors ils ont oublié de donner l'instruction avec les petits miroirs

alors les pôvres indigestes ils savaient pas comment jouer avec
les miroirs ils les ont très complètement brisés
ça leur a donné quelques centenaires de malchance

mais c'était pas grave
parce que tout de suite on a été amis nous autres avec les indigestes
tout de suite on s'a mis à faire de l'échanging de cadeaux
toute sortes de cadeaux
par exemple
ils avaient des raquettes
et nous on avait des balles
alors on a joué

[…] les angleterriens
quand ils sont venus faire leur premier visiting
on était prêts nous à les recevoir
ce jour-là on avait fabricouillé un très énorme gigantexe ragoût de boulettes
bien sûr on leur a pas donné comme ça tout d'un coup le ragoût
non
boulette par boulette
tacatacatacacatac

mais là je sais pas ce qui s'est passé
peut-être ils étaient pas habitouillés
peut-être ils aimaient pas ça
ils nous ont renvoyé toutes les boulettes
froutch
peut-être ils avaient pas compris à cause de la langue
peut-être on aurait dû la retourner sept ou huit fois
dans notre bouche de canon

ça fait rien
nous on a quand même restés
amis avec les angleterriens
et tout de suite on a fait de l'échanging de cadeaux

le premier tant vermouilleusement beau cadeau qu'on leur a donné
c'était une belle grande colline
pleine d'abrahams[3]
ouille qu'ils étaient contents
tant tellement qu'ils sont retournés chez eux

3. Pleines d'abrahams: *mis pour Plaines d'Abraham, champ de bataille où se sont affrontés Montcalm et Wolfe en 1759.*

et pour nous faire plaisir
ils sont revenus avec leur pluss beau meuble
qu'ils nous ont donné en cadeau
le banc de la reine[4]

SOL, *Esstradinairement vautre*, 1974.
Montréal, Éd. de l'Aurore, pp. 17-23 et 27-28.

4. Le banc de la
   reine: *l'une des
   cours de justice
   dans le système
   judiciaire anglais
   imposé aux Ca-
   nadiens depuis la
   Conquête de
   1763.*

56. LES MYSTÈRES DE MON FILS

Jean-Pierre Guay. Né en 1946, à Québec. Poète, romancier et essayiste. Secrétaire de la revue *Estuaire*. A publié *Porteurs d'eau* (1974), *Ô l'homme!* (1975); un roman *Olise en liberté* (Prix du Cercle du livre de France 1974) et un essai *Voir les mots* (1975). A remporté le Prix international et poétique «La Licorne» à Toulon en 1972. Auteur de chansons, dont «Les oiseaux d'Athènes» et «J'ai la mémoire en fête».

Vint l'aube. Il naissait à peine. Il y avait eu le pays de ma mémoire, cette nuit où nous nous relevions péniblement elle et moi de mal-poèmes qui rongeaient nos soirs d'hiver. Vint l'aube, le pays dans ma mémoire changerait, il changeait. Elle s'agiterait dans le salon du temps qui passe, elle partirait. Où qu'elle soit à travers le monde il y aurait en elle l'inévitable accession du pays à son indépendance politique. Elle serait du Québec malgré le passeport canadien. Parfois je l'enviais, elle ne doutait plus. Ma bourgeoise incandescente avait changé son présent pour du futur.

Pendant ce temps, il pratiquait ses phrases et ses connaissances comme on fait ses gammes. Il était sans passé, sans présent, et sans futur. Il vivait, moins fils de jour en jour et plus autre chose, quelque chose entre lui-même en nous et lui-même quand il n'était pas avec nous. Le pays de ma mémoire changeait: Québec, Canada, Nouvelle-Angleterre, il n'avait jamais eu de nom. Il était autre chose en moi, autre chose qu'un nom et autre chose qu'une histoire. Il était le goût de vivre tel qu'on naît.

Mais le pays de ma mémoire s'était mis à changer, elle n'en parlerait pas avec moi. Mon pays n'était pas du joual, lui et moi nous en discuterions à peine. Le pays était de trop pour lui, du néant en trop, de l'incompréhensible comme la valeur de l'argent pour ceux qui n'ont pas à boucler un budget ou pour la plupart des enfants, eussent-ils troqué leur physionnomie de gavroche contre celle d'adolescent rêveur, tourmenté, révolté.

Il n'aura pas conscience qu'il y avait eu un pays dans ma mémoire et que ce pays maintenant changeait cependant que pour elle je piétinais, je perdais mon temps: elle s'agitait pour épouser son temps à elle, pour la manœuvrer de l'intérieur, heureuse femme pour qui le temps de son intimité correspondait à celui de sa vie publique, heureuse femme. Je l'enviais, il l'a senti. Il a senti que j'enviais la femme de nous deux comme il sentira plus tard que j'aurais renié le pays changeant de ma mémoire pour la suivre dans ses voyages, dans sa vie mondaine et dans les rythmes urbains de sa fuite hors du mystère de nous trois.

Comment j'aimais, c'est en modérant nos impatiences et en excitant nos certitudes.

Comme j'aime, c'est en parlant de cette fête sur la grève à l'île d'Orléans. Il y a fête mais je me tiens à l'écart. Elle m'envoie chercher. Je suis assis sur un drum[1] noirci par le feu. Il va et vient à quelques pieds devant moi. Il éclate: pourquoi je ne suis pas de la fête? Pourquoi j'écris? Pourquoi je n'étais pas du dernier voyage? Pourquoi l'a-t-on mis au monde? Pourquoi est-ce lui qui doit venir me dire de la rejoindre? Pourquoi parler français? Pourquoi étudier? Pourquoi vivre? Pourquoi, pourquoi, pourquoi? Depuis une semaine je ne couche pas avec elle: pourquoi? Elle va s'en aller: pourquoi? Il n'est pas amoureux: pourquoi? Le fleuve est pollué: pourquoi? C'est l'été et il pense à l'hiver: pourquoi? Pourquoi tout, pourquoi rien, pourquoi Dieu, pourquoi l'homme, pourquoi le sexe et pourquoi la guerre...

1. Drum: *baril.*

JEAN-PIERRE GUAY, *Mise en liberté,* 1974.
Montréal, Cercle du Livre de France, pp. 94, 95, 96.

57. UNE FILLE À MARIER

Roland Lepage. Né en 1928 à Québec, dramaturge, comédien et professeur. Il fait ses études classiques au Petit Séminaire de Québec et obtient une licence en lettres de l'université Laval. Il étudie l'art dramatique à Bordeaux pendant deux ans, et prend des cours de chant et de peinture à l'École des Beaux-Arts de Montréal. Il écrit des émissions d'enfants à la radio et à la télévision de Radio-Canada; il joue également comme comédien dans ces émissions. Il enseigne au Petit Séminaire de Québec, puis à l'École Nationale de théâtre à Montréal.
Oeuvres: *Alphabet des habitants* (1972), *Le chant des morts* (1973), *Le temps d'une vie* (1974), *La complainte des hivers rouges* (1974), *La pétaudière* (1974) et *La folle du Quartier Latin* (1976).

CHARLES-ÉDOUARD

Voyons, Rosanâ! asseye don'pas d'fafiner[1]. Dis-lé don': c't à lui qu'tu penses, toujours à lui, ton Willy. Mais ça fait sept ans qu'y est parti, ton Willy, pauv'tite fille! Sept ans qu'tu'nn'as pas eu une gueûse de nouvelle! Y t'a jamais envoyé une lett', mêm' pas une carte des États, avec sa signature dessus. Parsonne'nn a pus jamais rentendu parler. Y est t'ed ben marié, t'ed ben mort, à l'heure qu'y est. Pis toè, t'es là, pis t'attend.

1. Fafiner: *hésiter,*

ROSANA

J'l'attends pas... J'l'attend pus.

CHARLES-ÉDOUARD

Tu l'attends pas, mais ça fait sept ans qu'les garçons viennent te voèr[2]... Y en a même là-d'dans qui ont faite leû d'mande, pis viens pas dire que c'étaient pas des bons partis!, Mais, toè, y'nn a jamais eu un qu't'as pu trouver d'ton goût.

2. Voèr: *voir.*

ROSANA

J'tais pas pressée de m'marier.

CHARLES-ÉDOUARD

Pas pressée de t'marier! Ça marche une escousse[3] ça. Mais t'es rendue à c't'heure que t'as ving-cinq ans, Rosanâ. T'as toujours ben pas envie d'rester vieille fille?

La cuisine est presque entièrement plongée dans la pénombre.

ROSANA

Je l'sais ben, qu'j'ai vingt-cinq ans. J'ai pus besoin d'avoèr[4] peûr de v'nir vieille fille: je l'sus, vieille fille. Betôt[5] ça va êt' ma fête, la Saint-Cath'-rine, pis j'vas m'faire d'la tire pour étirer l'temps. Pensez-vous qu'je l'sais pas?... Willy, c'est vrai que j'l'ai attendu. Mon Dieu! que j'l'ai don' attendu! Chaqu' foès[6] qu'on r'cevait' a malle[7], j'pensais que l'cœur allait m'sortir du corps. Pis, l'printemps d'après qu'y est parti, j'ai-t-y soupiré, en souhaitant qu'y soye pour er'venir s'engager sus Ugène Bouchârd! Pis encôre pareil les années d'après... Willy, comment c'que j'voudrais vous l'cacher, c'est vrai qu'j'l'ai eu dans l'cœur long-temps. Ben longtemps! Mais à c't'heure... à c't'heure, je l'sais pus.

CHARLES-ÉDOUARD

Ben, à c't'heure, pense-z-y pus!

ROSANA

Ah! j'voudrais don' qu'ça soye facile de même! J'aurais don' voulu êt' capab' de pus y penser! Y a des jours là, y a des souèrs[8] j'sais pas c'que j'aurais donné pour pas l'avoèr connu, pour l'avouèr jamais rencontré, lui!... J'asseyais d'me l'sortir d'la tête, j'asseyais d'me l'arracher du cœur, mais y r'venait tout l'temps. C'tait l'cri des chârs[9], le souèr, quand y a l'train des États qui pâsse. C'tait l'branl'ment d'la balancine[10], quand j'sortait m'assoèr[11] tut seule, après souper. J'tais dan' une veillée, tout l'monde s'mettait en place pour un quadrille, la musique partait, pis là, tout d'un coup, j'sentais l'cœur qui me r'tournait par en d'dans, j'v'nais avec une grosse boule dan'a gorge, pi'es yeux qui m'roulaient dans l'eau. Y a d'aut' foès... Ah! quins[12]...! Vous arapp'lez-vous, quand j'avais commencé à coud' pour préparer mon coff' d'espérance?

CHARLES-ÉDOUARD

Beau dommage, que j'm'arappelle! T'avais toujours un morceau d'linge dans'es mains, pi'une aiguille au boutte des doègts.[13]

ROSANA

Comme d'araison, c't à lui, c't à lui Willy que j'pensais, en l'faisant, c'trousseau-là. Ben, vous savez, la grand' couvarte avec des cœurs, celle que vous disiez qui était si belle, là...?

---

3. Une escousse: *un certain temps.*

4. Avoèr: *avoir.*
5. Betôt: *bientôt.*
6. Foès: *fois.*
7. La malle: *de l'anglais* mail, *le courrier.*

8. Souèrs: *soirs.*

9. Chars: *wagons de chemin de fer.*
10. Balancine: *mis pour balancoire, sorte de siège berçant.*
11. Assoèr: *asseoir.*
12. Quins: *tiens.*

13. Doègts: *doigts.*

CHARLES-ÉDOUARD

Ouais, ouais, j'm'arappelle.

ROSANA

Bon, ben, j'avais travaillé tout un hiver à ça. C'tait toute faite en pieds-d'-crucifix, avec des tits morceaux grands d'même: d'la vraie ouvrage de sœur! Quand el'printemps est arrivé, pis l'été, encôre une foès, y a ben fallu que j'm'en rende compte, qu'y était pas r'venu, Willy, pis qu'y avait pas l'air de vouloèr[14] er'venir non plus. Ça fait qu'là, y avait un grand mouchoèr[15] de coton rouge qu'y m'avait donné avait d'partir, pis, moè, tou'es soèrs, je l'mettais en d'ssours de mon oreiller, avant d'm'endormir. Y en a qui disaient que, comme ça, quand on a un amoureux, on peut avouèr des chances de l'voèr en rêve. Toujours qu'un matin, en faisant mon lite, j'prends l'mouchoèr, pis, là, c'comme une rage qui m'pogne, je l'déchire en deux, pi' en quat', pis je l'jette par terre, sus l'plancher, pis j'saute dessus, comme si j'avais voulu éteind' el'feu avec mes pieds. Pis après, j'me mets à brâiller, pi' à brâiller. Là, j'ai ramâssé 'es morceaux, pis c't avec ça qu'j'ai faite les deux cœurs attachés avec des courants d'épines, pis j'les ai cousus sus l'milieu d'la couvarte, avec des tites larmes rouges tout alentour. Rouges comme el'feu. Rouges comme du sang…

A'est encôre là, dans l'coff' en haut, la couvarte. Des foès, c'coff'-là, y m'fait penser à une tombe. Pis y m'semb' que, l'linge qu'y a d'dans, toute c'linge-là qu'j'ai cousu, ça s'rait ben just' bon pour ensev'lir des morts.

CHARLES-ÉDOUARD

Voyons, Rosanâ!... Parle pas d'même.

ROSANA

Les garçons qui sont v'nus m'voèr après, tous ceux qui v'naient icite, j'sais ben que c'taient des bons garçons, pis qu'y avait des bons partis là-d'dans. Mais c'est-y d'ma faute si j'trouvais qu'y avaient toutes l'air noèrs[16] comme el'poèle, laites comme el'yâbe[17], pis ennuyants comme el'carême, à côté d'Willy?... Willy, j'l'aimais, lui! Après, ben… après j'ai eu pour mon dire que, si on'nn a pas envie, c't'ed ben aussi ben qu'on s'marye pas.

CHARLES-ÉDOUARD

Voyons, Rosanâ!... Qu'est-c' tu veux…? Faut toujours finir par s'faire une raison. Moè'tou,[18] j'me sus faite une raison. Faut toujours s'faire une raison. À c't'heure, ej' vieillis, Rosanâ, pis toè, t'es-t-en train d'monter en graine. Télesphore Tremblay, c't un bon garçon.

ROSANA

Ça, j'dis pas non.

14. Vouloèr: *vouloir.*
15. Mouchoèr: *mouchoir.*

16. Noèrs: *noirs.*
17. Laites comme el'yâbe: *laids comme le diable.*

18. Moé'tou: *moi itou, ou: moi aussi.*

CHARLES-ÉDOUARD

Y est t'ed ben pas beau comme... comme y en a, mais c't un bon garçon.
Y est pas riche, mais y est vaillant, pis y r'gârde pas à l'ouvrage. Moè,
j'pense que ça t'f'rait un bon mari, Rosanâ. Tu trouves pas que, c'te
maison-cite, à c't'heure que tes pauv' tantes sont pus là, pis qu'on rest'
tut seuls, tou'es deux, c'est ben grand? Télesphore Tremblay, c't un bon
garçon, pis j'pense pas qu't'aurais à t'plaind' de lui. Moè, j'trouv'rais ça
ben beau si y r'commençait à y avoèr un peu d'jeunesse dans toute c'te
grande maison-là, pis du monde icitte, dan'a cuisine, autour d'la tab', pis
des tits-enfants qui nous courâillent un peu ent' les jambes...

ROSANA

19. Ch' pose: *je sup-*
pose.

Ch'pose[19] que c'est vous qui d'vez avoèr raison, son père... *(Un soupir.)*
La prochaine foès qu'vous allez l'rencontrer, Télesphore Tremblay, ben...
dites-y don' de v'nir faire un tour un bon dimanche après-midi.

ROLAND LEPAGE, *Le Temps d'une vie*, 1974.
Montréal, Leméac, pp. 83 à 88.

58. LE PLUS BEAU VOYAGE (Chanson)

Claude Gauthier. Auteur-compositeur né en 1939. A enregistré plusieurs disques dont *Le plus beau voyage* où figure sa chanson sans doute la plus célèbre et la plus représentative de son art. Ses chansons ont été publiées sous le même titre en 1975.

J'ai refait le plus beau voyage
de mon enfance à aujourd'hui
sans un adieu sans un bagage
sans un regret ou nostalgie
j'ai revu mes appartenances
mes trente-trois ans et la vie
et c'est de toutes mes partances
le plus heureux « flash » de ma vie

Je suis de lacs et de rivières
je suis de gibiers de poissons
je suis de roches et de poussière
je ne suis pas des grandes moissons
je suis de sucre et d'eau d'érable
de pater noster de credo
je suis de dix enfants à table
je suis de janvier sous zéro[1]

1. Sous zéro: *0° Fa-renheit*.

Je suis d'Amérique et de France
je suis de chômage et d'exil
je suis d'octobre et d'espérance
je suis d'une race en péril
je suis prévu pour l'an deux mille
je suis notre libération
comme des millions de gens fragiles
à des promesses d'élection

2. D'Ungava à Manicouagan: *les grandes réserves de houille blanche du Québec sont situées massivement entre Manicouagan et la baie d'Ungava (à l'extrême Nord du pays).*

Je suis l'énergie qui s'empile
d'Ungava à Manicouagan[2]

Je suis Québec mort ou vivant

CLAUDE GAUTHIER, *Le plus beau voyage*, 1974.
Montréal, Leméac.

59. L'ILLUMINATION

Michel Garneau. Poète et dramaturge né à Montréal en 1939. Il a publié plusieurs recueils de poésie sous le titre commun de *Langage,* et numérotés dans leur ordre de parution (1962-1972-1974); les autres recueils ont pour titre: *Moments* (1973), *Élégie ou génocide des Nazopodes* (1974). *Sur le matelas* (1974), *La Chanson d'amour de cul* (1974), *Quatre à quatre* (1974), *Strauss et Pesant* (1974).

Je venais de réussir cinq abats très facilement
et je sentais l'aura de la victoire m'entourer chaudement,
quand ce doux sentiment devint soudainement terne,
quand la boule[1] devint violemment pesante à mon bras.
Ma gorge se dessécha. J'avais soif, d'une soif
dont je devinais qu'aucun breuvage ne la désaltérerait.
J'aperçus, dans l'éclair d'une illumination,
toute l'inutilité de mon geste arrogant de champion,
dans la vastitude de notre sort cosmique.
Une voix se fit entendre en moi qui venait
d'un moi-même celé au fond de l'inadvertance
et je compris enfin qu'une grande ambition,
qu'une grande exigence de vivre la vie
complètement comme une étoile qui brûle
avait été détournée vers des accomplissements insanes:
que je perdais ma vie en gagnant la partie,
que j'ignorais la présence d'un être
qui n'était que chant d'amour, à mes côtés
et qu'en moi aussi une voix nouvelle
voulait se faire entendre
qui accompagnerait la sienne
en une harmonie affectueuse.
La boule devint pesante comme une planète morte
au bout de mon bras déformé par l'abus;
je vis au bout de l'allée les dix morceaux de bois
inutiles, inutilement abattus pour prouver absurdement
quelque supériorité fallacieuse et inepte.
Au fond de moi la voix s'écria: CRÉTIN !

1. Boule: *boule de jeu de quilles* (bowling).

La poésie t'appelle avec la voix même de ton amour!
Une muse est ta compagne et tu t'es fait l'esclave d'une boule!
J'éclatais en un sanglot discret,
je laissai tomber la boule infecte
qui roula vers l'immanent dalot[2],
je n'eus pas un regard de plus pour ce monde futile
et les larmes qui m'aveuglaient me guidèrent aussi
comme des étoiles vers la chaumière, chaude tanière
où cette orfèvre à la plume de fée
ciselait ses vers désespérés
en attendant un fou qui s'était égaré
dans le plus primaire des labyrinthes
et me voici, nouveau-né, enfanté de l'amour
et de la beauté avec ma compagne mieux aimée
maintenant parce que si mal aimée jadis,
prêt à entonner le grand chant de l'amour incarné.

MICHEL GARNEAU, *Sur le matelas*, 1974.
Montréal, l'Aurore, pp. 84-85.

2. Dalot: *Ici, sorte de rigole, qui borde l'allée de quilles.*

60. RUE SAINTE-CATHERINE

Roger Fournier. Romancier né à Saint-Anaclet (comté de Rimouski) en 1929. Après des études au Séminaire de Rimouski et à l'Université Laval où il obtient une licence ès lettres, il devient réalisateur à Radio-Canada.

Oeuvres : *Inutile et adorable* (1973), *À nous deux!* (1965), *Journal d'un jeune marié* (1967), *La vfoix* (1968), *L'Innocence d'Isabelle* (1969), *L'Amour humain* (1970), *La Marche des grands cocus* (1972), *Moi, mon corps, mon âme, Montréal, etc.* (1974), *Les Cornes sacrées* (1976). Outre ces romans, il a publié un recueil de nouvelles : *Les Filles à Mounne* (1966), et un essai : *Gilles Vigneault mon ami* (1972).

Je n'ai pas de courses à faire. Je veux simplement marcher, rue Sainte-Catherine, de la rue Guy à la rue Saint-Laurent.[1] Je veux voir les gens qui sont pressés, même si c'est samedi, regarder leur visage et essayer de comprendre, deviner ce qu'ils pensent, ce pourquoi ils ont l'air inquiets. Ils regardent les vitrines pleines de choses fascinantes, parce que Noël s'en vient, parce qu'il faut faire des cadeaux, parce qu'on a besoin de milliers d'articles inutiles, parce qu'il faut bien se gâter un peu dans ce « maudit pays » où tout est si dur, surtout avec la loi des mesures de guerre[2] en plus « ...et mon frère est en prison... depuis dix jours. Moi j'ai été perquisitionné... On m'a emmené en prison mais ils m'ont relâché sans même me questionner... » Je lis ça sur des visages, rue Mackay, rue Bishop[3], avec son bureau de poste, édifice fédéral gardé par les hommes de l'armée. mitraillette à la hanche. La mise en scène continue parce que les frères Rose sont encore au large avec Simard.[4] On ne regarde presque plus les soldats, qui ont l'air de s'ennuyer, parce que, bien sûr, les révolutionnaires du Québec ne sont pas très nombreux et ils ne courent pas les rues. Il paraît qu'on va finir par connaître les raisons profondes qui ont motivé ce déploiement de force. Je regarde les gens autour de moi et je me demande s'il est bien nécessaire de le leur dire. Je crois qu'ils ne veulent pas le savoir. Ils aiment mieux le mystère, le drame : il y avait des méchants, nous étions menacés et le gouvernement est arrivé juste à temps pour nous sauver! Maintenant nous sommes soulagés, tranquilles pour faire nos affaires... Cette façon qu'a le peuple de voir les choses ne m'empêche pas d'aimer le monde. Je veux être lucide et gaie. Alors je me dis que si les mesures de guerre répondent à un besoin de théâtre, tant mieux! Les vrais divertissements sont rares de nos jours...

1. Rue Sainte-Catherine, de la rue Guy à la rue Saint-Laurent : *centre-ville de Montréal.*

2. La loi des mesures de guerre : *loi martiale décrétée en octobre 1970. Voir le document n° 7 du présent chapitre.*

3. Rue Mackay, rue Bishop : *rues du centre-ville de Montréal.*

4. Les frères Rose sont encore au large avec Simard : *les frères Paul et Jacques Rose ainsi que Francis Simard (membres du FLQ), recherchés par la police, lors des événements d'octobre 1970 en rapport avec l'enlèvement et la mort du ministre Pierre Laporte.*

La rue Sainte-Catherine est vraiment la chose la plus étriquée du monde, la moins architecturée, la plus abracadabrante, si on pense à la vue d'ensemble qu'elle offre: une église, un building, un trou, un parking, une vieille maison, etc. C'est certainement laid. Et pourtant cette rue est vivante! Alors? Elle vit et témoigne de notre santé, de notre vigueur. J'entre dans l'un de ces restaurants sans allure (chrome et arborite) pour prendre un café. Yes? Oui, May I help you? Un café. Voici. Merci. Il fait chaud et on se bouscule. Je me sens bien dans cette mer de monde qui a besoin de tant de choses et qui se débat pour les obtenir, petit à petit, morceau par morceau, comme les fourmis qui transportent des grains de poussière pour construire leur maison. Avoir besoin, ça veut dire être en vie! Moi, ça m'émeut. Joyeusement! Autrement, je ne vois pas pourquoi on se débat tellement dans les hôpitaux pour sauver les malades, excepté le battement de leur cœur, leur souffle, et le regard qu'ils jettent sur le monde.

ROGER FOURNIER, *Moi, mon corps, mon âme*, Montréal, etc., 1974.
Montréal, La Presse, pp. 62, 63 et 64.

DOCUMENT 6

OCTOBRE 1970

Le samedi 17 octobre, la police retrouvait le corps du ministre québécois Pierre Laporte dans le coffre de la voiture qui avait servi à son enlèvement. Cette mort, que personne n'attendait plus, mit le comble à l'hystérie collective des Québécois et servit admirablement bien le gouvernement du Canada. Puisque le F.L.Q. avait tué Laporte, il était dangereux, et le gouvernement avait bien fait de prendre des mesures extraordinaires et d'arrêter tous ces méchants gauchistes, indépendantistes et contestataires.

La société se sentit menacée dans ses bases les plus profondes. Les media d'information, eux que les gouvernants avaient accusés d'avoir trop communiqué avant l'occupation (militaire), redevinrent vite des moyens dont le pouvoir se servit pour créer un climat de consternation, de culpabilité et de panique. Les propriétaires de ces media redevinrent solidaires plus que jamais de l'ordre établi.

Chaque homme public — à quelque niveau qu'il fût — eut droit à son soldat pour le protéger dans la rue et à quatre soldats pour protéger sa demeure. Les édifices publics et les grosses maisons d'affaires eurent droit aussi à leurs soldats. Quelques puissants du monde des affaires et de l'industrie furent aussi protégés. Le pouvoir devenait visible et identifié.

L'information devint de plus en plus rare. Chacun crut bon d'aller au-delà de la censure et de s'autocensurer. Ceux qui se sentaient d'accord avec les gouvernants prirent une douce revanche sur les oppositionnistes de toute nature et dénoncèrent les plus connus. Combien de milliers de personnes téléphonèrent-elles à la police pour livrer leur criminel préféré? Ce fut un flot de lettres anonymes menaçant de mort les personnes reconnues ou soupçonnées d'être indépendantistes ou gauchistes. Les bien-pensants reprenaient le contrôle de la situation. Ce matraquage psychologique de la population culmina avec les funérailles du ministre Laporte. La population fut informée de tous les dispositifs de sécurité extraordinaires qui furent mis en place. Les media diffusaient le discours du Premier ministre du Canada contre le terrorisme. Dans le but évident de terroriser lui-même la population, il reprenait le ton et le type d'argumentation dont le F.L.Q. s'était lui-même servi. C'est «votre petite fille, madame, ou le gérant de votre caisse populaire» qui vont être les prochaines victimes. Lors des obsèques, les soldats, mitraillettes braquées sur la foule, protégeaient les hommes publics. Pendant de nombreuses heures, la télévision d'État canadienne montra la photo de Laporte en faisant jouer de la musique de circonstance. C'est en province que le matraquage psychologique fut le plus intense. Les petits potentats de l'information locale s'en donnèrent à cœur joie: il faut toujours respecter l'ordre établi et il faut rester avec Ottawa et encourager l'entreprise privée.

(MARCEL RIOUX, **La Question du Québec**, Paris, Seghers, «Événements-Poche», n 1971, pp. 225 à 227.)

DOCUMENT 7

MANIFESTE DU F.L.Q.

Le Front de Libération du Québec n'est pas le messie, ni un Robin des bois des temps modernes. C'est un regroupement de travailleurs québécois qui sont décidés à tout mettre en œuvre pour que le peuple du Québec prenne définitivement en mains son destin.

Le Front de Libération du Québec veut l'indépendance totale des Québécois, réunis dans une société libre et purgée à jamais de sa clique de requins voraces, les «big-boss» patronneux et leurs valets qui ont fait du Québec leur chasse gardée du cheap labor et de l'exploitation sans scrupules. Le Front de Libération du Québec n'est pas un mouvement d'agression, mais la réponse à une agression, celle organisée par la haute finance par l'entremise des marionnettes des gouvernements fédéral et provincial.

Le Front de Libération du Québec s'auto-finance d'impôts volontaires (sic) prélevés à même les entreprises d'exploitation des ouvriers (banques, compagnies de finance, etc.)

Extrait du *Manifeste du Front de Libération du Québec*, 1970.

61. EN VACANCES

Robert Gurik. Dramaturge né à Paris en 1933. C'est en 1951 qu'il arrive au Québec. Peu après, il fonde avec un groupe de jeunes écrivains, le Centre d'essai des auteurs dramatiques. Sa pièce *Api or not Api (Api 2967)* montée par l'Égrégore est jouée à Paris, en octobre 1969, au Théâtre de la Cité Universitaire.

Auteur d'un roman, *Spirales* (1966), il a écrit une dizaine de pièces de théâtre dont *Hamlet, prince du Québec* (1968), *À cœur ouvert* (1969), *Le Pendu* (1970), *Le Tabernacle à trois étages* (1972), *Le Procès de Jean-Baptiste M.* (1972) et *Allô... Police* (1974).

JEAN-PIERRE

> Vous venez souvent au base-ball?

SOPHIE

> Non, c'est la première fois. J'suis en vacances, vous comprenez? Ça fait trois jours qu'j'suis en vacances. Mon mari aussi, il est en vacances, d'une certaine manière: c'est un des 100 000 chanceux, il est chômeur. Remarquez que moi aussi, je suis chômeur, chômeur ou chômeuse comme vous voudrez, vu que j'travaillais à l'usine de Kuic où j'inspectais les bouteilles pour voir si y avait pas un morceau de doigt ou quelque chose d'échappé dedans, mais l'usine a été vendue à des Américains qui avaient posé comme condition qu'y mettent tous les employés dehors: c'est pas qu'ils sont méchants, au contraire! Y vont nous réengager. Ils en ont mis 180 dehors et y z-ont déjà réengagé 45 et comme c'est considéré comme des nouveaux emplois et qui touchent une subvention pour chaque employé engagé, ça fait que d'ici deux semaines, ils nous auront tous réengagés et touché quelque 100 000 dollars. En attendant, j'suis en vacances et comme on n'a pas d'argent pour aller en Jamaïque ou en Floride, ou en Californie ou à Old Orchard[1] et même pas en Gaspésie, ça fait que depuis trois jours on est renfermés, mon mari et moi, à regarder la télévision, et à s'engueuler au point où Jean-Pierre, Jean-Pierre c'est mon mari, m'a dit: «Sors ou je te tue...» Jean-Pierre, il aime faire des blagues, mais j'ai pas voulu prendre de chance, alors j'ai dit: «O.K., j'vais au cinéma.» Là, y a sauté à six pieds du sol et y m'a dit: «Ah non!» et il a ajouté: «J'ai pas envie que tu viennes me réveiller pendant que je dors,

1. Old Orchard: *plage populaire de l'État du Maine (É-U) où un grand nombre de Québécois vont passer leurs vacances estivales.*

2. Expos: *nom d'une équipe montréalaise de base-ball.*

après avoir vu *Après-Ski, Pile ou Face, Deux Femmes en Or, Les Orgies du Comte Porno, Les Mâles, Nue comme un Ver, Juliette de Sade, Pornisimo, Le Labyrinthe du Sexe, Aime-moi vite, Joujou Chérie, Les Amours de Dracula, Ton mari cet inconnu, Les Femmes à queue, Échange de partenaires, La Vie sexuelle de la ménagère, Quiet days in Clichy, Les Vierges folles, Attention! il arrive par derrière, Les oiseaux vont mourir au Pérou...* » Mon mari se tient pas mal au courant des affaires artistiques. Alors j'ai dit: « Où veux-tu que j'aille? » et y m'a répondu: « Va aux Expos » [2] Alors j'suis sortie et j'ai demandé dans la rue « pour les Expos? » au premier bonhomme que j'ai rencontré, un vieux monsieur avec une belle barbe blanche, il avait l'air doux! mais doux! il s'est arrêté pour me répondre mais il m'a pas répondu, une voiture l'a écrasé au moment même où il ouvrait la bouche, c'était pas d'chance, la voiture aurait pu ralentir un peu, le temps qu'il me réponde, surtout que c'était une auto de la Société Protectrice des Animaux, d'habitude ils sont bien élevés ces autos-là; ça fait que j'ai été obligée de demander à un autre passant, mais celui-là je l'ai choisi sur le trottoir. Il m'a indiqué la route... et voilà! c'est simple, hein?

JEAN-PIERRE

...pour être simple, c'est simple! d'ailleurs, moi aussi j'suis en vacances... j'veux dire j'suis chômeur. Eh! moi aussi j'm'appelle Jean-Pierre! *(Il donne une grande tape sur les cuisses de Sophie qui sursaute et le fusille du regard.)*... oh, excusez-moi! mais on est en vacances, pas vrai?

ROBERT GURIK, *Play-Ball,* 1974.
Dans *Sept courtes pièces,* Montréal, Leméac, 1974, pp. 11, 12, 13.

62. CHANSON

Pierre Perrault. Cinéaste et poète né à Montréal en 1927. Après ses études de droit, il est déjà attiré par la poésie et le cinéma. En 1959-1960, il réalise les treize films de l'émission télévisée *Au Pays de Neuve-France*. Après avoir fait joué plusieurs de ses pièces à Radio-canada, réalise des films qui méritent de hautes récompenses dans des festivals internationaux : *Pour la suite du monde* (1963), *Le Règne du jour* (1966), *Le Beau Plaisir* (1969), *Les Voitures d'eau* (1969), *Un pays sans bon sens* (1970) et *L'Acadie, l'Acadie* (1971).

Il s'est aussi distingué avec sa pièce *Au cœur de la rose* (1964) qui lui vaut le Prix du Gouverneur général. Il reçoit également le Prix du Grand Jury des lettres canadiennes (section poésie) pour son recueil *Portulan* (1961) et le Prix Duvernay (1968) pour l'ensemble de son œuvre. Tous ses recueils, *Ballades du temps précieux* (1963), *Toutes Isles, chroniques de terre et de mer* (1963), *En désespoir de cause* (1971), ont été rassemblés en 1975 sous le titre de *Chouennes poèmes* 1961-1971.

Je me retirerais de l'histoire
pour m'épargner la goutte
d'eau de l'assimilation
si je ne tenais encore à la branche

je ne donnerais pas cher de ma peau
mais c'est tout ce qui me reste
j'ai bûché tous les arbres
ma misère se cherche un violon

les hostilités commencèrent à la paix
dès lors à petit feu de père en fils
la mort saisit le vif d'un avenir
qui ne vaut pas une terre en bois debout

et leur cri d'enfants stridents
vous voudriez que je le récuse
quand j'en reconnais la blessure
dans toutes mes chansons

enfin les événements devancent
l'écriture et revisent la parole
et vérifient les sources unanimes
et je n'en demande pas davantage

le reste il faudra le vivre
à nos dépens
sans espérer les honneurs de la guerre
qu'on ne refuse pas aux Allemands

bien sûr ils retireront de bonne foi
les mesures de guerre[1] pour inviter
les investisseurs à reprendre
l'occupation du territoire
et nous serons encore une fois
libres
à double tour

je ne demande à personne de nous
reconnaître diplomatiquement
car cela n'est pas dans l'intérêt
du monde libre
mais je souhaite à toute la terre
un joyeux québec
pour l'instant

pour l'instant car
à tort et à travers et de toutes parts
naissent à l'excès les poèmes
sur toutes les lèvres
du plus que temps

PIERRE PERRAULT, *Chouennes*, 1975.
Montréal, Éd. de l'Hexagone, pp. 281 et 282.

1. Les mesures de guerre: *la loi martiale décrétée en octobre 1970. Voir le document n° 7 du présent chapitre.*

63. LES ENFANTS MUSICIENS

Jean-Paul Filion. Né en 1927 à Saint-André Avelin, dans l'Outaouais. Poète, romancier, dramaturge, chansonnier, peintre et violonneux. Il fait des études pendant quelques années à l'École des Beaux-Arts de Montréal à l'époque du Refus global.
Il a publié deux recueils de poèmes: *Du centre de l'eau* (1955) et *Demain les herbes rouges* (1962), un roman: *Un homme en laisse* (1962) qui vaut à son auteur le Prix de la Province de Québec; il a aussi écrit *Chansons, poèmes et la Grondeuse* (1973), les deux premiers volets d'une trilogie autobiographique: *Saint-André Avelin... ou le premier côté du monde* (1975) et *Les Murs de Montréal* (1977).

Un jour, lorsque papa me vit vraiment amouraché de cette musique venue des montagnes, il m'offrit un petit violon, modèle trois-quarts, sur lequel je me mis aussitôt à pratiquer. Je n'avais que six ou sept ans. Mêlé à une famille de neuf, m'amusant comme tous les autres, allant à l'école et aidant au sciage du bois, aux travaux du poulailler et aux affaires du jardin, je me demande encore où j'ai pu me trouver du temps pour apprendre à jouer de cet instrument du diable. Il m'a certainement fallu trois années de grattage, de grincements, de cordes cassées, d'âme tombée, d'impatience et de colères avant de pouvoir tirer quelques sons respectables de ma petite boîte de bois vernis dont le langage me fascinait, me mystifiait à l'extrême. Les deux seules ouïes de la table d'harmonie me séduisaient pour me rendre malade. Mon courage fut sans mesure. À dix ans, je savais interpréter décemment une bonne douzaine de mes gigues préférées. Papa me suivant de l'oreille, me les jouait sans cesse. Je les répétais, les polissais, les perfectionnais. À onze ans, j'étais capable de faire steper[1] un bon gigueux du village. Un an plus tard, on m'engagea, avec Marcel à la guitare, pour jouer dans les veillées. Puis, ce fut les soirées de râfle[2] dans le fond des rangs. Puis, les noces et toutes leurs suites.

Papa était devenu fier comme jamais. Il se gourmait d'aise. Quand, pour nous, il avait à refuser des engagements, il se pavanait de tout son corps: «Non, mes garçons sont pas libres samedi prochain, y sont déjà pris ailleurs...» Imaginez. Douze ans, treize ans. Des enfants d'école, des enfants de chœur. Les fils musiciens de Poléon le barbier. Pour sept belles piastres, Marcel et moi on acceptait, contents, de faire toute la musique d'une seule noce. Cela voulait dire que l'habitant qui mariait sa fille avait enlevé tous les

1. Steper: *danser en sautant (de l'anglais* to step).
2. Râfle: *tirage au sort.*

3. Reel: *mot anglais qui désigne une sorte de quadrille.*

4. Chibagne: *bande.*

5. Swignait: *dansait en tournant (de l'anglais* to swing*).*

6. Set carré: *danse carrée, sorte de quadrille.*

7. Sacrage: *jurement.*

8. Cipaille: *mets fait, au Québec, de sauvagines (de l'anglais* sea pie*).*

9. Ménager le prélart: *éviter l'usure du revêtement du sol.*

10. Bibites: *bestioles.*

11. Enweille: *envoie.*

meubles de la plus grande pièce de la maison, c'est-à-dire la cuisine, ne laissant dans un coin que la table avec deux chaises droites montées dessus. C'était l'estrade des musiciens. C'est là que nous nous tenions juchés pendant des heures et des heures. Les mariés arrivant de l'église au milieu de l'avant-midi, nous nous mettions à jouer nos plus beaux reels[3] en tapant fort du pied sur la table. Ça enclenchait, les unes après les autres, les danses les plus fougueuses. Toute la chibagne[4] criait. Et ça swignait[5]. Le diable était aux vaches. Le reel de Ste-Anne, un set carré[6]; la Grand-gigue, un quadrille; la Chicagnarde, un step-à-deux.

Quand l'horloge marquait douze coups, c'était la trève et l'essuyage de front. La salle à manger prenait la vedette. Le gâteau de noces grimpait au plafond. Marcel et moi, pognés de fringale, on se bourrait sans parler. À nos oreilles: charabia, rires, tintamarre, sacrage[7], gueulage et chansons à répondre. Vive la vie, vive les mariés !

Vers deux heures, les danses reprenaient de plus belle. Avec câleur, chaleur et poussière. Musique, danses, repos. Musique, danses, repos. Quelqu'un criait l'heure du souper. Re-trève jusqu'à la noirceur. La salle à manger reprenait la vedette et le gâteau de noces regrimpait au plafond. Jambon, ragoût, cipaille[8] se promenaient encore à pleines assiettes. Mes amis, c't'icitte qu'on mange, semblait dire l'âme de la maison. Icitte qu'on chante ! « Les gens des noces sont pas fous, partiront pas sans prendre un coup. » Les réjouissances rachetaient tous les malheurs.

Quand les lampes à l'huile et les lampes Aladin s'allumaient comme des lunes, tout le monde retrouvait en rôtant la cuisine de danse et les musiciens leur table-estrade. Feu rouli, feu roulant, une nouvelle fête se mettait en branle. Pour des heures. Jusqu'à l'aube. À la main gauche, à la main droite. Les femmes au milieu, les hommes alentour. Promenez-vous tout l'tour d'la salle. Swignez votre compagnie. Et domino les femmes ont chaud: à chaque finale, nous devenions des héros. Des dieux. Les gens, de plus en plus baveux et éméchés, venaient nous éclabousser de mots affectueux et de déclarations d'amitié:

— C'est plus beau qu'à église...

— Vous êtes des vrais professionnels...

— Ma foi du Christ, vous jouez mieux qu'votre père.

Il arriva souvent que l'habitant qui faisait la noce aménage une piste de danse en dehors de la maison. Cette initiative était prise parce que la maison était trop petite, qu'en plein été il y faisait trop chaud, et qu'en plus, « ça va ménager les prélarts ».[9]

Pour nous, cela voulait dire s'installer sous les arbres sur une table à pique-nique. Cela signifiait aussi qu'on nous obligeait à jouer trois fois plus fort pour être bien entendus. Donc, trois fois plus harassant pour les doigts, les poignets, les bras. Et ces maudits fanaux de grange accrochés un peu partout pour éclairer la piste et qui attiraient les bibites.[10] Vite, le reel à Robidas. Et ces tabarnouches de barbots et papillons de nuit qui nous arrivaient sur les cordes ou sur la face à tout bout de champ. Enweille[11] la gigue à Paul. Et cette chienne de boisson qui, à un moment donné, rendait tout le monde fou raide ou comme des bêtes sans pacage. Donnons-leu' *Chicken reel*. Et ces batailles idiotes, à coup de poings et à coup de bouteilles, quand, écume à la gueule, certains boulés se mettaient en frais de régler leurs comptes avec leurs rivaux. Faut pas lâcher: *Turkey in the straw*. Et la mariée qui fondait en larmes. Le reel du diable. Et, quatre cinq heures du matin, avec des crampes partout. La Vireuse. Et le coq qui chantait dans le poulailler d'à côté. Voilà comment à douze, treize ans, on donnait dix-huit heures de musique pour la grosse somme de sept piastres. Grandeur folle d'un langage perdu. N'eût-été la p'tite blonde d'occasion qu'on réussissait à se faire à chaque noce, et les bécotages dans des racoins noirs, je crois bien qu'on se serait fait tirer l'oreille deux fois avant d'accepter ce genre d'engagement.

JEAN-PAUL FILION, *Saint-André Avelin... Le premier côté du monde*, 1975.
Montréal, Leméac, 1975, pp. 47 à 52.
Paris, Laffont, 1976.

64. LA CAMÉRISTE

Diane Giguère. Née à Montréal en 1940, romancière et petite-fille de Jean-Charles Harvey (voir chapitre 4, texte 19). Venue du Conservatoire d'Art dramatique de Montréal, elle est comédienne à la radio, à la télévision et à la scène, puis speakerine à Radio-Canada. Elle obtient le Prix du Cercle du Livre de France pour son premier roman *Le Temps des jeux* (1961). Auteur de deux autres romans: *L'eau est profonde* (1965) et *Dans les ailes du vent* (1976).

L'automne était avancé lorsqu'elle mit pour la première fois le pied dans ce village. Les arbres étaient dégarnis, les routes fleuries de gelée. Elle aima tout de suite l'air qui lui fouetta les joues. Des oiseaux s'envolaient dans un ciel gris. La terre était recouverte d'une mince couche de verglas qui bleuissait les abords des étangs d'où s'échappaient des vapeurs blanchâtres. Le train était reparti en empruntant l'ancien trajet derrière la montagne qu'il contournait deux fois par jour, là où, dans l'arrière-pays, dormaient les terres incultes. L'hôtel de Clotilde était en réparation. On était en train de refaire la galerie, de peindre la rampe d'un escalier qu'une végétation tardive envahissait. Elle aperçut alors la maison qu'on lui avait décrite, en bois rouge avec des volets gris. Elle dominait un plateau. Il n'y avait aucune autre habitation à la ronde sauf une vieille étable au toit enfoncé et un appentis attenant à la maison qui menaçait également de s'écrouler. La maison par contre était en bon état et la peinture rouge dont elle était recouverte reluisait dans l'automne parmi l'ocre et les teintes rousses des arbres qui en bordaient l'entrée. Les champs, vastes étendues désertiques, créaient une impression de désolation encore plus grande, désolation qui la prit à la gorge telle une étreinte familière. Les premiers jours, elle partit à la découverte de cette région qui semblait sinistrée mais dont la mélancolie s'accordait parfaitement avec la tristesse devenue si familière à son cœur. En réalité, les distances n'étaient pas si longues à parcourir pour se rendre jusqu'au village, au carrefour de l'ancienne route qui rejoignait celle-ci. Le village consistait en une série de maisons réunies en enfilade autour d'un magasin général et d'une église. Quelques gîtes ruraux étaient perdus à l'orée d'un bois et au bord des sentiers sans issues. Au début, Élizabeth ne voulut pas trop s'éloigner de la maison de crainte que madame Nélines ne soit saisie d'un malaise. Quelquefois, le prêtre venait la relayer au chevet de la vieille. Elle demeurait quelque temps dans la chambre avec ce dernier et les mots d'amour et de charité avaient soudain une délicate résonance et elle se laissait doucement envahir par le bien-être: «Seigneur, rendez nos âmes fortes et meilleures...» Les têtes s'inclinaient, Élizabeth n'appréhendait plus rien comme si elle avait sauté d'un bond par-dessus toutes les bondieuseries dont elle ornait ses heures creuses, pour être rendue tout près de l'éternité là où le ciel et le paradis étaient traversés de rayons paisibles et où seule l'âme pouvait pénétrer. Mais elle aimait tant Dieu qu'elle le cherchait partout et tout autant sur les images pieuses de son enfance, imagerie naïve qui rendait les dévotions faciles et les prières semblables aux sourires onctueux des vierges devant lesquelles brûlaient des cierges, petites flammes blanches qui égayaient subitement la noirceur des églises, de la petite chapelle du village où elle aimait s'attarder, à la fois captive et réticente. Une porte semblait grincer, un bruit qui montait comme du fond d'une crypte qui s'ouvrait lentement pour la laisser choir au creux de la nuit, une nuit sans grotte lumineuse, sans vierge adorable, sans croix, sans aucune trace de sang... «Est-ce que moi aussi, je mourrai dans mon sommeil?» se demandait-elle dubitative soudain en face de toute fin dernière et de l'immortalité de l'âme après la mort. Autrement, pourquoi vivre? finissait-elle par dire tout bas avec un goût violent d'être toujours, de pouvoir continuer sa vie ailleurs que sur cette Terre, chérubin gardant le chemin de l'arbre de vie, flamme d'espérance rallumée aux portes de l'Éden dont le chemin ne pouvait jamais être perdu. Alors pourquoi donc user de tant de prudence soudain au moindre frémissement inattendu du cœur? Pourquoi regarder autour de soi avec un tel sentiment de vacuité intérieure comme si l'espace explosait alentour et que l'étendue immense de Dieu lui était brutalement révélée sans qu'elle puisse prendre racine dans ce nouveau lieu, encore recueillie dans l'ombrage de l'enfance, pareille à l'enfant débile qui contemplait les jardins à travers les vitres de la salle de séjour? L'inquiétude se dissipait finalement dans l'éblouissement de la neige du dehors et la contemplation prolongée des arbres en face.

DIANE GIGUÈRE, Dans les ailes du vent, 1976.
Montréal, Éd. Pierre Tisseyre, pp. 80 à 82.

65. LE TOUR DE L'ÎLE (chanson)

Félix Leclerc. Né en 1914 à La Tuque, poète et chansonnier, dramaturge, conteur et auteur radiophonique. Annonceur de radio de 1934 à 1937, il interprète sa première chanson en 1939 sur les ondes de Radio-Canada. Il participe à plusieurs émissions à titre de comédien puis se joint à la troupe de théâtre «Les Compagnons de Saint-Laurent». Il connaît le succès lors de ses tours de chant à l'ABC de Paris en 1950, 1958 et 1973. Après plusieurs années passées en France, il vit maintenant à l'île d'Orléans où il continue d'écrire. Il a publié plus de vingt titres. Notamment, en poésie: *Andante* (1944), *Chansons pour tes yeux* (1968), *L'Ancêtre* (1974); en théâtre: *Dialogues d'hommes et de bêtes* (1951), *Théâtre de village* (1951), *L'Auberge des morts subites* (1964). Mais il est aussi romancier: *Pieds nus dans l'aube* (1946), *Moi, mes souliers* (1955), *Le Fou de l'île* (1958), *Carcajou et Le diable des bois* (1972); il a aussi publié de nombreux contes et fables: *Adagio* (1943), *Allegro* (1944), *Le Hamac dans les voiles* (1952), et des recueils de maximes: *Le Calepin d'un flâneur* (1961) et *Le petit livre bleu de Félix* (1978).

Pour supporter   le difficile   et l'inutile
Y a l'tour de l'île   quarante-deux milles   de choses tranquilles
Pour oublier   grande blessure   dessous l'armure
Été hiver   y a l'tour de l'île   l'île d'Orléans
L'île c'est comme Chartres   c'est haut et propre   avec des nefs
Avec des arcs   des corridors   et des falaises
En février   la neige est rose   comme chair de femme
Et en juillet   le fleuve est tiède   sur les battures...

Au mois de mai   à marée basse   voilà les oies
Depuis des siècles   au mois de juin   parties les oies
Mais nous les gens   les descendants   de La Rochelle
Présents tout l'temps   surtout l'hiver   comme les arbres
Mais c'est pas vrai   mais oui c'est vrai   écoute encore...

Maisons de bois   maisons de pierre   clochers pointus
Et dans les fonds   des pâturages   tout est silence
Les enfants blonds   nourris d'azur   comme les anges
Jouent à la guerre   imaginez...   imaginons

L'île d'Orléans   un dépotoir   un cimetière
Parc à vidanges[1]   boîte à déchets   U.S. Parking
On veut la mettre   en mini-jupe   and speak English
Faire ça à elle   l'île d'Orléans   notre fleurdelise
Mais c'est pas vrai   mais oui c'est vrai   raconte encore...

Sous un nuage   près d'un cours d'eau   c'est un berceau
Et un grand-père   au regard bleu   qui monte la garde
I' sait pas trop   ce qu'on dit   dans les capitales
L'œil vers le golfe[2]   ou Montréal   guette le signal
Pour célébrer   l'indépendance   quand on y pense
C'est-i' en France   c'est comme en France   le tour de l'île
Quarante-deux milles   comme des vagues   et des montagnes
Les fruits sont mûrs   dans les vergers   de mon pays
Ça signifie   l'heure est venue   si t'as compris...

FÉLIX LECLERC, *Le Tour de l'île*, 1976.

1. Parc à vidanges: *parc à déchets ou décharge municipale.*

2. Golfe: *golfe Saint-Laurent.*

DOCUMENT 8

LE DESTIN DU QUÉBEC

La réalité québécoise est essentiellement mouvante et nul ne peut prédire quel sera son avenir dans le court terme. Pour le moment, fédéralistes et indépendantistes sont engagés dans un combat à finir. Chaque groupe essaie de détecter si son option va dans le sens de l'histoire ; les indépendantistes misent sur le droit à l'autodétermination que proclament plusieurs chartes modernes des droits des collectivités nationales. Quant aux fédéralistes, avec la superbe de ceux qui croient marcher la main dans la main avec l'histoire — parce qu'ils ont l'illusion de faire l'histoire —, ils professent que les problèmes du XIXe siècle ne les intéressent guère et que de parler d'indépendance ou de libération nationale dans un monde qu'un puissant réseau technologique recouvre et unit, c'est faire preuve d'une singulière méconnaissance des problèmes et des besoins contemporains. Le Québec qui a raté son XIXe siècle, serait condamné, selon eux, à vivre à perpétuité une vie dominée (économiquement et culturellement). Telle serait la dure loi de la société post-industrielle.

Quand tout est dit ou presque, il reste que le destin du Québec, quel qu'il soit, ne sera jamais de tout repos. Même l'indépendance politique ne pourra être qu'un commencement ; il nous faut nous rendre compte qu'être québécois, c'est accepter de vivre dangereusement.

(MARCEL RIOUX, *La question du Québec*, Paris, Serghers, « Événements poche », 1971, pp. 182 à 184.)

BIBLIOGRAPHIE SOMMAIRE

1. Coll. *Archives des Lettres canadiennes,* Montréal et Paris, Fides — t. III — *Le roman* (1964), t. IV — *La poésie* (1969), t. V — *Le théâtre* (1976), t. VI — *L'essai* (à paraître).

2. Bergeron (Gérard), *Le Canada français après deux siècles de patience,* Paris, éd. du Seuil 1967.

3. Berque (Jacques), *Les Québécois,* Paris, Maspéro, 1968 / Montréal, Parti Pris, 1971.

4. De Grandpré (Pierre) et coll. *Histoire de la littérature française du Québec,* Montréal, Beauchemin, 4 volumes, 1967-1969.

5. Godin (J.C.) et Mailhot (L.) *Le théâtre québécois contemporain,* Montréal, les Presses de l'Université de Montréal, 1973.

6. Hamelin (Jean), *Histoire du Québec,* Toulouse, éd. Privat, 1976.

7. Légaré (Anne) *Les classes sociales au Québec,* Montréal, les Presses de l'Université du Québec, 1977.

8. Mailhot (Laurent), *La littérature du Québec,* Paris, PUF, « Que sais-je? » (no 1579), 1974.

9. Marcel (Jean), *Le joual de Troie,* Montréal, éd. du Jour (2e éd.) 1979. (sur la question plus particulièrement linguistique du Québec).

10. Marcotte (Gilles), *Une littérature qui se fait,* Montréal, *H-M-H* (2e éd.) 1978.

11. Marcotte (Gilles), *Le temps des Poètes,* Montréal, H-M-H, 1969.

12. Marcotte (Gilles), *Le roman à l'imparfait,* Montréal, éd. de la Presse, 1976.

13. Monnet (François-Marie), *Le défi québécois,* Montréal, éd. Les Quinze, 1977.

14. Rioux (Marcel), *La question du Québec,* Paris, Seghers, 1971.

15. Robert (Jean-Claude), *Du Canada français au Québec libre — Histoire d'un mouvement indépendantiste,* Paris, Flammarion, 1975.

16. Roy (Bruno), *Panorama de la chanson au Québec,* Montréal, Leméac, 1977.

TABLE DES MATIÈRES

Achevé d'imprimer à Montmagny
sur les presses des ateliers Marquis Ltée
le 15 août 1979